LA FILLE DES SOUTERRAINS

DES MÊMES AUTEURS
CHEZ LE MÊME ÉDITEUR

La Bête
Box 21
L'Honneur d'Edward Finnigan

Anders Roslund et Börge Hellström

LA FILLE DES SOUTERRAINS

Roman

Traduit du suédois par Terje Sinding

Titre original : *Flickan under gatan*

ISBN 978-2-258-08591-6

Presses de la Cité
un département **place des éditeurs**

place des éditeurs

« Le pire, ce n'est pas d'être loin de chez soi.
Le pire, c'est quand personne ne vous cherche. »

Micaela, 16 ans
(Centre d'hébergement d'Aspsås)

Maintenant

Mercredi 9 janvier,
8 h 45,
église Sankta Clara

Il s'appelle George et il tient un cierge à la main. Un de ces cierges blancs qui valent cinq couronnes ; la plupart des visiteurs en achètent un, qu'ils allument et placent sur le grand support métallique en arc de cercle. L'argent, on le glisse dans un tronc accroché au dernier banc, c'est une sorte d'aumône, une façon de marquer sa gratitude d'avoir trouvé porte ouverte. Puis on reste debout, contemplant la flamme ou la goutte de stéarine qui coule lentement.

Il travaille là. Il est bedeau et il est à son poste depuis 6 heures du matin ; s'il ne veut pas prendre du retard, il faut bien ça. L'église est grande, le premier office est à 7 heures et demie et il y en a un autre à midi ; il lui faut pas mal de temps pour tout préparer, d'autant qu'il ne peut compter sur personne. Le cierge, il l'a trouvé par terre ; quelqu'un a dû le faire tomber et n'a pas pris la peine de le ramasser. Il y a des gens comme ça.

C'est une belle église ; toutes les églises le sont, bien sûr, mais il a toujours trouvé que Sankta Clara avait quelque chose de particulier. Une église située au milieu du grouillement de la grande ville, au milieu des dealers et des paumés, de tous ces gens qui n'ont nulle part où aller. Une vieille église imposante avec trop de bancs vides, trop d'angelots joyeux en plâtre doré, glaciale en hiver et fraîche en été ; un refuge pour les passants à la recherche d'un peu de silence, à l'écart des grands magasins, des arrêts d'autobus et des gens qui courent.

Cet étrange silence.

Il est seul dans la vaste nef ; le premier office vient de se terminer, les rares fidèles ont reboutonné leurs manteaux et replongé dans le froid du dehors.

Rien ne ressemble à ce silence.

Sans ce silence, il flancherait ; c'est un vide si grand qu'il remplit tout. Il lui donne des forces.

Immobile, il écoute le vide.

Il entend quelqu'un pousser la lourde porte, non sans mal ; des mains qui se débattent avec la grosse poignée, qui renoncent, recommencent. Puis les pas ; des pieds menus qui avancent lentement, se traînant un peu sur les dalles du sol.

Elle est toute maigre. C'est ce qui le frappe d'abord. Malgré tous les vêtements qui l'enveloppent ; une longue jupe noire et deux pantalons, une doudoune informe qui a dû être rouge, des mitaines enfilées par-dessus quelque chose qui ressemble à des pansements. Puis il y a la crasse. Son visage disparaît sous une couche de suie, de terre, d'on ne sait quoi. On le distingue à peine ; ses joues, son front, son menton sont recouverts d'une sorte de pellicule grisâtre.

Ce n'est pas une adulte, mais pas non plus une enfant. Quatorze ou quinze ans, peut-être seize ; avec toute cette crasse, on ne saurait le dire.

Elle reste debout dans le narthex. Est-ce qu'elle écoute le silence ? Est-ce qu'elle cherche quelqu'un ? George tente de capter ses yeux, mais ils semblent éteints, et elle continue de regarder droit devant elle. Elle est coupée du monde. Mais pas droguée. Du moins, il le croit ; il a l'habitude des junkies, ils déboulent de la rue, tournent en rond et ressortent ; elle ne leur ressemble pas, elle paraît plutôt – comment dire ? – absente.

– Bienvenue.

Elle ne l'entend pas.

– Je m'appelle George. Je suis le bedeau.

Elle n'a même pas remarqué sa présence. Elle se dirige pourtant vers lui, mais le dépasse sans le regarder. Il perçoit son odeur, une odeur de renfermé, forte, aigre. Une odeur de fumée, comme celle d'un incendie de forêt ou d'un feu de bivouac. Une odeur qui l'incommode ; il ne peut s'empêcher de se détourner.

Ses pas ne font presque aucun bruit. Mais dans ce silence ce bruit paraît immense ; il résonne entre les murs. Elle passe devant les bancs vides ; George suit son dos du regard. Elle s'arrête, fixe des yeux l'autel, puis se tourne vers le deuxième banc. Elle s'y glisse ; pour garder l'équilibre, elle s'agrippe à l'étagère destinée aux bibles. Arrivée au milieu du banc, elle s'arrête soudain ; on dirait qu'elle cherche à marquer son territoire, à s'approprier ce banc abandonné, cette église vide où sa solitude devient palpable.

George l'observe. De ses vêtements émerge une petite tête aux cheveux gras qui lui retombent dans le dos. Il allume un cierge qu'il place sur le grand support métallique, soulève le chariot de bibles et le range sur le côté, où il ne gênera pas, puis il se tourne vers le tableau où sont affichés les cantiques. C'est le moment qu'il préfère. Le moment où il accroche les chiffres dorés sur le fond noir. Il ne sait pas pourquoi, parfois il se trouve un peu puéril ; c'est si beau quand on s'éloigne un peu et qu'on voit les chiffres briller à la lumière des lustres.

Le tableau se trouve près du banc où elle s'est installée. Il s'y dirige avec précaution. Elle est assise sans bouger, légèrement penchée en avant ; un de ses bras pend mollement. Elle s'est peut-être endormie, mais il ne le croit pas ; des yeux vides, comme les siens, ne se ferment que rarement.

Il a l'habitude des visiteurs solitaires perdus dans leurs pensées. Entre les offices, pendant ce temps mort qui sépare le départ des uns de l'arrivée des autres, lui aussi aime s'asseoir pour rêver un peu.

Mais elle, elle est si jeune. Si sale, si abandonnée.

George pousse un soupir.

Elle risque de rester là longtemps.

Cinquante-trois heures plus tôt

se demandant si les gens le dévisageaient ou s'il était devenu

L'obscurité lui collait à la peau.

Elle l'avait toujours fait. D'aussi loin qu'il pouvait s'en souvenir. Elle lui avait toujours collé à la peau.

Il s'y était habitué. L'obscurité lui plaisait. Il n'aurait pas supporté son absence.

Mais l'obscurité du dehors, celle qui emplissait l'intervalle entre le soir et le matin, ce n'était pas pareil. Il n'était pas sûr de se comporter comme il le fallait, d'avoir l'air qu'il fallait. Il se demandait si les gens le dévisageaient ou s'il était devenu transparent.

Il avait froid. L'hiver s'était tenu en embuscade ; maintenant il fondait sur lui ; son manteau était trop léger, le bas de son pantalon s'effilochait, ses baskets vertes étaient usées. Des vêtements qui ne suffisaient pas à le protéger ; pas par ce froid de janvier.

Il s'appelait Leo. Comme d'habitude, il traînait les pieds en marchant sur la couche de neige, son corps maigre penché en avant. Il avait surgi quelque part du côté de Fridhemsplan et se trouvait maintenant dans Fridhemsgatan, sur le trottoir de gauche, là où la rue descendait vers Arbetargatan. D'un côté, il y avait la cour de l'école, déserte à cette heure-ci ; de l'autre, un immeuble de rapport d'où ne parvenait aucun bruit. Entre les deux, l'éclairage des réverbères lui permettait de voir les nuages de buée de sa propre haleine, mais laissait l'obscurité assez compacte pour lui éviter d'être aperçu par d'éventuels insomniaques attendant l'aurore derrière leur fenêtre en surveillant les voitures garées.

Il s'arrêta au coin d'Arbetargatan et de Mariebergsgatan.

De petites étoiles de Noël allumées aux fenêtres. Une silhouette qui bougeait. Le bruit d'un portail qui se refermait.

Immobile au milieu du carrefour, il regarda autour de lui d'un air inquiet.

L'asphalte disparaissait sous la neige, le verglas et le sable répandu par les services de la voirie. Il gratta la neige du pied pour dégager la plaque d'égout.

Il jeta un dernier regard autour de lui. Personne.

Il ôta son sac à dos et le posa à ses pieds. Puis il sortit la barre de fer qu'il cachait sous son manteau, l'enfonça entre l'asphalte et la plaque et souleva celle-ci d'un seul coup. Elle était en fonte et devait peser dans les soixante kilos, mais les bras de l'homme étaient d'une force insoupçonnée. Encore un mouvement, et l'ouverture fut à moitié dégagée. Sous la plaque, une grille était fixée au mur de béton à l'aide d'un gros cadenas passé dans un anneau de métal. Deux sacs en plastique remplis de mort-aux-rats y étaient suspendus. Il s'agenouilla et sortit son trousseau de clés. La clé était petite et épaisse, et la serrure aussi récalcitrante que d'habitude. En poussant la grille, il faillit y laisser la peau de ses mains à cause du froid.

A deux pâtés de maisons, une voiture s'approchait dans la rue étroite.

Cela ne lui laissait pas beaucoup de temps. En respirant fort, il noua le bout d'une corde de vingt-cinq mètres autour des sangles de son sac à dos. La corde était lourde ; en la faisant glisser entre ses mains, il ressentit une douleur aiguë.

Il attendit d'avoir perçu le choc sourd du sac contre le fond du puits. Alors que les phares de la voiture grandissaient déjà, il se recroquevilla et se glissa dans le trou.

Des petites barres de métal étaient scellées dans le mur.

Il était épuisé. Ses mains tremblaient lorsqu'il remit en place la plaque et la grille. Au moment de refermer le cadenas, il sentit les sacs de mort-aux-rats se balancer contre son visage. Il poussa un juron. Au-dessus de sa tête, il entendit la voiture passer.

Il avait disparu sous l'asphalte. Lentement, il s'enfonçait sous une des rues de la capitale.

Le car se dirigeait vers Stockholm par le sud.

D'un rouge passé, c'était un modèle très ancien, avec un moteur fatigué dont le bruit couvrait celui de la circulation, peu dense à cette heure.

Au-dessus de la grande ville, avec ses cinq cent mille habitants, le ciel était étrangement éclairé. Même de nuit, la lumière était toujours présente ; les réverbères, les néons, les lampes électriques maintenaient la cité en éveil.

A la hauteur de Västberga, le car quitta l'autoroute par la sortie d'Årsta et Södermalm. Il roulait maintenant moins vite, comme si le chauffeur hésitait, cherchait son chemin en scrutant les panneaux de signalisation enneigés.

Peu de gens y prêtaient attention ; un car circulant dans une capitale est à peu près invisible. Ceux qui le remarquaient le virent traverser le pont de Liljeholm, passer ensuite par Långholmsgatan et Västerbron et se diriger vers Kungsholmen. Peut-être esquissèrent-ils un sourire devant les freinages et redémarrages intempestifs du chauffeur, qui ne devait pas être habitué à la neige et au verglas. Sans doute devinèrent-ils aussi la présence de passagers à l'intérieur, malgré la crasse recouvrant les vitres embuées.

Ça, c'était ce qu'on pouvait constater. Ce qu'on savait.

Mais les quarante-trois passagers ignoraient ce qui allait se passer.

Ils ignoraient qu'on allait bientôt les abandonner.

Ici, l'obscurité était différente.

Il y était habitué. Elle le rassurait ; ici, personne ne le remarquerait, personne ne le jugerait.

L'obscurité des tunnels.

Abrité par la nuit de Stockholm, Leo avait ouvert et refermé une plaque d'égout au carrefour d'Arbetargatan et de Mariebergsgatan. Il avait disparu dans un gouffre resté ouvert pendant quelques secondes ; il sentait maintenant sous ses pieds les barres du puits d'accès par lequel il avait l'habitude de passer. Il savait que le passage allait bientôt se rétrécir, que son épaule allait heurter le béton.

Dix-sept mètres sous la rue.

Il avait fait descendre son sac à dos à l'aide d'une corde. Le sac l'attendait maintenant sur le bord cimenté courant le long de l'égout tel un trottoir. Pour le faire retomber sur cet endroit bien sec, il lui avait fallu s'exercer longuement. Certes, il était tard et le niveau d'eau était au plus bas – il ne devait pas y en avoir plus de quelques centimètres –, mais il ne tenait pas à ce qu'il soit mouillé. Le sac contenait toute sa vie.

Il défit la corde et la glissa dans une des poches extérieures du sac. La voiture s'était approchée très vite ; en laissant filer le nylon rêche il s'était brûlé la peau des mains, là où ses gants étaient troués. Il saignait ; tout à l'heure il lui faudrait nettoyer et panser ses plaies ; sous terre, les blessures s'infectaient facilement.

Ici, il faisait toujours chaud ; entre quinze et dix-huit degrés en toute saison. Comme d'habitude, il resta un moment immobile. Pour calmer ses tremblements, pour abandonner l'hiver à ceux qui avaient choisi d'y vivre, pour écouter le silence et s'assurer qu'il était seul.

La lampe frontale se trouvait dans l'autre poche du sac. Les piles commençaient à faiblir ; elles ne dureraient peut-être pas jusqu'au matin. En marchant, il voyait seulement à quelques mètres devant lui. Il mettrait un peu plus de temps que prévu.

Le tunnel était large, il y avait presque deux mètres et demi entre les murs, et le plafond était haut ; au moins un mètre quatre-vingt-dix partout. Il y tenait largement debout, mais il continuait de marcher légèrement penché en avant, comme s'il avait peur de se cogner la tête.

Vingt-deux pas.

La première porte était sur la droite, dans le mur en pierre. Une seule serrure, triangulaire. Il l'ouvrit, quitta les égouts et pénétra dans le couloir de communication.

L'air était moins humide ; on respirait mieux.

Il rectifia la position de sa lampe frontale, donna un coup de pied à l'animal qui courait entre ses jambes.

Sept pas de plus.

Le couloir butait contre une porte avec deux serrures. En haut, c'était encore une serrure triangulaire. Celle du bas était plus compliquée ; il mit un peu plus de temps à l'ouvrir.

Il pénétrait maintenant dans un autre réseau, celui de l'armée. Le tunnel était aussi large, mais les murs étaient en béton et non pas en pierre. Ces couloirs, c'étaient ses préférés ; il s'y sentait bien, c'était là qu'il avait choisi de vivre depuis bientôt onze ans.

Le tunnel des égouts. Le couloir de communication. Le réseau de l'armée.

Il connaissait le chemin.

Personne ne connaissait les tunnels comme lui.

Encore des animaux ; ces putains de rats, ils ne bougeaient pas, ne faisaient pas attention à lui, il dut frapper dans ses mains, leur donner des coups de pied pour les faire dégager.

L'odeur, il l'aimait bien, une odeur de fumée, d'incendie ; c'était peut-être le même feu que celui qui faisait briller les étoiles de Noël là-haut, aux fenêtres.

Il fallait la faire disparaître.

La lumière, il l'aimait moins. Sa lampe frontale éclairait faiblement le couloir. Les ombres ressemblaient parfois à des êtres humains. Mais, tant que la lumière n'était pas dirigée vers lui, elle ne le dérangeait pas trop. Ce qu'il ne supportait pas, c'était de voir son propre corps.

C'était elle qui les attirait.

Il fallait la faire disparaître.

Jurant contre les rats, il continua d'avancer, fermant les yeux chaque fois que la lumière de sa lampe se reflétait dans un bout de métal incrusté dans le mur. Mais il avait cessé de compter les pas. La distance était trop grande, plus de quatre cents mètres en marchant vers l'ouest, à travers un couloir suivant le tracé d'Arbetargatan, là-haut sous la neige.

La troisième porte était semblable à la première.

C'était vers elle qu'il se dirigeait.

C'était une porte de sortie. Et une entrée.

L'entrée d'un autre monde.

Il resta un moment immobile, tendant l'oreille, la clé à la main. Mais il n'entendait que sa propre respiration. Aucun bruit de pas, aucune voix ; la plupart des habitants du réseau des tunnels devaient dormir à cette heure-ci.

Il ouvrit le lourd coupe-feu en métal. C'était facile ; il suffisait de le pousser pour pénétrer dans les sous-sols d'un des plus grands hôpitaux de la capitale.

Dans la descente de Hantverkargatan, le car rouge ralentissait. Derrière les vitres crasseuses et embuées, on semblait maintenant s'animer. Les passagers avaient compris qu'il se passait quelque chose. Ils ignoraient quoi, mais ils pressentaient un danger ; pour la première fois depuis le début de leur long voyage, ils avaient peur.

Il faisait encore nuit, le jour ne se lèverait que dans quelques heures. Enveloppé dans l'obscurité, le car put donc s'arrêter sur Kungsholms Torg sans se faire remarquer, laissant tourner son moteur fatigué.

Un homme descendit, suivi d'un autre, puis d'une femme. Ils portaient dans leurs bras de nombreux sacs en plastique marron qu'ils posèrent sur le trottoir avant de remonter dans le car.

Pendant quelques secondes, on n'entendit rien. Le silence était aussi absolu qu'il pouvait l'être dans un quartier aussi peuplé.

Puis les premiers cris retentirent.

Pas très forts, assez brefs, mais suffisamment aigus pour réveiller les locataires des appartements les plus proches.

Quarante-trois enfants refusaient de quitter leurs sièges.

Ils s'agrippaient aux barres de métal, pleuraient, essayaient de frapper ceux qui voulaient les forcer à descendre. Certains parvenaient presque à se donner des airs menaçants.

C'était une fille qui criait le plus fort. Elle semblait être l'aînée du groupe ; serrant dans ses bras un bébé, elle s'enfonçait dans son siège, le visage collé contre la vitre pleine de buée. Tandis qu'un des hommes lui tenait les bras, l'autre lui arracha son enfant. Il s'éloigna à travers le couloir avec le bébé, qu'il posa à côté des sacs en plastique. A force de cracher et de donner des coups de pied, la fille parvint à se libérer. Puis elle bondit et courut derrière l'homme. Après avoir récupéré son enfant, elle le serra contre elle. Se tournant vers le car, elle cria quelque chose dans une langue qu'aucun des témoins ne put identifier.

En quelques minutes, ce fut terminé.

Etait-ce à cause du froid ?

Etait-ce à cause des comprimés qu'ils ingurgitaient depuis leur départ, comprimés dont on avait doublé la dose pendant la dernière partie du trajet ?

Ou était-ce le découragement de voir que même la plus forte d'entre eux était incapable de résister ?

Deux garçons – ils devaient avoir une douzaine d'années – se mirent à fouiller dans les sacs. Ils finirent par en extraire un tube d'une trentaine de centimètres. Ils l'ouvrirent et en versèrent le contenu gluant dans les petites mains qu'on leur tendait.

L'un après l'autre, les enfants s'assirent sur le bord du trottoir, portèrent leurs mains à leurs narines et inspirèrent profondément. Réfugiés dans leur monde intérieur, ils virent le car s'éloigner le long de Norr Mälarstrand.

Leo n'aimait pas ce bâtiment. Mais il lui était utile. Il n'aimait pas tous ces gens qui couraient partout, dans les couloirs et dans les chambres, de jour comme de nuit. Les autres bâtiments auxquels on pouvait accéder directement à partir des tunnels étaient déserts et plongés dans le noir dès que la nuit tombait ; ici, c'était toujours animé, plein de monde.

Il avait soulevé une lourde plaque d'égout dans Arbetargatan, il s'était engouffré sous terre, il avait parcouru les tunnels. Il avait attendu devant la dernière porte, le temps de s'assurer que personne ne le voyait.

Puis il l'avait ouverte.

Il était maintenant dans les sous-sols de l'hôpital.

Il y allait parfois pour déposer des trucs ou pour en récupérer d'autres.

Au-dessus de lui, au premier sous-sol, au rez-de-chaussée, à chaque étage du grand bâtiment, des gens en blanc marchaient en pressant le pas. Mais ici, au second sous-sol, il n'y avait que des hommes en bleu transportant des chariots ; il savait que la dernière équipe était passée à 9 heures du soir ; c'était un transport de déchets, tout un train de chariots accrochés les uns aux autres. Le prochain transport aurait lieu le matin ; des chariots plus petits, sentant le porridge et le pain frais.

Au fil des ans, il avait appris à connaître leurs habitudes, il savait exactement à quel moment il ne serait pas dérangé.

Il serrait le trousseau de clés dans sa main. Un coup d'œil sur l'horloge murale. Bientôt 4 heures.

La nuit était presque finie.

Encore une porte. Elle fermait le couloir dans lequel il se trouvait. Une porte bleue, métallique. Avec une diode rouge au niveau de la poignée.

L'alarme.

Ce n'était pas un problème. Il savait ouvrir la porte sans la déclencher.

La serrure du haut était vieille, sa clé y entra facilement.

On avait changé celle du bas. Il sortit de sa poche une branche de ciseaux à ongles, introduisit la partie pointue dans le cylindre, la remua pour abraser la goupille. Puis il prit un jeu de cales qu'il avait volé autrefois dans une station-service. Il le déplia, hésita un moment, puis se décida pour une lame de largeur moyenne. A l'aide d'une lime, il y forma quatre dents un peu plus espacées que sur une clé ordinaire. Puis il l'introduisit délicatement dans la serrure. La feuille de métal accrocha immédiatement la goupille abrasée par le ciseau et il put faire tourner le cylindre.

Il venait d'ouvrir la porte de l'atelier de maintenance de l'hôpital.

Il y pénétra. Ce n'était pas la première fois qu'il venait là. Une odeur d'huile et de poussière l'accueillit ; il posa son sac à dos sur le sol, à côté d'un établi, et l'ouvrit. Il en sortit un compresseur portable, qu'il remit sur l'établi où il l'avait pris. Le tuyau était sur le mur ; il le tira vers lui, le fixa sur l'appareil, vérifia qu'il avait commencé à se charger.

La nuit avait été longue. Il avait bien su en tirer profit.

Elle ne peut pas rester là.

Il était fatigué. Il avait hâte de rentrer.

C'est elle qui les attire.

S'il se dépêchait, il aurait le temps d'aller la chercher et de la transporter jusqu'ici.

Il faut la faire disparaître.

Ça devrait aller. Elle était lourde ; en la traînant, il souffrirait le martyre à cause de ses blessures aux mains, mais ça devrait aller. Il aurait fini avant le lever du jour, avant que l'on commence à s'activer dans le vaste bâtiment.

Dehors il faisait froid.

La neige, l'obscurité, ce maudit hiver qui gagnait du terrain chaque nuit, qui lui bouffait sa cinquante-huitième année sans rien en laisser.

Il n'avait plus d'angoisses, il avait fait son deuil du passé, il ne lui restait pas assez de temps pour se lamenter ; il était fatigué, il en avait marre de patiner sur des trottoirs mal déblayés, marre des difficultés respiratoires, marre d'être perpétuellement en colère. Un peu de chaleur, pouvoir se passer de gants et de caleçons longs, était-ce vraiment trop demander ?

Ewert Grens tourna la poignée récalcitrante, ouvrit un des carreaux de la large fenêtre. Son bureau donnait sur la cour intérieure de Kronoberg ; du matin au soir, des connards de flics y couraient en tous sens, des dossiers sous le bras. Maintenant, c'était calme ; ils devaient tous être en train de roupiller.

Quand il se pencha au-dehors, le froid lui mordit le visage. Il soufflait un petit vent, Ewert eut un frisson, mais l'air glacial le réveilla, comme il l'avait espéré. L'hiver, avec son épaisse couche de neige et de verglas, ça avait quand même du bon.

Il avait rêvé. Toujours ce même rêve ; la porte qui se referme derrière lui, la cage d'escalier qui ne conduit nulle part, son domicile qu'il ne retrouve plus, l'appartement qui n'est pas là, ou alors avec un autre nom que le sien sur la plaque ; il continue de gravir des étages qui n'existent pas, il entre et sort par des portes qui ressemblent à la sienne ; il y a plein de gens dans les pièces où il est censé vivre, ils ne bougent pas, le dévisagent, lui demandent ce qu'il fabrique là.

Question à laquelle il n'avait jamais su répondre.

C'était sans doute pour ça qu'il préférait dormir ici.

Sur ce vieux canapé à deux places recouvert de velours côtelé marron. Quelques heures à dormir tout habillé, d'un sommeil agité, le dos en capilotade et la nuque de traviole. Il détestait ces nuits interminables ; elles servaient à quoi, au juste ?

Ewert Grens ferma la fenêtre. Elle lui manquait. Elle surgissait toujours à cette heure-ci, cette femme qui, assise devant une autre fenêtre, contemplait le fjord et les bateaux et cette vie dont elle était exclue.

Elle n'avait pas bougé. D'abord, il n'avait pas remarqué le liquide rouge, le sang qui coulait de sa tête.

Il ne comprenait rien aux gens et les gens ne le comprenaient pas ; c'était comme ça. Avec Anni, il n'avait pas besoin d'expliquer les choses, il n'avait pas besoin de jouer un rôle ; avec elle, il s'était toujours senti à l'aise. Même au début, quand elle était valide.

Il se dirigea vers le volumineux lecteur de cassettes posé sur l'étagère derrière son bureau, fouilla parmi les cassettes qu'il avait lui-même enregistrées. Leurs chansons.

Bien sûr, il irait la voir tout à l'heure. Il s'assiérait sur une chaise à côté du lit métallique à roulettes. Quand elle dormait, sa main lui paraissait toujours si petite. C'était arrivé progressivement ; les artères irriguant son cerveau commençaient à se boucher. A intervalles réguliers, on la sortait de sa chambre à la maison de soins de Lidingö, on la transportait dans un des hôpitaux de la ville pour lui faire subir des radios et des examens ; pour des patients comme Anni, cela faisait partie des routines et il avait depuis longtemps cessé de poser des questions. De toute manière, il n'avait pas envie qu'on lui réponde. Tout ce qu'il souhaitait, c'était qu'il n'y ait pas de changement.

Il finit par trouver la cassette qu'il cherchait, poussa le son et se mit à bouger sa grande carcasse. Il se dandinait lourdement, les bras tendus.

Ta belle Cadillac et ton yacht luxueux

Il la tenait dans ses bras, il dansait avec elle, tous les jours à l'aube, derrière la porte donnant sur un des couloirs de l'hôtel de police. Il faisait encore nuit, le bâtiment était silencieux et la musique emplissait tout, chassant ses idées noires.

Ton penthouse sur le toit, tout ça m'importe peu

Quelques pas rapides. La voix résonnait entre les murs, Siw Malmkvist et l'orchestre de Sven-Olof Walldorf, titre original : *Lucky Lips,* 1966. Il y joignit sa voix, il connaissait les paroles par cœur. Six cassettes de chansons de Siw ; il en avait lui-même fait la compilation. Dans la pièce, rien d'autre n'existait.

Il avait chaud, il commençait à transpirer sous sa veste froissée. Mais il continuait de danser, chantant de plus en plus fort chaque fois que revenait le refrain avec son accompagnement de tambourin qu'il aimait tant. Quand la musique se tut, au bout de deux minutes et quarante secondes, il était hors d'haleine. Il se précipita vers le lecteur de cassettes pour remettre la chanson, il n'avait pas fini, ses bras étaient presque redevenus jeunes.

Puis une sonnerie stridente rompit la félicité.

Ewert Grens adressa un juron au téléphone, lui tourna ostensiblement le dos et le laissa continuer de sonner.

Il n'était même pas 5 heures et demie. Sa ligne de téléphone n'était pas encore ouverte. Ce devait être quelqu'un qui l'appelait en interne, qui savait qu'il était là.

On insistait. Il finit par céder ; respirant lourdement, il décrocha.

C'était le permanencier, un vieux collègue avec qui il travaillait depuis des années sans avoir jamais eu envie de le connaître mieux.

– J'ai besoin de toi.

Grens poussa un soupir.

– Pas maintenant.

– Si.

Nouveau soupir.

– Je n'ai pas le temps. Tu le sais bien.

Il regarda son bureau. Cinq piles de dossiers d'inégale hauteur.

– J'en ai trente-deux.

– Je sais.

– Trente-deux affaires en cours.

– J'ai besoin de quelqu'un de compétent, Ewert. Et à cette heure-ci... il n'y a que toi.

Ewert déplaça deux piles de dossiers et s'assit sur le bord du bureau. Dehors il faisait toujours nuit. De temps en temps il apercevait quelque chose de blanc ; la neige devait de nouveau tomber.

– De quoi s'agit-il ?

Le permanencier hésita avant de répondre.

– Il y a quarante-trois enfants.

– Des enfants ?!

– On les a découverts il y a vingt minutes. Quarante-trois gosses drogués assis sur un trottoir de Hantverkargatan. Ils grelottaient dans des vêtements trop légers. Une patrouille les a ramassés et les a amenés ici, c'était à un pâté de maisons. Ils sont là, à l'accueil.

Autrefois, cela avait dû être un entrepôt. C'était ce qu'elle pensait. Mais elle n'avait jamais cherché à le savoir. De toute façon, quelle importance ? Pourtant, elle aurait peut-être dû se renseigner ; elle y vivait quand même depuis pas mal de temps.

Des murs en béton, un sol en béton, un plafond en béton. Si on n'y était pas habitué, la pièce devait paraître hostile. Mais elle ne l'était pas. C'était un lieu doux, un lieu bienveillant. Pas comme sa chambre ; ici, on respirait mieux. Même si la fumée était pénible, surtout quand le feu venait de s'éteindre et que la porte du couloir était à moitié fermée, comme maintenant. Il n'y avait aucun courant d'air pour en chasser les volutes.

Le seul tirage était l'ouverture de la porte, et l'âtre était un carré de briques posées sur le sol. C'était assez rudimentaire, mais elle trouvait ça beau ; pour rien au monde, elle ne l'aurait échangé.

Elle s'étira. Il était tard. Ou peut-être tôt. Leo était absent depuis plus longtemps que d'habitude ; en général, le feu durait toute la nuit, il s'éteignait rarement avant son retour.

Elle était allongée sur le dos, enveloppée dans un sac de couchage. Son matelas mince était posé à même le sol. Elle avait mal dormi ; elle avait été réveillée par des animaux qui couraient sur son ventre. Tant que le feu brûlait, ils ne s'approchaient pas. Avant, elle en avait eu peur, mais plus maintenant ; pour les chasser, il suffisait de pousser des cris et de faire des moulinets avec les bras, comme Leo le lui avait appris.

Elle se tourna vers l'endroit où il avait l'habitude de dormir. Son matelas et son sac de couchage étaient bien enroulés ; il faisait toujours ça en partant.

Elle aurait préféré qu'il soit là.

Pas là-haut, tout seul sous cette lumière qui lui faisait peur.

Un raclement. Elle se retourna. Les rats couraient dans tous les sens, sur les tiroirs renversés qui faisaient office de tables, sur les couvertures jaunes étalées par terre. Ils bougeaient de la même façon que son cochon d'Inde, autrefois, quand elle ouvrait la cage et qu'il se réfugiait sous son lit. Elle cria, s'extirpa de son sac de couchage et tapa du pied pour les faire déguerpir.

Elle bâilla. S'étira de nouveau, les bras au-dessus de la tête. Elle n'était pas bien âgée, les rares personnes qu'elle croisait lui donnaient dans les quinze ou seize ans. Comme le feu était éteint, elle enfila sa doudoune rouge et un deuxième pantalon par-dessus celui qu'elle portait déjà. Ses longs cheveux marron étaient emmêlés, son visage recouvert de crasse, ses mains presque noires.

A mesure que la fumée se dissipait, d'autres rats apparurent. Elle gesticula, cria, donna des coups de pied, mais en pure perte ; ils étaient nombreux et elle était seule. Elle ouvrit la porte en grand, jusqu'à sentir l'air froid du tunnel s'engouffrer dans la pièce, puis elle se dirigea vers le tas de bois. Les lattes étaient toutes de la même longueur et de la même épaisseur ; elle les aspergea l'une après l'autre d'alcool à brûler et les empila dans l'âtre. Elle dut s'y reprendre à plusieurs fois avec l'allume-feu, mais les flammes finirent par s'élever. La chaleur se répandit, et elle parvint à chasser les animaux.

Elle s'assit sur le matelas.

Le feu crépitait, la chaleur montait vers le plafond, rendait la pièce agréable.

Elle sortit une cigarette, l'alluma, tira avidement une bouffée.

Elle était là depuis si longtemps. Mais jamais elle ne s'était sentie aussi calme, aussi libre ; c'était un de ces matins où elle se demandait si elle allait remonter, si elle allait avoir le courage de retourner chez elle.

Une deuxième cigarette. Elle la tenait entre ses doigts pleins de suie, tachant le papier.

Elle souriait.

Au loin, dans un des tournants du tunnel, elle entendit ses pas.

Elle aimait bien fermer les yeux, suivre le bruit de ses pas traînants sur le béton. Le long corps maigre de Leo, son sac à dos qui lui faisait comme une bosse, son visage anguleux et mal rasé.

Les flammes vacillèrent quand il entra.

Deux briques se renversèrent quand il les heurta du pied.

– C'était elle qui les attirait.

Leo était debout au milieu de la pièce.

Il se tenait tout raide, ses mains tremblaient, il avait le regard fuyant.

Elle l'avait déjà vu dans cet état, elle savait que cela allait lui passer, parfois c'était à cause de la lumière, parfois à cause des rats, elle ne s'en inquiétait pas trop.

Mais là, c'était différent.

Sa peur, son énervement ; il semblait vouloir se cacher.

Elle aurait voulu le toucher, le prendre dans ses bras, mais il ne bougea pas. Se tenant loin de son matelas, il murmura d'une voix à peine audible :

– Elle ne pouvait pas rester là.

Sven Sundkvist était arrivé de bonne heure ; ce lundi matin, il n'y avait pas beaucoup de circulation sur l'autoroute. A cause du verglas ? En tout cas, il avait mis peu de temps ; il avait même pu prendre un petit déjeuner dans ce café trop cher, mais qui ouvrait tôt et avait l'avantage de se trouver en face de l'hôtel de police. Quand il eut avalé ses deux tartines, le jour commençait déjà à se lever. Il régla l'addition, salua le monsieur âgé qui devait être le patron, traversa Bergsgatan. Quelques marches, une lourde porte d'entrée, puis il fallait passer par la salle d'attente du service des passeports avant de pénétrer dans les couloirs de la police urbaine.

Il ouvrit la porte. Regarda autour de lui. S'immobilisa.

Il n'avait jamais rien vu de pareil.

Quelques-uns étaient couchés par terre, d'autres étaient assis sans bouger sur les bancs en bois qui lui avaient toujours paru inutilement durs ; la plupart étaient debout, appuyés contre les murs, effrayés, le regard vide.

Il les compta. Machinalement, sans savoir pourquoi, peut-être pour se donner le temps de comprendre ce qu'il voyait.

Quarante-trois enfants.

Tous vêtus des mêmes combinaisons ; des pièces de tissu bleues et jaunes cousues bord à bord.

Ils n'étaient pas suédois. Ce fut la seule pensée qui lui vint. Puis il y avait cet étrange silence. Sven avait un fils de dix ans, Jonas ; il était bien placé pour savoir que les gosses, ça fait du bruit. Or ceux-là ne disaient rien, ne riaient pas, ne pleuraient pas. Ils étaient totalement muets. Même les plus jeunes, assis sur les genoux des grands.

Sven Sundkvist respirait lentement.

L'odeur était la même que d'habitude ; comme toujours en hiver, il faisait trop froid ; au-dessus de la machine à café, deux néons clignotaient ; on aurait dû les changer depuis longtemps.

Tout paraissait normal. Sauf ce spectacle irréel.

Quarante-trois enfants hagards, terrifiés, abandonnés.

– Sven.

Tout au fond, entre deux plantes vertes dans d'énormes pots, Ewert Grens marchait de long en large, un téléphone portable collé à l'oreille. Sven regarda sa grande carcasse, son large front luisant, sa jambe raide qui lui donnait une démarche syncopée.

– Viens ici, Sven.

Un dernier coup d'œil au néon défectueux, le temps de retrouver ses esprits.

– Qu'est-ce qui se...

– Ils ne peuvent pas rester là. Bientôt il y aura du monde. Il faut les faire monter à l'étage, les installer dans le couloir en attendant.

– Tu pourrais...

– Tout de suite, Sven.

Jambes écartées, mains dans le dos, quatre collègues en uniforme surveillaient la pièce. Sven se tourna de nouveau vers les gosses ; ils avaient l'air totalement absents. Lentement il s'approcha du banc le plus proche, occupé par quelques garçons un peu plus âgés que Jonas. Il s'accroupit devant eux, chercha à capter leur regard fuyant, leur demanda comment ils s'appelaient. Les garçons ne le voyaient pas. C'est ainsi qu'il le ressentit. Comme s'il était devenu transparent.

Il leur demanda d'où ils venaient, comment ils allaient. En suédois, en anglais, dans un allemand hésitant, mobilisant enfin les quelques mots de français dont il se souvenait.

Aucune réponse.

Aucune réaction.

Le visage de Jonas. Sven allait toujours jeter un œil dans sa chambre avant de partir. Ce matin, le garçon était couché comme d'habitude, ses cheveux noirs en désordre sur l'oreiller. Encore une fois, Sven s'y était un peu trop attardé. Il préférait courir jusqu'à sa voiture et conduire un peu plus vite ; ces moments étaient plus précieux que tout le reste de la journée.

Jonas était confiant. C'était le mot. Tout le contraire de ces enfants.

— *Upstairs.*

Sven fit un geste vers l'escalier. Il se sentait toujours aussi transparent.

— *Upstairs. Everyone.*

Il posa sa main sur l'épaule d'un des garçons. Ce fut comme s'il l'avait frappé ; son corps chétif eut un sursaut, il détourna le visage et cria quelques mots incompréhensibles.

— *Don't be afraid. You...*

Sven sentit soudain l'odeur. Un mélange de solvant et de vieille urine. Comment avait-il pu ne se rendre compte de rien ? Maintenant ça lui donnait des haut-le-cœur. Le garçon était parmi les plus jeunes, du même âge que Jonas, pas plus de dix ans. Sans véritablement comprendre, Sven vit ses doigts maigres presser un long tube, faire tomber la colle dans sa main libre et la porter à ses narines.

— Bon Dieu... mais qu'est-ce que tu fais ?

Sven s'empara du tube pour le lui arracher. Le garçon résista ; Sven s'apprêtait à tirer plus fort quand il sentit soudain une douleur. Le gosse lui avait mordu la main.

Un des collègues en uniforme accourut, mais s'arrêta à deux mètres de lui. Sven avait lâché prise, il tenait maintenant sa main en l'air.

Le collègue secoua la tête.

— C'était pas très malin.

Sven examina sa main. Elle saignait abondamment.

— Vous avez une meilleure solution ?

— Je faisais partie de la patrouille qui les a amenés. J'ai eu le temps de les observer. Vous ne voyez pas ? Des drogués. Tous. Vous avez voulu leur prendre leur seul réconfort.

Le visage de Jonas, ses cheveux ébouriffés contre l'oreiller. Et ce garçon allongé par terre, un tube de colle à la main.

Un réconfort ?

Il leur laisserait leur colle.

— *Upstairs.*

Sven se redressa, regarda autour de lui, fit de nouveau un geste vers l'escalier.

— *Now.*

Ils restèrent silencieux, ne bougèrent pas. Seul le garçon allongé devant lui murmura quelque chose tout en continuant de sniffer sa colle.

Puis il s'affaissa.

— Il lui faut de l'aide, Sundkvist ! De l'aide pour respirer !

Sven chercha son pouls, lui mit sa main devant la bouche pour sentir sa respiration.

Tout à coup, le corps malingre se réveilla.

Le garçon eut des gestes incontrôlés, comme s'il se battait contre un adversaire invisible. Sven sentit une brûlure lorsque une de ses mains lui heurta le visage.

Le garçon continua de l'abreuver de coups. Les autres enfants firent mine de s'approcher, mais le collègue en uniforme s'interposa. Sven parvint enfin à maîtriser le garçon. Il s'assit à califourchon sur lui en lui maintenant les bras au sol.

Au bout de quelques minutes, le garçon se mit à respirer plus calmement et son corps se relâcha un peu. Une fille d'une quinzaine d'années, un bébé dans les bras, s'avança, dit quelque chose dans une langue étrangère et montra du doigt l'escalier. Elle fit comprendre à un des grands qu'il devait attendre que tous les autres aient commencé à monter, puis elle répéta ce qu'elle venait de dire, fit de nouveau un geste vers l'escalier. A contrecœur, ses camarades commencèrent enfin à bouger.

Sven se redressa. Le garçon se joignit aux autres.

Sven les suivit du regard.

Il n'avait jamais rien vu de semblable.

Un cortège d'enfants silencieux quittant la salle d'attente, l'air absent. Une odeur de solvant et de pisse. Ils se droguaient tous aux substances chimiques. Quarante-trois enfants portant des combinaisons bleu et jaune. La plupart parvenaient à marcher sans aide, seuls les plus petits en eurent besoin pour grimper les marches. Des gosses portant d'autres gosses dans leurs bras.

Quelques-uns dormaient maintenant, allongés sur le lino froid.

D'un sommeil agité.

Les autres étaient assis. En s'approchant d'eux, Sven eut un sentiment de malaise en plongeant son regard dans leurs yeux vides.

Les quatre collègues s'étaient postés à dix mètres d'intervalle dans le long couloir. Sven hocha la tête en passant devant eux. Ils avaient l'air harassés ; de braves garçons qui ne comprenaient rien à la situation.

Des enfants sans nom.

Dans le couloir d'un commissariat.

Ils avaient tous des sacs. Des sacs en plastique marron. Sven se rappela le sac que trimballait sa mère pour aller au supermarché, d'où elle revenait avec du lait, de la margarine et des briques de jus d'orange. Ça lui évitait d'en acheter un nouveau ; « un sac par jour, ça en fait, de l'argent ». Il secoua la tête. Cela faisait trente ans qu'il n'avait pas vu ce genre de sac. Maintenant il y en avait plein le couloir.

Quarante-trois gosses ; quarante-trois sacs.

Il s'apprêtait à gagner son bureau, mais se ravisa soudain. Il continua, passa devant deux portes et frappa à celle d'Ewert. Celui-ci était assis derrière son bureau, un téléphone à la main.

Il ne parlait à personne. Il se contentait de regarder l'appareil.

– Leurs combinaisons.

Ewert Grens éleva la voix.

– Elles sont bleu et jaune. Bleu et jaune, Sven !

Sven Sundkvist pénétra dans la pièce et se dirigea vers le canapé. Il était sûr que son chef y avait passé la nuit ; cela faisait bientôt treize ans qu'ils travaillaient ensemble et il avait appris à le connaître. La plupart des collègues faisaient tout pour éviter le commissaire Grens, et Sven avait l'habitude de l'entendre maudire la terre entière. Mais là, il n'était pas en colère. Plutôt découragé.

— Tu y comprends quelque chose ?

Il se leva, en proie à l'agitation.

— Sven… pourquoi personne ne les cherche ?

Ewert se mit à marcher de long en large, manquant de lui écraser les pieds chaque fois qu'il passait devant le canapé. Ils ne dirent rien. Dehors, le vent semblait se calmer un peu ; dans le couloir, on avait donné de l'eau aux gosses et ils avaient cessé de tousser. Grens reprit la parole :

— Les gens des services sociaux sont en route.

Il s'arrêta devant Sven.

— Mais il faudrait aussi que tu nous dégotes un interprète ; je n'ai pu joindre personne. Il faut qu'on puisse leur parler.

Dans le couloir, la toux recommença.

Sven s'apprêtait à sortir.

— Encore une chose, Sven.

Le commissaire regarda autour de lui, comme pour s'assurer que personne ne les écoutait.

— Je n'ai pas d'enfants. Mais toi… qu'est-ce que tu en penses ? Je me dis que… merde, ils doivent avoir faim.

Sven s'était arrêté sur le seuil. Il jeta un œil dans le couloir. Des visages au regard fixe. Fatigués, affamés.

Il hocha la tête.

— Tu as raison.

Ewert Grens referma la porte avec soin. Il avait besoin de quelques instants de solitude.

Tout à l'heure, il l'avait tenue dans ses bras.

D'abord, il allait commander de la nourriture pour les gosses. Mais ensuite, il remettrait en route le lecteur de cassettes pour reprendre ce qu'il avait dû interrompre une heure plus tôt.

Deux minutes et quarante-deux secondes, *Lucky Lips* par Siw Malmkvist.

Je n'ai pas eu le temps.

On allait endormir Anni ce matin, il fallait qu'ils terminent leur danse avant.

Je n'ai pas eu le temps de freiner.

Il remit la musique. Mêmes paroles, même refrain. Ensuite, quand le silence retomba, il desserra son étreinte. Il transpirait de nouveau dans le dos et dans la nuque.

Ils n'avaient pas bougé.

Sven se tenait à côté du garçon qui toussait. Un des agents accompagnait une petite fille aux toilettes. Grens était sorti dans le couloir ; il les dévisagea les uns après les autres. Les gosses le voyaient, il n'y avait pas de doute, mais ils évitaient son regard et faisaient semblant de l'ignorer. Il n'avait aucune expérience des enfants, il n'en avait jamais côtoyé ; ses contacts avec des mineurs se limitaient à des interrogatoires. Mais ces gosses n'allaient pas bien, c'était évident.

Il s'arrêta devant la machine à café, avala en vitesse un gobelet de café noir. Puis la moitié d'un autre, avant d'abandonner le gobelet dans la corbeille à papier. Le café avait un sale goût. Mais il y était habitué ; il ne pouvait pas s'en passer. En lui réchauffant la gorge, le liquide amer lui faisait du bien, surtout après une nuit passée sur le canapé.

– Bonjour.

Il ne l'avait pas vue. Mais il fut content d'entendre sa voix.

– Bonjour. Tu es matinale.

– Qu'est-ce que c'est que ça ?

Posant une main sur son épaule, Mariana Hermansson fit un geste vers le couloir. Grens sursauta, comme toujours ; il ne savait pas comment se comporter quand on le touchait.

– Ils ont débarqué ce matin.

Grens lui expliqua brièvement la situation. Elle comprit tout de suite. Elle était intelligente, Hermansson. Il l'appréciait beaucoup. Il se rappelait qu'il avait protesté quand on la lui avait imposée comme intérimaire, deux ans plus tôt. Et que la fameuse prise d'otages dans un grand hôpital de Stockholm l'avait fait changer d'avis.

– Pourquoi m'as-tu donné le job ?

– C'est important ?

– Je sais ce que tu penses des femmes policiers.

Elle venait de sortir de l'école de police. Mais elle s'était montrée méthodique et perspicace. Dans la salle d'opération qui leur avait servi de QG, elle avait compris des choses qui auraient dû lui sauter aux yeux.

– La police de Stockholm embauche une soixantaine de personnes tous les ans. Qu'est-ce que tu veux que je te dise ? Que tu es douée ?

– Je veux que tu me dises pourquoi.

Six mois plus tard, il l'avait titularisée, la faisant passer devant tout le monde.

– Parce que tu l'es. Sacrément douée.

– Et les femmes policiers ?

– Que toi tu sois douée, ça ne change rien. Les femmes policiers sont nulles.

Leur conversation s'était déroulée entre deux portes. Elle lui revenait de temps en temps à l'esprit.

Avait-il eu raison de lui dire ça ?

Elle fit un geste vers la machine à café. Il se poussa, et elle appuya plusieurs fois sur un des boutons du haut. Un mélange de poudre de lait et de café ; ça plaisait beaucoup aux jeunes. En regardant son gobelet, il esquissa une moue de dégoût. Les nuits trop courtes et les trente-deux dossiers qui s'empilaient sur son bureau, c'était déjà assez pénible. Si, en plus, il fallait se taper ce breuvage...

– Tu devrais essayer de leur parler.

– Justement, ils ne parlent pas.

Hermansson se dirigea lentement vers eux, son café dans une main. De l'autre, elle fit signe à deux des enfants de s'approcher. Elle s'arrêta devant une des filles, lui fit également signe, mais n'obtint aucune réaction. Grens avait déjà vu cette fille se promener parmi les autres enfants, un bébé dans les bras ; elle semblait veiller sur ses camarades, jouer les chefs. Les autres lui faisaient manifestement confiance ; à deux reprises, il avait essayé d'établir un contact avec elle.

Chaque fois, elle s'était détournée d'un air presque dédaigneux. Maintenant, devant Hermansson, elle ne bougeait pas ; c'était déjà ça.

Il appuya sur le bouton pour se faire un autre café.

Il jeta un œil par la fenêtre. Ce maudit hiver ; c'était humide, glissant. Il détestait ça.

Hermansson était toujours debout devant la fille. Grens attendit la fin des gargouillis de la machine. Puis il but son café d'un trait et se dirigea vers elles. Le voyant passer, Sven quitta son bureau pour le rejoindre. Grens se tourna vers son collègue, l'air content.

– J'ai commandé de quoi manger. La nourriture arrivera dans une demi-heure, il fallait d'abord chauffer les fours. Quarante-trois capricciosa.

– Pardon ?

– Tu en voulais une, aussi ?

– Des pizzas ?

Ils étaient arrivés à la hauteur de Hermansson et de la jeune fille. Grens s'arrêta, énervé.

– Ils ont faim ou non ? C'est toi qui me l'as dit.

– Mais, Ewert…

– Ecoute, Sven, je n'en ai rien à foutre de tes principes diététiques. Il faut qu'ils mangent. Et on va les nourrir.

Sa voix résonnait dans le couloir. Certains des enfants bougèrent, inquiets. La jeune fille fit un pas en arrière ; sur le qui-vive, elle essayait manifestement d'interpréter les gestes du gros homme qui se tenait devant elle.

– Ils n'ont rien avalé depuis hier.

Au moment où la fille avait reculé, Hermansson lui avait délicatement caressé la joue. Puis elle s'était retournée vers Ewert et Sven.

– Depuis hier après-midi. Depuis dix-sept ou dix-huit heures, en somme.

Ewert Grens souffla bruyamment.

– Comment tu le sais ?

– Elle me l'a dit.

– Tu te fous de ma gueule ?

Hermansson eut un mouvement de tête en direction des enfants.

– Ewert, ce sont des…

Elle baissa la voix.

– Ce sont des enfants des rues. J'en suis sûre. De Bucarest.

Elle était restée couchée, le visage tourné vers le feu. La chaleur lui brûlait la peau, elle aimait bien cette sensation.

Mais les flammes diminuaient ; le feu allait bientôt s'éteindre.

Elle avait dormi une petite heure. Les lattes de bois que Leo arrachait aux palettes qu'il volait au supermarché, ça ne durait pas. Elle s'y était habituée ; une heure tout au plus, quand elle faisait attention à ouvrir la porte en grand et qu'elle les empilait par paquets de cinq, en laissant quelques centimètres d'intervalle.

Ici, il n'y avait pas d'horloge, pas de saisons, par de jours, pas de nuits.

Elle se retourna. Il dormait. Son visage s'était adouci, ses joues étaient presque lisses et il respirait calmement. Même les tiraillements de ses paupières avaient cessé.

Elle ne pouvait pas rester là.

Elle l'avait vu se tenir au milieu de la pièce, hagard. Faisant des efforts pour qu'elle comprenne.

Il bougeait, se retournait sur son matelas. Son front était mouillé, il transpirait. Son sac de couchage formait un tas par terre, il s'était enroulé dans les couvertures d'hôpital jaunes. Il était beau. Il était toujours là quand elle avait peur. Il était déjà là quand elle était arrivée. Comme s'il l'avait attendue. Il était patient, n'exigeait rien, restait toujours à distance quand ils bavardaient. Elle lui avait demandé s'il voulait la toucher ; une fois ou deux, elle lui avait pris la main pour qu'il lui caresse la joue ou les cheveux, mais il avait toujours reculé. Il avait peur de lui voler quelque chose, peur de ressembler aux autres.

Elle se rappela leur première rencontre. C'était pendant une de ses fugues ; elle était partie de chez elle depuis une semaine. Bien sûr, elle ne le connaissait pas. Elle l'avait vu à l'arrêt d'autobus de Fridhemsplan ; buvant un café offert par la Mission intérieure, il bavardait avec les gens qui distribuaient des sandwichs et des couvertures aux sans-abri. A un moment elle s'était approchée de lui ; il lui plaisait déjà. Devinant qu'il n'exigerait rien d'elle, elle l'avait suivi sous terre, et il lui avait fait découvrir un monde dont elle n'avait pas soupçonné l'existence. *Quand tu ne veux pas qu'on te trouve.* Leo lui avait fait confiance. Il lui avait montré ce qu'il avait de plus précieux. Elle se demandait pourquoi ; peut-être avait-il compris qu'elle aussi voulait devenir invisible.

Il transpirait encore. Son visage était vieux. Mais pas ses yeux.

Les yeux, c'était ce qu'il y avait de plus important chez les gens.

Elle s'approcha des flammes, du feu en train de s'éteindre. Les premiers rats apparurent dans l'ouverture de la porte. Gros, aveugles. Ils sentaient l'odeur de viande. Elle pensa de nouveau à son cochon d'Inde. Elle ne s'en était jamais beaucoup occupée. Elle l'avait regardé courir dans sa cage ; parfois, elle l'avait pris dans sa main. Mort, il lui avait manqué, pourtant. Elle s'était sentie toute seule dans sa chambre.

Leo semblait avoir deviné leur présence, leurs museaux fureteurs ; réveillé en sursaut, il se redressa devant le feu éteint, face aux rongeurs. S'extirpant de ses couvertures, il les agita pour chasser les animaux.

Il donna un coup de pied dans les palettes, en arracha une latte, prit son couteau pour la couper en lamelles qu'il posa sur la braise. Puis il souffla dessus à plusieurs reprises, la bouche près du sol, faisant voler les cendres. Le feu finit par prendre. Elle lui tendit quelques morceaux de bois plus gros. Petit à petit, les flammes s'animèrent.

– Où ?

Elle n'avait pas parlé depuis des heures. Sa question resta en suspens.

Leo ne répondit pas.

– Où ?

Il haussa les épaules sans rien dire. Elle n'avait jamais élevé la voix devant lui ; jamais elle n'en avait eu besoin. Son ton était d'autant plus surprenant.

– Je veux savoir. Tu comprends ? Je veux savoir où elle est.

Il descendit lentement l'escalier, un troisième gobelet de café à la main. Toujours cet escalier sombre et froid. Il y mettait plus de temps maintenant ; il se rappelait l'époque où il le montait et le descendait quatre à quatre. Trente-cinq ans qu'il était flic ; ça faisait combien de marches ?

Ewert Grens se frotta le menton. Il y avait le passé et le présent. Ce qu'il y avait entre les deux, à quoi ça servait, au fond ?

Il lui restait un étage à descendre quand il entendit le brouhaha. Des chaises qui raclaient le parquet fraîchement refait, des verres qu'on reposait trop brutalement, des voix encore en sourdine.

Assis près de la fenêtre donnant sur la cour intérieure, ils occupaient tout le fond de la cantine. Trois grandes tables pouvant accueillir cinquante-deux personnes. Grens s'arrêta près d'un chariot à plateaux pour les regarder de loin.

Sven et Hermansson. Les quatre agents en uniforme. Deux jeunes hommes des services sociaux. Un autre, plus âgé ; c'était l'interprète. Tous observaient quarante-trois enfants en combinaisons bleu et jaune, mangeant des pizzas avec leurs mains, directement dans les cartons, et buvant du lait dans des gobelets marron.

Jamais il n'avait vu des enfants comme ça.

Hermansson avait brièvement parlé avec la jeune fille, celle qui semblait avoir une certaine autorité sur ses camarades.

Bucarest, avait-elle dit.

Grens secoua la tête. Il ne comprenait pas. Une ville située à plus de trois mille kilomètres de Stockholm.

Mariana Hermansson s'était attablée avec les plus grands. Il aurait dû se rappeler qu'elle parlait roumain ; il maudissait son incapacité à s'intéresser aux gens. Deux fois au moins elle lui avait parlé de Malmö, des tours d'habitation de Rosengård, de sa mère suédoise et de son père roumain. D'une enfance si différente de la sienne. Cela ne l'avait pas accroché ; il avait assez à faire avec sa propre vie, à quoi bon s'occuper de celle des autres ?

Elle en avait été blessée, il s'en était rendu compte. Elle s'était confiée à lui et il l'avait à peine écoutée.

Tous ces gens qui exigeaient des choses de vous.

Il le lui expliquerait un jour. Qu'il appréciait sa confiance, mais qu'il ne savait pas comment réagir face à ça.

Les enfants mangeaient avec avidité. Sven avait eu raison ; ils étaient affamés. Ewert Grens posa son gobelet sur un plateau plein d'assiettes sales et se dirigea vers les tables. Quelques-uns des enfants levèrent un regard inquiet de leur carton presque vide. Il reconnut les garçons qui avaient reculé quand il s'était mis à gesticuler tout à l'heure.

Grens salua les hommes des services sociaux d'un hochement de tête. Puis il fit signe à Hermansson d'approcher.

– La fille, Ewert.

Elle avait répondu avant même qu'il ait eu le temps de poser sa question.

– La fille avec qui j'ai parlé dans le couloir.

– Et puis ?

– Celui-là.

Hermansson montra du doigt un garçon assis au bout d'une des tables. Un peu plus jeune que la fille, il devait avoir dans les douze ou treize ans.

– C'est avec eux qu'on pourra établir un contact. Ce sont les seuls qui oseront parler. Et qui seront capables de nous faire entendre autre chose que des cris d'angoisse.

Depuis un moment, Mariana Hermansson avait une drôle de sensation au plexus solaire. Si on lui avait passé une radio, on n'aurait rien découvert. Et pourtant, elle y avait comme une grosse boule. Une grosse boule qui appuyait contre ses côtes. Cela lui était déjà arrivé, mais cette fois-ci ce n'était pas douloureux. Ce n'était pas du stress, c'était autre chose.

Elle avait juste prononcé quelques phrases.

Elle avait eu le sentiment de se parler à elle-même.

La fille avait douze ans de moins qu'elle, elle appartenait à un autre monde, mais elle ressemblait à la gamine qu'elle avait été à cet âge-là. Même couleur de cheveux, mêmes yeux, même... attitude.

Farouche.

Elles se promenaient maintenant côte à côte dans le couloir où, au grand étonnement d'Ewert, Mariana Hermansson avait obtenu une réponse à sa première question. Les sacs en plastique marron étaient toujours là, éparpillés entre le haut de l'escalier et la machine à café. L'odeur de transpiration et de produits chimiques flottait toujours dans l'air.

Nadja. C'était son nom. Le regard vide, la respiration irrégulière, elle marchait à petits pas. Hermansson avait envie de la toucher, mais elle savait que tout contact physique pouvait être interprété comme une agression, et non pas comme un signe de tendresse.

Le bureau d'Ewert Grens était à l'autre bout du couloir, loin du sien. Encore nouvelle, elle devait attendre avant de pouvoir s'installer à proximité des autres enquêteurs. Cela prendrait quelques années, mais elle n'était pas impatiente. Elle n'était même pas sûre d'en avoir envie ; il y avait des avantages à être un peu éloignée d'un patron qui restait pour elle une énigme.

La porte était ouverte. Elle fit signe à Nadja d'entrer. Pas un mot, pas un regard. La fille pénétra dans la pièce et se dirigea vers la fenêtre, tournant le dos à Hermansson.

– Tu peux t'asseoir.

Hermansson avait beau s'adresser à elle en roumain, la fille ne semblait pas l'entendre.

– Retourne-toi, Nadja. Je voudrais que tu t'asseyes sur ce canapé, face au bureau. Je m'assiérai à côté de toi. On va parler un peu, c'est tout.

Ewert Grens frappa contre le chambranle de la porte. La fille sursauta, se serra contre le mur comme si elle voulait s'y enfoncer. Avant de poursuivre, Hermansson laissa Grens s'installer à son bureau, suffisamment loin de la fille pour ne pas l'effrayer.

– Il faut qu'il soit là, Nadja. C'est dans ton intérêt. Il écoutera ce que nous dirons ; mes questions et tes réponses. Tu comprends ?

La fille ne bougea pas. Tout en installant son magnétophone, Hermansson l'observa. Elle n'était pas spécialement belle, mais elle possédait une sorte de grâce. Ses longs cheveux noirs, ses yeux sombres. Elle paraissait fatiguée. Un visage très mobile. Dans la lumière dure provoquée par la neige, elle semblait presque vieille. Comme si elle avait deux âges ; un âge biologique et un autre, plus avancé, à force d'avoir trop vécu trop jeune.

Commissaire Mariana Hermansson (MH) : Comment t'appelles-tu ? Ton nom de famille, je veux dire ?

Nadja (N) : (inaudible)

MH : Tu peux parler plus fort ?

N : (inaudible)

MH : Je ne t'entends pas. Ecoute-moi, Nadja. Je veux simplement savoir comment tu t'appelles.

Il faisait froid dans la pièce ; en cette période de l'année, on avait toujours l'impression que les vieux radiateurs de l'hôtel de police allaient rendre l'âme. Et pourtant, Nadja transpirait. Elle avait le front luisant, des gouttes de sueur perlaient sur son nez et sur ses tempes.

MH : Tu ne te sens pas bien ?

N : (inaudible)

MH : Réponds-moi.

N : Je ne sais pas.

Son visage était tendu. Elle avait maintenant des tiraillements autour des yeux, comme des spasmes ou des tics. Hermansson était encore nouvelle dans le métier, mais elle avait déjà vu cela. D'habitude, ils étaient plus âgés, mais c'était la même chose : leur corps réclamait une substance à laquelle il était habitué.

Elle devinait de quoi il s'agissait. Mais elle voulait en être sûre. Il fallait qu'elle voie les mains de cette enfant prématurément vieillie.

Elle fouilla dans sa poche, en sortit un paquet de cigarettes. Elle savait qu'elle faisait quelque chose d'illégal, mais peu importait.

Nadja réagit exactement comme elle l'avait espéré.

Elle tendit la main vers le paquet. Pour la première fois, elle leva le regard vers Hermansson. Mariana Hermansson fit oui de la tête, et la fille prit timidement une cigarette. Sa main tremblait. Hermansson en était maintenant certaine. La transpiration, les tiraillements autour des yeux, les mains qui tremblaient : la fille était en manque.

MH : Tes bras ?

N : Oui ?

MH : Je peux les regarder ?

N : Pourquoi ?

MH : Tu veux bien retrousser les manches de ta combinaison ? Jusqu'au coude.

Nadja fit un geste vers le briquet posé à côté du paquet de cigarettes. Hermansson hocha de nouveau la tête. De ses mains tremblantes, la fille parvint à allumer le briquet et l'approcher de sa cigarette. Elle inhala avidement la fumée, une fois, deux fois, trois fois, et parut se calmer un peu.

Moi je suis ici.

Et elle est là.

Mariana Hermansson observa la jeune fille. Elle tirait sur sa cigarette ; quand celle-ci fut entièrement consumée, elle haussa les épaules et retroussa ses manches.

J'ai douze ans de plus qu'elle.

Moi je suis ici.

Et elle est là.

Sur chaque bras, il y avait une bonne dizaine de cicatrices. Elles étaient récentes, cela se voyait à leur bord enflé. Hermansson se pencha vers le magnétophone. Pour la première fois depuis le début de l'interrogatoire, elle parla en suédois.

MH : Interruption de l'interrogatoire.

Elle regarda la fille, puis continua :

MH : Tremblement des mains. Tics du visage. Transpiration immotivée. Quand elle parle, on entend un clappement de la langue, comme si elle avait la bouche sèche. Elle présente tous les symptômes de l'état de manque.

Devant elle, la fille lui tendait ses deux avant-bras dénudés. Dans son dos, les flocons de neige continuaient de danser au-dessus de la cour intérieure de Kronoborg.

Mariana Hermansson avait envie de fermer les yeux.

MH : Pas de traces d'injections sur les bras. Mais dix à quinze cicatrices. Nettes, récentes, essentiellement sur le dessus des avant-bras.

Une profonde respiration. Un bref regard vers la fille, dont les yeux semblaient vides. Puis elle reprit le micro.

MH : Les cicatrices font cinq à six centimètres de long. Ce sont manifestement des traces d'automutilation.

Pendant l'interrogatoire, la porte était restée entrouverte. La fille n'avait cessé d'y jeter des coups d'œil ; Hermansson l'avait bien remarqué. Elle s'était mise sur la pointe des pieds chaque fois que quelqu'un était passé devant. Hermansson en était certaine : Nadja surveillait le couloir.

Elle arrêta le magnétophone.

– Tout à l'heure tu avais un enfant dans les bras.

La fille était toujours tournée vers la porte, qui était maintenant fermée. Hermansson frappa un coup sec contre le magnétophone ; elle voulait s'assurer que la fille avait bel et bien entendu sa question.

— Un bébé. De six mois environ. C'est exact, Nadja ?

— Oui.

— C'est ton enfant ?

Ewert Grens était resté silencieux.

Il ne comprenait pas grand-chose. Mais les tics, la transpiration et les cicatrices sur les avant-bras ne nécessitaient aucune traduction. C'était une enfant ; elle sentait mauvais et elle était en manque. En la regardant, il ressentit une sorte de dégoût. Se raclant la gorge, il s'apprêtait à poser une question lorsqu'une sonnerie intempestive retentit.

Il poussa un soupir.

La fille jeta un regard effrayé sur le téléphone. Grens le laissa sonner.

Quand l'appareil se tut enfin, il se racla de nouveau la gorge et se tourna vers la fille. A l'instant même, la sonnerie reprit.

Furieux, il se pencha en avant.

— Oui ?

— Ewert ?

— J'avais demandé qu'on coupe momentanément ma ligne. Normalement, on ne devrait pas pouvoir me joindre. Or c'est la deuxième fois qu'on me passe une communication.

C'était la même voix que tout à l'heure. Le permanencier.

— Encore du boulot, Ewert.

Grens regarda autour de lui. Les dossiers qui s'empilaient sur son bureau, la fille assise sur le canapé.

— Je ne t'ai pas dit que j'avais trente-deux affaires en cours ? Tu m'en as déjà refilé une supplémentaire. Et voilà que tu remets ça !

Il faisait des efforts pour ne pas exploser de rage.

— Le corps d'une femme. Dans les sous-sols de l'hôpital Sankt Göran.

On ne tenait aucun compte de ses objections. La voix continua, imperturbable :

— Probablement un meurtre, Ewert.

Elle entendait les pas s'approcher, puis s'éloigner.

Des gens marchaient dans le tunnel en traînant les pieds.

Elle posa sa cuillère et tendit l'oreille. Le bruit avait déjà cessé, mais elle restait aux aguets.

Elle n'aimait pas qu'on marche dans les couloirs.

Elle n'aimait pas qu'on passe devant leur porte.

Elle lissa la nappe. C'était une jolie nappe à carreaux rouges et blancs, comme dans ce restaurant assez cher où elle était allée avec ses parents quand elle était petite. Elle avait mangé des lasagnes et personne n'avait crié. Ni à ce moment-là, ni plus tard dans la soirée. Il y avait des jours comme ça.

La table, ce n'était pas vraiment ça. Quatre palettes empilées les unes sur les autres. Mais la nappe recouvrait tout ; on ne voyait qu'elle.

Elle ouvrit une boîte de soupe venant d'un économat militaire, sortit les sandwichs au fromage qu'on lui avait donnés à la Mission intérieure la dernière fois qu'elle était remontée à Fridhemsplan, découpa le jambon qu'elle avait piqué dans l'entrepôt du supermarché ICA et qui se conservait si bien. Cela faisait un copieux déjeuner. Elle le réchauffa délicatement sur la plaque électrique posée entre la table et les matelas.

Ils l'avaient récupérée une nuit dans une école, juste à côté. Elle n'avait jamais vu une plaque électrique aussi petite ; ils l'avaient trouvée dans le coin cuisine de la salle des profs. Le cordon était suffisamment long pour être branché sur la prise multiple en haut du mur.

– Leo ?
– Oui ?
– Bonjour.

Elle le regarda. La nuit avait été longue, il était fatigué, dans ces cas-là il avait toujours de petits yeux.

Elle l'aimait tellement.

– Tu m'entends ?
– Oui.
– Je t'ai dit bonjour.
– Bonjour.

La lampe était branchée sur la même prise que la plaque électrique. Elle était presque de la même couleur que la nappe. Un abat-jour filtrait la lumière. Elle avait dû insister pour qu'il aille la récupérer dans la salle des profs d'une autre école, près du parc de Rålambshov.

Elle la déplaça légèrement ; Leo avait les yeux fatigués, elle ne voulait pas les irriter inutilement.

Ils avaient presque fini de manger quand elle entendit de nouveau des pas. Au même endroit que tout à l'heure. Mais plus décidés.

Ils s'arrêtèrent soudain. Tout près.

Leo s'était redressé. Se faufilant entre les matelas et l'âtre, il tendit l'oreille vers le bruit qui avait cessé.

Quand on frappa à la porte, elle le vit sursauter.

Ce n'était pas facile de se cacher derrière la table ; elle avait beau se recroqueviller, il n'y avait rien à faire. On frappait rarement à leur porte ; ici, dans les tunnels, on ne dérangeait pas les autres.

Elle les connaissait tous les deux. Le premier, celui qui n'avait pas de nom, elle ne l'avait vu qu'une fois ou deux, mais elle savait qu'il était là depuis toujours. L'autre s'appelait Miller, elle bavardait parfois avec lui ; il venait là de temps à autre. En hiver, il vivait dans un tunnel sous Igeldammsgatan ; en été, il habitait un appartement au nord de la ville. Il était marié et ses enfants étaient grands. Elle ne lui avait jamais demandé pourquoi il naviguait entre ces deux mondes, celui du haut et celui des souterrains ; il faudrait qu'elle pense à lui poser la question, un jour.

Ils se ressemblaient. La soixantaine, des cheveux un peu trop longs qui dépassaient de leurs bonnets, le teint rougeaud, les joues creuses.

Ils avaient le regard gentil.

Ce fut Miller qui prit la parole :

– Je voulais juste vous prévenir.

Il se tenait dans l'encadrement de la porte. Sa silhouette se détachait sur l'obscurité du tunnel.

– Les flics. Près de l'hôpital. Il y en a plein. On dirait qu'ils se dirigent vers ici.

Quand tu ne veux pas qu'on te trouve.

Elle ferma les yeux.

Pas encore. Pas encore.

Devant l'hôpital Sankt Göran, l'asphalte était couvert de neige. Il y en avait plusieurs couches, de plus en plus dures ; au fond, c'était carrément de la glace.

En sortant de la voiture, Ewert Grens s'était étalé de tout son long, comme un gosse ou une personne ivre. Il n'avait même pas pu se rattraper avec les mains. Le dos meurtri, humilié par les regards, il poussa un juron. Quand Sven Sundkvist voulut l'aider à se redresser, il lui fit signe de dégager.

Il détestait l'hiver.

Il était encore tôt. Des gens entraient et sortaient de l'hôpital. Grens parcourut des yeux le vaste hall. Il avait l'habitude des hôpitaux. Mais celui-ci, il ne le connaissait guère ; il était pourtant proche de Kronoberg. Un guichet d'information où un vigile d'une compagnie privée expliquait patiemment aux gens où ils devaient s'adresser. Une cafétéria où les visiteurs se mêlaient aux patients à qui on avait permis de quitter leur lit. Une bibliothèque, un kiosque à journaux, une pharmacie. L'hôpital Sankt Göran ressemblait à n'importe quel autre hôpital.

– Commissaire Grens ?

– Oui.

– C'est par l'escalier là-bas, à gauche.

Ewert Grens ne connaissait pas le policier qui les attendait près d'un banc, juste après la porte d'entrée. Un jeune homme semblable à celui qu'il avait été lui-même. D'un pas énergique, il les conduisit vers l'escalier menant aux sous-sols.

La hanche endolorie par sa chute, Grens faillit lui demander de marcher plus lentement. Mais il y renonça ; pas question de fournir aux nouvelles recrues un sujet de conversation. Il ne tenait pas à passer pour un invalide.

– On nous a alertés il y a une heure environ. Un homme de service a trouvé un corps dans les sous-sols.

Le jeune homme parlait tout en marchant, sans s'essouffler. Grens respirait bruyamment et hachait ses mots ; cela faisait longtemps qu'il était incapable de parler en se déplaçant dans un escalier. Et là, il devait forcer sa voix, en plus.

– Un corps ?

– Une femme. Allongée sur un lit, sous un tas de couvertures. L'homme s'apprêtait à les déplacer quand il l'a vue. Il devait monter le lit dans les services.

Le couloir du sous-sol s'ouvrait devant eux. Leurs pas résonnaient entre les murs.

– Il a d'abord cru que c'était le corps d'une patiente. Puis il s'est aperçu qu'elle ne portait pas la chemise dont on revêt les morts pour les présenter aux proches. Il a alerté son supérieur hiérarchique. Qui, à son tour, a alerté un médecin.

Le couloir s'élargissait, décrivait un tournant. Le jeune homme marchait toujours aussi vite. Il se tourna vers Grens et Sundkvist. Sa voix parut légèrement troublée.

– Le médecin s'y est rendu tout de suite. Il a vu le corps. Et il nous a immédiatement appelés. Vous allez comprendre pourquoi.

Nils Krantz les attendait devant une rubalise bleu et blanc délimitant la scène du crime. Seuls les techniciens de la police étaient autorisés à la franchir.

Le jeune policier fit un bref signe de tête à Krantz avant de le laisser en compagnie d'Ewert Grens et de Sven Sundkvist. Grens se dirigea vers la rubalise, qu'il abaissa suffisamment pour faire passer sa jambe raide par-dessus.

– Il faut attendre, Ewert.

Nils Krantz écarta les bras d'un air découragé.

– Attendre qu'on ait tout passé au peigne fin.

A chaque fois, c'était pareil.

Krantz soupira assez fort pour que Grens l'entende. Il connaissait bien le commissaire. Comme Grens, il savait qu'un enquêteur devait avant tout collecter les informations, interroger les témoins et les éventuelles parties civiles. Et non pas se balader sur la scène du crime pendant que les techniciens s'affairaient avec leurs pincettes et leurs gants en plastique.

Comme Grens, il savait également qu'il serait toujours obligé de le lui rappeler.

– Qu'est-ce que tu peux me montrer, déjà ?

A chaque fois, c'était pareil.

– On a traité la partie comprise entre la rubalise et le lit. Mais si tu veux y pénétrer, il faut enfiler ça.

Krantz lui tendit une blouse blanche, une paire de chaussons en plastique bleu et une charlotte en plastique transparent.

– Et cette fois-ci, Ewert, tu marcheras là où je te dirai de marcher.

Ewert Grens et Sven Sundkvist ôtèrent leurs manteaux encore humides de neige. Grens enfila laborieusement les chaussons. La blouse le serrait un peu. En mettant sa charlotte, il poussa un juron. Quelle barbe, être obligé de se déguiser comme ça ! Mais, bien sûr, il valait mieux avoir l'air ridicule que de polluer la scène du crime. Les indices techniques prenaient une importance de plus en plus grande ; on disposait maintenant de moyens pour les exploiter. On n'en était plus réduit à compter sur la seule intuition des enquêteurs.

Nils Krantz souleva la rubalise pour laisser passer Grens et Sundkvist.

– Suivez-moi.

Ils pénétrèrent dans la dernière partie du sous-sol. Un couloir d'une cinquantaine de mètres, d'après les estimations de Grens.

Il y faisait plus sombre ; les néons étaient plus espacés et moins puissants. Ou alors le béton vieux et usé reflétait moins bien la lumière.

Au milieu du couloir, huit lits étaient alignés côte à côte. De gros lits métalliques à roulettes. Le lieu servait apparemment de dépôt, même s'il n'était pas prévu pour ça. Faute de place, on avait fini par y stocker du matériel.

Le corps était allongé sur le lit le plus éloigné.

Une femme.

Ou plutôt, sa dépouille.

Ewert Grens s'impatientait. Il fallait qu'il la voie, qu'il scrute le visage de la morte ; cette femme allait l'occuper pendant un certain temps.

Je ne les croise jamais.

En général, je ne les connais pas.

Après leur mort, je dois pourtant me glisser dans leur esprit, pénétrer dans leur vie de tous les jours. Je découvrirai ce qu'ils mangeaient au petit déjeuner, avec qui ils couchaient, je saurai s'ils prenaient le métro ou leur vélo pour aller travailler. Des gens vivants, je n'en connais pas beaucoup et je m'en fous. Mais il y a tout un tas de morts que je connais mieux que moi-même.

Ses cheveux, assez courts et raides, étaient noirs. Ce n'était probablement pas sa couleur naturelle ; ils paraissaient trop foncés. Comme lorsqu'on se fait une teinture dans sa salle de bains, avec des produits bon marché achetés au supermarché.

Elle était couchée sur le dos. Le col de son manteau était déboutonné et trempé de sang ; en séchant, le tissu avait durci.

Elle devait avoir la quarantaine.

– Depuis combien de temps ?

Ludvig Errfors, le légiste, hésita avant de répondre.

– C'est un meurtre, Ewert.

– Combien de temps ?

– Elle est là depuis quelques jours.

Ses cheveux, ses vêtements, son âge. Ils étaient devant une femme qui n'avait pas encore de nom. Ils faisaient les suppositions habituelles à ce stade de l'enquête.

Ils auraient donc pu évoquer son visage.

Plus tard, ils le feraient. Dans quelques minutes. Mais ils étaient reconnaissants de pouvoir se taire encore un peu.

Ils ne trouvèrent pas les mots. Ni Grens, ni Sundkvist, ni Krantz ; pas même Errfors, qui avait pourtant l'habitude de disséquer des corps. Pour dicter son rapport, il dut recourir à des euphémismes médicaux.

Il en manquait des bouts.

Elle n'avait plus de peau.

Par endroits, son crâne était à nu.

Maintenant

Mercredi 9 janvier,
11 h 30,
église Sankta Clara

Quel froid !

George est agenouillé dans la neige, qui n'est plus très blanche. On l'a piétinée, il y a ceux qui cherchent à gagner quelques secondes en coupant à travers les allées, et ceux qui refusent de suivre les chemins déblayés.

Il a hâte de retrouver la chaleur et le silence. C'est peut-être le vent ; en janvier, il souffle fort, pénètre à travers les vestes les plus épaisses.

Il y a surtout les dealers. Qui salissent la neige, qui l'obligent à s'agenouiller plusieurs fois par jour pour mettre de l'ordre. C'est lui le responsable des lieux, il a sa fierté professionnelle.

Cela fait un moment qu'ils causent des dégâts, forçant les sépultures au sud de l'église pour y entreposer leur drogue. Pas même les morts. Il soupire lourdement. Pas même les morts ne peuvent reposer en paix, depuis qu'on a chassé les dealers de la rue. Il faut bien qu'ils fassent leur trafic quelque part, et un cimetière entourant une église en plein centre-ville a dû leur paraître l'endroit idéal ; les flics ne doivent pas y faire des rondes très souvent.

Il enlève ses gants, les pose sur la neige sale, replace une pierre tombée, comble le trou où ils cachent leur saleté.

Puis il se redresse et jette un regard autour de lui. La matinée est bien avancée, mais il fait à peine jour ; on dirait l'aube ou le crépuscule. Il se dirige vers le portail principal, c'est bientôt l'office de midi et il doit vérifier que tout est en place, que les cierges ne coulent pas, que les bibles et les livres de cantiques sont bien sur les chariots.

Il pense à la fille. Elle est assise dans l'église vide depuis bientôt trois heures sans dire un mot. Pendant la matinée, il a essayé plusieurs fois de capter son regard. Elle est si jeune. Mais il y a son odeur. Il n'arrive pas à s'y habituer ; une odeur âcre de feu de bois et de crasse.

Ses maigres épaules et ses longs cheveux sales et emmêlés, c'est tout ce qu'on voit. Sa peau est dissimulée par une sorte de pellicule. Comme si elle se protégeait derrière un masque.

C'est une enfant. Mais sa douleur est celle d'une adulte.

Il a passé une heure à afficher les numéros des cantiques, à ranger les chaises près des fonts baptismaux, à changer les nappes d'autel. Puis il s'est enfin approché d'elle.

Il s'est arrêté près du banc où elle s'est installée ; il s'y est glissé sans bruit, lui a demandé comment elle allait, si elle avait besoin d'aide, lui expliquant que c'était son travail d'aider les gens.

Elle a continué de regarder droit devant elle. Même ses yeux semblaient recouverts de cette étrange pellicule.

Il lui a encore posé des questions. A la fin, elle a semblé remarquer sa présence. Un clignement des paupières, une légère accélération de la respiration. Peut-être a-t-elle même compris qu'on s'adressait à elle.

Elle n'est donc pas psychotique, pas catatonique ; elle veut simplement qu'on lui fiche la paix.

Il ouvre le portail et pénètre dans l'église. La chaleur l'accueille, il se détend, enlève son manteau.

Elle est toujours là.

Il y a plus de monde maintenant, une trentaine de personnes, peut-être quarante ; c'est déjà pas mal pour un mois de janvier. Il en reconnaît plusieurs. Ils entrent, frigorifiés, le saluent, allument leur cierge et s'installent à leur place habituelle.

Personne ne s'assied près de la fille.

Elle crée un vide autour d'elle.

Sa doudoune rouge et son odeur délimitent son espace. Un espace que personne n'ose violer.

De son poste près du support de cierges, George peut tout voir ; il distingue chaque silhouette. Dans son dos, il entend des pas légers ; c'est la jeune organiste, elle joue bien mieux que son prédécesseur. Elle lui adresse un sourire avant de monter à la tribune.

On entend des toussotements, un livre de cantiques tombe par terre, le bruit fait se retourner les gens. Sinon, c'est le silence ; on attend.

Le pasteur est nouveau, il ne l'a rencontré qu'une fois ou deux. Il sort de la sacristie et se dirige vers l'autel.

L'organiste commence à préluder.

Les fidèles regardent le tableau où sont affichés les cantiques, feuillettent les fines pages de leur livre.

C'est un beau cantique ; presque tout le monde chante. Pendant un moment, l'orgue et le chant leur font tout oublier, la ville et le vacarme du dehors. Ici, il fait presque chaud.

Le bedeau tente en vain de redresser un cierge mal posé, qu'il finit par remplacer.

Il se tourne de nouveau vers les bancs, vers ce qui, depuis quelques heures, est devenu la place de la jeune fille. Il se demande pourquoi elle se penche en avant, pourquoi elle passe les mains dans ses longs cheveux, pourquoi elle se bouche les oreilles. Pourquoi elle se coupe du monde.

Cinquante heures plus tôt

Il s'était arrêté au dernier tournant du couloir.

Il en manquait des bouts.

De là, il voyait la partie la plus éloignée du sous-sol.

Elle n'avait plus de peau.

Ewert Grens avait fait attention à poser ses pieds là où Nils Krantz le lui avait indiqué. Il n'avait plus envie de discuter du comment et du pourquoi avec le technicien. Ce qu'il avait vu dépassait tout ce qu'on pouvait imaginer. Il avait besoin de rester seul un moment pour essayer de comprendre.

Par endroits, on lui avait arraché des morceaux de chair.

L'espace était cerné par l'obscurité. A distance, on aurait dit une scène de théâtre. Krantz et Errfors y avaient installé des puissants projecteurs pour éclairer les huit lits métalliques. Les cônes de lumière isolaient le tableau, laissant le reste du sous-sol dans le noir.

On voyait bien qu'elle était couchée sur le dos, qu'elle portait un manteau, que le sang séché rendait indéfinissable la couleur du tissu.

Mais d'ici on ne voyait pas son visage. Ni ces horribles trous.

Nils Krantz et ses deux assistants évoluaient toujours à quatre pattes sur le sol. Munis de lampes de poche, ils étaient en train d'examiner l'espace délimité par les lits et le mur du fond. De temps à autre, l'un d'eux se redressait, appelait un de ses collègues pour lui montrer quelque chose. Généralement un objet si petit qu'on le distinguait à peine à l'œil nu.

Grens poussa un soupir. Dans un instant, il faudrait en parler.

– Ewert.

L'instant était venu.
– On dirait… on dirait des morsures, Ewert.
Ludvig Errfors était resté près du lit. Il avait remis son dictaphone dans sa poche et ôté ses gants en plastique.
– Postérieures à son décès.
Le légiste fit signe à Ewert Grens de s'approcher.
– Les causes de sa mort, les voici.
Il fit un geste vers la poitrine et le ventre de la femme. Vers le tissu du manteau raidi par le sang.
– Des blessures à l'arme blanche. Probablement causées par un couteau à lame longue et fine. Elle en porte un grand nombre.
Tu es là depuis plusieurs jours. Il manque des bouts à ton visage. Là, à l'arcade zygomatique, par exemple.
Grens regarda la femme.
Ton squelette est à nu, je vois ton crâne. Tu le sais ?
Un problème comme un autre. C'est ainsi qu'il fallait envisager ce corps.
Ce n'était pas un être humain. Plus maintenant. Seulement un cas qu'ils devaient analyser, une affaire à résoudre.
Ewert Grens était pressé, mais Errfors ne pouvait rien lui dire de plus pour l'instant, il le savait. Il en apprendrait davantage après l'autopsie ; petit à petit, les détails s'ajouteraient aux détails, et il parviendrait à reconstituer le quotidien de l'inconnue.
Il fit le tour du lit, s'arrêta, recommença. Elle sentait. Une odeur bizarre. Ce n'était pas seulement l'écœurante odeur de cadavre.
Encore un tour.
Elle sentait la fumée. Pas très fort ; comme un fumeur ayant aéré son séjour avant d'accueillir un visiteur. Une odeur incrustée dans ses vêtements.
Il se pencha au-dessus du corps, l'effleurant presque de ses narines.
Ce n'était pas une odeur de tabac. Plutôt une odeur de feu de forêt. L'odeur âcre de feuilles humides qui brûlent.
Si près d'eux, il avait toujours l'impression que les morts le regardaient. Pas avec curiosité ; dans leurs yeux, on lisait surtout un mélange de découragement et d'offense.

Qui es-tu ? Que fais-tu là ? Pourquoi m'examines-tu ?

Il les comprenait.

– J'ai parlé avec les trois.

Sven Sundkvist avait bien fait attention à poser ses pieds où il fallait. Grens hocha la tête, lui fit signe de poursuivre.

– Ils ont tous touché les couvertures. Aussi bien le médecin que l'homme de service et son supérieur hiérarchique. Exactement comme nous le pensions. Peut-être même ont-ils touché le corps.

Ewert Grens savait que Sven détestait se trouver à proximité d'un cadavre. Son jeune collègue avait tant de raisons de vivre, se disait-il ; quand on était si plein de vie que Sven, la mort semblait insupportable. Dans les premières heures d'une enquête, ils en étaient inconsciemment arrivés à se partager le travail : Sven s'occupait de tout ce qui était éloigné de la scène du crime, tandis qu'Ewert cherchait à s'approcher le plus possible de la victime.

– Je les ai prévenus qu'ils devront nous fournir leurs empreintes digitales et leur ADN.

Sven Sundkvist était resté à deux mètres du lit. Ewert Grens lui masquait le corps de la femme. Sven lui en était reconnaissant.

– J'ai fait envelopper les couvertures dans des sacs. Elles sont déjà en route pour le labo technique de Linköping. Quant au corps…

Il se tut.

Inconsciemment, Ewert Grens s'était poussé. Sven n'avait plus le choix ; il lui fallait bien regarder la femme.

Pour la première fois, ses yeux s'attardèrent sur son visage en partie dévoré. A leur arrivée, il l'avait à peine vue ; ensuite, il avait évité de se trouver près d'elle. Maintenant, il paraissait incapable de la quitter du regard.

– Je crois…

– Je m'occupe du corps, Sven. Tu n'as pas besoin de rester là.

– Je crois la reconnaître, Ewert.

Le fauteuil était doux, depuis le coussin du siège jusqu'à l'appuie-tête, en passant par le dossier rembourré. Elle pouvait s'y lover, s'y cacher ; le cuir sentait le neuf et la richesse, c'était de la vachette. Elle gloussa sans se gêner. Si on la voyait ! Un tunnel sombre, à dix-sept mètres sous l'asphalte, sentant l'alcool à brûler et les palettes de bois. Une pièce en béton avec une porte métallique, des matelas par terre et des couvertures d'hôpital servant de tapis. Et une fille au visage barbouillé de suie.

Elle gloussa de nouveau.

Une fille assise là-dedans.

Dans ce fauteuil qui sortait de l'usine, qui valait trente mille couronnes, et que Leo avait récupéré dans le bureau d'un directeur d'école.

Elle ne comprenait toujours pas comment il avait eu la force de le transporter jusqu'ici, en passant par les égouts.

C'était son anniversaire, et elle avait voulu un fauteuil.

Elle se balançait doucement pour se calmer. Leo dormait maintenant à ses pieds. Après des nuits comme ça, il avait besoin de sommeil.

Elle essaya encore de glousser. Ça lui aurait fait du bien. Mais elle n'y arrivait pas.

C'était le jour qu'elle détestait le plus.

Elle n'aurait pas voulu d'une autre existence. Elle voulait vivre comme ça, tout le temps, dans l'obscurité, avec Leo, avec des gens qui ne s'imposaient pas.

Mais il y avait ce jour.

Deux heures, une fois par semaine. Pendant lesquelles elle devait être propre. Pendant lesquelles elle devait être visible.

Leo le lui avait souvent dit. Qu'elle n'avait pas besoin d'y aller. Quand elle s'apprêtait à partir, il lui avait souvent dit de laisser tomber, de rester là.

Un seul jour par semaine, sans cette pellicule qui la protégeait.

Elle n'aimait pas y aller. Mais elle savait qu'il le fallait. Pour son bien. Pour avoir des médicaments. Ils ne lui duraient que sept jours, et c'était le moyen le plus simple. Elle devait calmer ses nerfs ; Leo devait supporter la lumière et ne pas s'épuiser à lutter contre les rats.

Il s'occupait de tout. C'était sa seule contribution. Sans ça, elle ne servait à rien.

Elle allait prendre une douche.

Elle allait chasser les mains qui la poursuivaient autrefois, quand elle ouvrait le robinet. Les mains qui s'introduisaient entre ses jambes et qui la tenaient si serrée que l'eau parvenait à peine à s'infiltrer entre leurs corps.

Elle gloussa bruyamment.

Ça marchait.

Quand elle faisait des efforts, quand elle serrait les poings, elle arrivait à glousser.

Leo dormait profondément ; il dormirait sans doute encore quelques heures. Il était couché sur le ventre, comme d'habitude, le visage enfoui dans le matelas.

Elle se sentait seule.

Elle se balançait doucement sur son fauteuil. Une cigarette. Le souffle régulier de Leo.

Cette sale journée.

Elle n'avait plus la force de lutter contre ses propres pensées, il fallait qu'elle parle avec quelqu'un. Il fallait juste qu'elle parle. De n'importe quoi.

Sa doudoune rouge était suspendue à un clou près de la porte. Elle l'enfila ; elle avait toujours froid dans les tunnels orientés au nord, le courant d'air y était plus fort.

Cela faisait deux cents mètres par le chemin le plus court. Ou presque le double si elle prenait le chemin qu'elle préférait, par un tunnel plus ancien, mais où on tenait debout.

Il habitait un endroit tout petit, une sorte de niche dans le mur ; en passant devant, on la remarquait à peine. C'était juste avant l'espèce de grande salle qui s'étendait sous le parc d'Igeldammsgatan.

Miller était assis en tailleur sur le sol. Il était seul, comme elle l'avait espéré. Son bonnet à rayures était enfoncé jusqu'aux yeux, on ne voyait que ses sourcils broussailleux et tout le poil qui lui envahissait le visage. Il paraissait encore plus hirsute que tout à l'heure, quand il était venu frapper chez eux avec son copain dont elle ignorait le nom. Cela faisait des semaines qu'il aurait dû se raser.

Elle savait qu'il avait un visage doux. Mais il était difficile de s'en apercevoir.

— Je peux entrer ?

Il fit oui de la tête. Il était comme Leo. Plutôt taciturne.

Elle dut se mettre à genoux pour entrer. Ensuite, l'espace s'élargissait. Pas assez pour tenir debout, mais presque.

Il avait un paquet de gâteaux secs à la main.

— T'en veux un ?

— Non, merci.

— Une cigarette ?

— Ah oui.

Miller posa son paquet de gâteaux. Puis il sortit d'une de ses nombreuses poches un paquet de tabac et du papier à rouler. Il la regarda.

— C'est aujourd'hui ?

Il savait où elle allait. Il savait ce qu'elle avait vécu. C'était toujours pareil. Des petites filles, des enfants qui s'étaient enfuis, victimes d'attouchements, qui se cachaient là pendant une semaine, un mois. Cela ne lui plaisait pas, mais il ne disait rien. En général, ils disparaissaient avant même qu'il ait appris leur nom. Mais certains étaient comme elle. Ils ne retournaient pas chez eux. Ils se laissaient envahir par la crasse, se cachaient derrière une pellicule de suie et de saleté.

– C'est aujourd'hui.

Aucun des enfants n'était resté là aussi longtemps qu'elle. Elle devait être là depuis deux ans, peut-être plus. Quand elle était arrivée, c'était encore une gamine. Elle avait changé.

– Si tu ne veux pas, tu n'y es pas obligée.

– C'est juste pour quelques heures.

– Tu n'y es pas obligée.

Miller l'aimait bien. Il avait toujours gardé le silence.

Jusqu'à il y a trois semaines.

Il avait longtemps hésité. Mais elle était si jeune, si fragile... Il avait eu peur des remords. Il la regarda. Non, il ne regrettait rien ; il avait fait ce qu'il fallait.

Pauvre petite.

Elle esquissa un sourire. Elle essaya même de glousser.

Pauvre, pauvre petite.

Il avait bien réfléchi. Il avait choisi Sylvi, une femme âgée qui travaillait à l'église Sankta Clara. Elle faisait partie des volontaires qui distribuaient des sandwichs et du café sur Fridhemsplan.

J'ai cafté, j'ai parlé de toi à quelqu'un là-haut. Pour ton bien.

C'était il y a trois semaines. Après avoir bu son café, il l'avait emmenée à l'écart, il voulait lui parler à l'abri des oreilles indiscrètes. Sylvi avait vécu dans la rue et elle s'en était sortie ; il pouvait lui faire confiance. Ils s'étaient installés sous l'abribus et il lui avait parlé de la fille qui vivait dans les souterrains et qui ne voulait plus remonter à la surface. Le secret était devenu trop lourd à porter ; il la voyait dans les tunnels depuis bientôt deux ans, il devait y avoir des gens qui la cherchaient.

Tu ne dois pas rester ici, tu es trop jeune pour cette vie.

– T'en as encore ?

Elle lui montra sa cigarette, dont il ne restait plus que la braise. Miller jeta un œil sur son paquet de tabac vide, puis lui tendit sa propre cigarette.

– Tiens.

Il avait fait ce qu'il fallait.

– Tu ne devrais pas fumer autant.

– J'en ai besoin.

– Pourquoi ?

– J'en ai besoin, c'est tout.

Sa main tremblait. Il l'avait déjà remarqué ; depuis quelques mois, ses tremblements s'étaient aggravés.

Il caressa ses cheveux emmêlés.

Il avait parlé. Il n'était plus seul avec son secret. Sylvi était au courant.

Elle ferait ce qu'elle jugerait bon.

Il s'était libéré de son fardeau.

Elle sentait la fumée.

Une odeur âcre, de renfermé. Un tas de feuilles mortes qui brûlaient ; il connaissait cette odeur.

Ewert Grens était debout à côté du lit éclairé. *Il n'y a pas si longtemps, tu étais vivante.* Une femme à qui il manquait des bouts du visage. *Tu ne l'es plus.* Il contemplait sa poitrine, son ventre ; d'après Errfors, c'était là qu'on l'avait poignardée. A plusieurs reprises.

Tu portes un nom. Tu avais des pensées. Tu habitais quelque part.

– Ewert ?

Nils Krantz se trouvait de l'autre côté de la rubalise qu'ils n'avaient pas le droit de franchir. Il fit signe à Grens et à Sven Sundkvist de s'approcher. Puis il se tourna vers Errfors, qui s'apprêtait à quitter le sous-sol.

– Venez voir.

Krantz s'agenouilla, puis demanda aux autres de l'imiter. Il prit une des lampes dont il s'était servi tout à l'heure, la mit à la hauteur de son visage et braqua le faisceau ultraviolet sur le béton poussiéreux du sol.

– Nous savons maintenant d'où elle vient.

Ils regardèrent le secteur passé au peigne fin par le technicien et ses collègues.

– Les traces d'un corps traîné sur le sol. Elles se terminent près du lit. Des particules de sang coagulé et des bouts de fibres provenant des vêtements de la femme. Et des empreintes de pieds. Laissées par celui qui a transporté le corps.

Grens avait beau scruter le béton éclairé par le projecteur, il ne voyait rien.

– Des traces ? Elles viennent d'où ?

– Elles courent sur cent soixante-deux mètres. Elles commencent là.

Il fit un geste vers l'endroit que Grens et Sundkvist venaient de quitter.

– Suivez-moi.

Nils Krantz se redressa. Ewert Grens sortit son téléphone portable. Tout en marchant derrière le technicien, il essaya pour la troisième fois d'appeler la maison de soins d'Anni. Elle devait maintenant être arrivée à la clinique où on avait l'habitude de la transporter ; sans doute l'avait-on déjà endormie et emmenée au bloc. Il savait qu'il s'agissait d'un examen de routine ; on allait mesurer la pression dans son cerveau. Comme d'habitude, le personnel de la maison de soins lui avait dit de ne pas s'inquiéter, de leur faire confiance.

Il en était incapable. La peur, ça ne se maîtrise pas.

Elle vous attaque par-derrière, elle s'empare de vous, s'installe dans votre ventre.

Son juron fit se retourner les autres. Dans ce sous-sol de merde, impossible d'accéder au réseau.

– Un instant.

Krantz leur fit signe d'attendre. Il s'était arrêté devant une porte métallique. La porte était de la même couleur que les murs ; Grens se demanda si c'était fait exprès, pour la camoufler, ou si on avait simplement voulu terminer le pot de peinture.

– Ne vous approchez pas.

Une porte grise ; dans des circonstances normales, ils ne l'auraient sans doute pas remarquée. Mais on l'avait partiellement barbouillée de noir.

– On n'a pas fini de l'examiner. On attend qu'on nous apporte la clé pour regarder l'autre face.

Krantz baissa la main.

– Cent soixante-deux mètres. Les traces partent d'ici.

Sven Sundkvist fit un pas en avant.

– Tu veux dire que la femme vient de là-dedans ?

— Selon toute probabilité, oui.

Ewert Grens avait encore essayé d'appeler. Toujours pas moyen d'accéder au réseau. D'un geste rageur, il éteignit son téléphone.

— S'il faut pénétrer là-dedans, ça va poser un problème.

Il se tenait à côté de Sven, à un mètre du mur.

— Au-delà de cette porte commencent les souterrains de Stockholm. Tout un labyrinthe de tunnels qui courent sous les rues, sous les parcs, sous vos pieds quand vous marchez là-haut. Des kilomètres et des kilomètres de couloirs de béton, dont certains sont assez grands pour s'y promener à l'aise.

Grens fit un geste vers les deux serrures.

— J'ai eu l'occasion d'y pénétrer. En passant par d'autres accès. Des portes comme celle-ci, il y en a dans tous les bâtiments publics de Stockholm. Du moins dans ceux qui ne sont pas récents. La ville est bâtie sur un véritable gruyère. Pour y accéder, il faut parfois passer par un local de raccordement téléphonique ; il doit bien y en avoir un ici. D'autres fois, l'accès se fait par une chaufferie. Mais à chaque fois il suffit de franchir une porte pour se retrouver dans un autre monde.

Ludvig Errfors posa son sac par terre.

— Ces tunnels...

Il semblait réfléchir à haute voix.

— Je veux dire... ces tunnels... ils communiquent avec les égouts ?

— Tout communique. Les égouts, le réseau de l'armée, le chauffage urbain, le réseau des télécommunications. Des tunnels de tailles différentes qui s'étendent dans tous les sens et qui sont reliés par des couloirs de communication. Plus personne ne s'y retrouve ; il y a des portes d'accès et des ouvertures dont on ne connaît même pas l'emplacement. C'est trop ancien, trop vaste. Rien que les égouts, si tu comptes les ramifications en banlieue, ça doit faire quatre-vingts à cent kilomètres.

Errfors hocha la tête. Il faisait partie de ces gens qui ne parlaient jamais avant d'avoir pesé chaque mot. Le genre à écouter les bruits de la fête, assis dans la cuisine. Maintenant il levait le regard.

— Les trous dans le visage de la femme. Je sais à quoi ils sont dus.

Ewert Grens l'aimait bien. Il aimait bien les gens qui prenaient leur temps.

— Des rats, Ewert. Ce sont des morsures de rats.

Sven Sundkvist eut un frisson.

— Des morsures de rats ?

— Je pense, oui.

Sven secoua la tête.

— Les bouts manquants… je ne sais pas… les trous sont quand même assez gros.

Errfors recula de quelques pas, fit un geste en direction du corps.

— Un rat, ça peut devenir très gros. Certains atteignent trente centimètres de long. Sans compter la queue, qui peut faire vingt centimètres. Des animaux d'une cinquantaine de centimètres, autrement dit. Ils ont dû s'y mettre à plusieurs. Pas tous de la même taille, puisque les morsures sont de grosseur inégale. Il y en a des millions là-dedans. Dans des conditions optimales, rien qu'en un an, un seul couple de rats peut avoir une descendance d'un millier d'individus.

On entendit un bruit de pas. C'était le jeune policier qui avait accueilli Grens et Sundkvist. Toujours aussi énergique, il souleva la rubalise et s'adressa à Grens :

— Nous avons fouillé tout le bâtiment. Pas le moindre intrus.

Puis il se tourna vers Nils Krantz.

— Le directeur administratif vous fait savoir qu'il ne possède pas la clé.

— C'est tout ?

— Oui.

Ewert Grens eut un petit rire.

— Ça, j'aurais pu te le dire, Nils. Si tu m'avais posé la question. Il faudra appeler la Défense civile. Ils sont les seuls à avoir la clé de ces portes-là.

S'efforçant de ne pas s'énerver, Krantz annonça qu'il serait de retour dans quelques instants. Ewert Grens laissa le technicien s'éloigner avant de se tourner vers Errfors.

– Elle est morte depuis quelques jours, tu disais. Tu peux être plus précis ?

– Pour le moment, non.

– Essaie. Elle est morte depuis combien de temps ?

Errfors poussa un soupir.

– Je n'aime pas faire des suppositions. Tu le sais bien.

– Essaie.

– Depuis trente-six heures au moins. Je ne m'avancerai pas plus. Quand je l'aurai ouverte, tu en sauras davantage.

Grens jeta un œil sur la porte.

– Sven. Toi qui les as interrogés…

En fouillant sous sa blouse de protection, Sven sentit un tiraillement de sa main à l'endroit où un des gosses l'avait mordu. Dépliant ses doigts avec précaution, il parvint à extraire de sa poche un calepin.

– D'après le planning, le dernier passage des hommes de service est à 20 h 50. Quel que soit le jour, férié ou ouvrable. Pour les ordures, je crois. A ce moment-là, le tas de couvertures n'était pas sur le lit, selon leur chef. Le corps a donc dû être transporté après 21 h 00.

Sundkvist feuilleta son calepin, s'arrêta à une des dernières pages.

– A 7 h 30 ce matin, il est découvert par un homme de l'équipe de jour. Au moment où il passait avec les chariots du petit déjeuner. Le corps n'a donc pas séjourné pendant plus de dix heures et demie dans ce local. S'il a été transporté à travers les tunnels, il doit encore y rester suffisamment d'odeurs pour les chiens.

Pour la première fois de la matinée, on n'entendait aucun bruit. Krantz s'était absenté, plus personne ne grattait le sol, la rubalise empêchait tout passage et Grens n'avait plus de questions. Il fit un signe de tête à Sven et à Errfors. Puis il se dirigea vers l'escalier. Il allait monter dans les étages, à la recherche d'un téléphone fixe.

Il appela d'abord le standard de l'hôtel de police pour demander qu'on lui envoie un maître-chien.

Son coup de fil suivant fut tout aussi bref. Quelques phrases lui suffirent pour annoncer à Hermansson la découverte d'un corps de femme dans les sous-sols de l'hôpital. Il lui demanda de s'occuper seule de l'affaire des quarante-trois enfants abandonnés en plein Stockholm. Il l'en savait capable ; elle avait toutes les qualités nécessaires pour diriger une enquête. Elle se débrouillerait bien mieux que certains collègues qui étaient là depuis des années.

Troisième coup de fil. Le standard de la maison de soins de Lidingö répondit tout de suite.

Il demanda à parler à Susann, l'étudiante en médecine qui y travaillait pour payer ses études. Il avait confiance en elle. Elle lui confirma qu'on était venu chercher Anni en début de matinée et qu'elle était maintenant sous anesthésie. On allait lui faire un scanner et une ponction pour vérifier l'état de la valve de dérivation qu'on avait installée dans son cerveau. *Hydrocéphalie normotensive.* D'après l'étudiante, c'était la suite normale d'une hémorragie provoquée par un traumatisme crânien.

Deux mots seulement.

Et vingt-sept ans dans un fauteuil roulant.

Je n'ai pas pu freiner.

Dans le lourd combiné noir il entendait des paroles destinées à le rassurer. Mais son esprit était ailleurs ; il revivait l'excursion qu'ils avaient faite, Anni, l'étudiante et lui, l'hiver précédent. A une de ses visites, il avait trouvé Anni assise devant la fenêtre ; comme d'habitude, elle semblait regarder la vie du dehors. Puis, au moment où un des bateaux de la compagnie Waxholm était passé, elle avait soudain fait un signe de la main. Elle avait éclaté de rire, et elle avait fait un salut de la main. *Et tous ces neurologues qui affirmaient que jamais elle ne pourrait consciemment accomplir un tel geste.* Il avait couru dans le couloir, bousculant les tables et les chaises, riant et pleurant ; le personnel avait eu le plus grand mal à le calmer. Deux jours plus tard il avait pris trois billets pour une excursion sur le même bateau. Ils avaient navigué entre les îles de l'archipel de Stockholm recouvertes de neige ; Anni portait son épais manteau beige à col de fourrure. Il avait refusé d'écouter les mises en garde de l'étudiante en médecine : s'il espérait trop de cette excursion, il allait souffrir. Ce qu'il avait pris pour un geste conscient n'était qu'un réflexe moteur ; il ne devait pas trop espérer.

Quand il retourna au sous-sol de l'hôpital, le silence avait cessé.

Debout au milieu du couloir, Sven Sundkvist et Ludvig Errfors étaient plongés dans une conversation, mais il ne parvenait pas à en saisir un mot. Le maître-chien était arrivé et attendait maintenant ses ordres devant la rubalise. Nils Krantz avait fini par obtenir une clé et avait pu ouvrir la porte ; à la recherche d'empreintes, il appliquait maintenant du charbon végétal sur l'autre face tout en sifflant faux.

Ewert Grens se dirigea vers l'entrée du tunnel. Comme Krantz lui faisait signe de s'arrêter, il dut se contenter d'y jeter un œil. Il y faisait sombre et on ne voyait pas grand-chose. Un large conduit en ciment qui se perdait dans le lointain, peut-être une poutrelle noire au plafond, c'était tout. Mais il y avait l'odeur. La même odeur âcre qui émanait de la femme, mais nettement plus forte. Et puis la chaleur. Il faisait bien plus chaud dans le tunnel que dans le sous-sol glacial où ils se trouvaient.

Tu viens de là.

– Ça y est.

Nils Krantz regarda d'un air satisfait le résultat de son travail. Sa tâche était terminée.

Tu as été tuée là-dedans.

– Tu as fini ?

– Tu peux y aller.

Grens se tourna vers le maître-chien, un homme du même âge que lui. Mais il avait le dos moins voûté et davantage de cheveux. Son chien était assis à ses pieds sans bouger. Un berger allemand à la robe presque noire ; il ne se rappelait pas en avoir vu de cette couleur.

Leurs mouvements eurent quelque chose de mécanique. Comme une chorégraphie bien réglée.

Le maître passa au chien un harnais équipé d'un mousqueton et y fixa une laisse d'une quinzaine de mètres.

Ce fut le signal qu'attendait l'animal, qui se mit immédiatement à aboyer et à remuer la queue.

Tenant la laisse courte, le maître se tourna vers Grens pour obtenir son feu vert.

Puis il fit un geste de la main droite. Vers l'ouverture du tunnel.

Le chien attendait l'ordre de son maître pour s'y lancer.

Elle regarda le réveil posé sur un tiroir renversé près du mur. Un petit réveil en métal avec un cadran bleu. Elle ne le consultait qu'une fois par semaine. Elle n'avait qu'un seul horaire à respecter.

11 h 05. Il lui restait une heure.

Leo s'était réveillé. Il bougeait bizarrement, semblait inquiet ; il y avait des périodes comme ça, où tout lui faisait peur et où il ne savait pas où se mettre. Elle s'y était habituée ; de temps à autre elle lui donnait une de ses pilules, alors qu'elle n'en avait pas assez pour elle-même. Elle pouvait supporter ses propres angoisses, mais pas celles de Leo.

La température avait baissé. En allant voir Miller, elle avait eu froid ; elle s'était dit qu'il était encore tôt et qu'elle manquait de sommeil, mais ce n'était pas ça. Maintenant ils étaient tous les deux transis ; Leo grelottait et elle s'était enveloppée d'une couverture par-dessus sa doudoune sans parvenir à se réchauffer.

– Tu n'es pas obligée d'y aller.

– Je sais.

Il ouvrit la porte et ils sortirent dans le tunnel. L'autre pièce était à quelques pas seulement. Derrière une porte métallique. La clé était parmi les plus petites du trousseau.

Elle ressemblait à la pièce où ils vivaient. Aussi grande, avec les mêmes murs de béton et une prise de courant en hauteur. Comme pas mal d'autres de ces pièces souterraines, elle avait sans doute été construite pour stocker des réserves en temps de guerre.

Maintenant c'étaient leurs réserves qui y étaient stockées.

La porte était toujours fermée. Ni la fumée ni les rats n'y pénétraient.

Leo avait rempli la pièce du sol au plafond. Il avait empilé avec soin les cartons contenant tout ce qu'il avait récupéré dans les immeubles ayant un accès direct aux tunnels. A gauche il y avait la nourriture ; des conserves et des produits secs provenant de l'armée ou d'un entrepôt des supermarchés ICA. Au milieu il y avait quatre piles de couvertures jaunes ; toutes neuves, elles étaient encore sous plastique. A droite il y avait les vêtements ; pour l'essentiel, c'étaient des uniformes de chauffeurs de bus ou de conducteurs de métro provenant des stocks des services des transports.

Sur le seul pan de mur visible, deux uniformes bleus étaient suspendus à des clous. Elle ôta son pantalon, sa jupe, sa doudoune et ses tee-shirts. Tout, sauf le slip et le soutien-gorge. Elle avait froid ; sa peau était rougie, irritée par les vêtements humides.

Les mains.

Elles lui avaient touché le sexe, palpé les seins.

Une fois par semaine. Ici, sous terre, c'était suffisant.

Elle enfila le tee-shirt en V à liséré bleu, la veste d'uniforme, le pantalon trop grand. Elle mit même la casquette, dont la visière était un peu trop souple.

Elle détestait l'eau.

Leo revint ; il était sorti pour ne pas la gêner.

– Tu sais ce qu'il faut faire.

Ils échangèrent un regard. Sa voix était dure. D'habitude, elle ne l'était pas. Il enleva deux clés de son trousseau. Une grosse clé de sûreté et une clé ordinaire. Comme celle qu'il y avait à la maison.

– Si quelqu'un t'aborde. Si quelqu'un te pose des questions. Si tu en perds une. Tu ne dis rien. Tu ne sais rien.

Les mêmes recommandations, toutes les semaines. Sa voix ne lui faisait plus peur. Elle savait ce que signifiaient les clés. Pour Leo, elles représentaient toutes les années qu'il avait passées sous terre, toutes les années qu'il allait encore y passer.

Les clés, c'était leur liberté, leur dignité ; sans elles, ils ne pourraient pas continuer à vivre là, à l'abri des autres.

– Si à cause d'elles on remonte jusqu'à moi... alors ils viendront. Avec leurs bruits, avec leur lumière. Je ne le supporterai pas. Tu le sais.

Serrant les clés dans sa main, elle se dirigea vers la porte du couloir de communication. Elle l'ouvrit à l'aide de la grosse clé, quitta le réseau de tunnels où ils vivaient – celui de l'armée ou des services de la voirie, elle n'en était pas sûre – et pénétra dans celui du métro.

Avant, c'était le seul qu'elle connaissait.

Ici, il y avait beaucoup de monde. Mais les gens n'y restaient pas longtemps. Les tunnels du métro servaient surtout d'abri occasionnel aux junkies.

En passant devant eux, elle pressa le pas. Ils étaient partout, dans les niches des murs et dans les anfractuosités du tunnel. Elle en reconnut certains, mais ils ne répondirent pas à son regard.

Il y avait toujours ce bruit de métal.

Le bruit du fer frottant contre le fer, des roues contre les rails.

Au loin, là où le large couloir se scindait en deux plus petits, elle vit s'éloigner le wagon de queue d'une rame.

Elle sortit la clé ordinaire, passa sa main sur le tissu bleu de son pantalon. Elle allait bientôt ouvrir trois portes, monter trois escaliers et traverser la salle des pas perdus de la station de métro de Fridhemsplan.

Personne ne lui poserait de questions. Personne ne la remarquerait. L'uniforme la protégeait.

Une fois par semaine, pendant une heure.

Elle avait oublié le bruit, les odeurs, la foule. Chaque fois, c'était pareil.

La cantine et les vestiaires du personnel étaient près de la sortie. A l'heure du déjeuner, les chauffeurs de bus et les conducteurs de métro y accouraient pour se changer ou s'y pressaient pour manger.

En traversant l'entrée, elle faillit se heurter à un homme qui parlait au téléphone en faisant de grands gestes. Elle passa devant les toilettes et pénétra dans une pièce où flottaient une vague odeur de parfum et des vapeurs d'eau chaude.

Elle avait de la chance. Il n'y avait qu'une personne. Une femme brune d'un certain âge, assise toute nue sur un banc à côté des sèche-cheveux et de la grande glace.

— Tu commences ?

— Pardon ?

— Tu prends ton service ou tu t'en vas ?

— Je m'en vais.

— Alors on est deux. J'ai commencé à 5 heures ce matin. Il y avait beaucoup de monde ; avec ce froid, les gens n'arrivent pas à démarrer leur bagnole, je suppose.

Elle s'installa tout au fond, tournant le dos à la glace. Elle évitait toujours de s'y regarder, ce qu'elle y voyait n'était pas elle. Quand elle était petite et qu'elle se voyait dans la glace au cadre doré suspendue à côté du poster de Robbie Williams, c'était pareil.

— Toi aussi, ça a été la bousculade ? T'as l'air fatiguée. Les jours comme ça, au guichet, on n'arrête pas.

La femme était grosse. Des rondeurs qui n'en finissaient pas, un corps protecteur, on avait envie de se serrer contre elle. Maman, c'était différent ; elle ressemblait à une petite fille, maigre, anguleuse.

— Toi, c'était pareil ?

— Comment ?

— La bousculade ?

— Oui.

Il y avait trois douches derrière des rideaux en plastique.

L'eau, elle avait horreur de ça.

Des tuyaux qui gargouillaient parfois, surtout quand il faisait froid.

Elle avait horreur de ça. Horreur.

Elle se déshabilla, mit l'uniforme en tas sur le banc. Elle se rendit compte que la femme regardait son dos, sa peau rougie et sale. Sans rien dire, bien sûr. Il y eut un bref silence, puis elle entendit le sèche-cheveux. La femme chantonnait, elles faisaient toutes ça ; une mélodie qui se noyait dans les bruits d'eau.

Elle ferma le rideau. Le plastique beige était orné d'oiseaux blancs. Les fixant des yeux, elle pleura. Le robinet était dur à ouvrir.

Les mains contre son derrière, entre ses jambes, sur ses seins.

Elle parvint à tourner le robinet. L'eau chaude lui fouetta la peau, lui ôtant sa pellicule protectrice. Comme autrefois.

La femme avait quitté le vestiaire. Elle avait continué de chantonner, même après avoir fini de se sécher les cheveux ; sa voix monocorde résonnait encore alors qu'elle ouvrait et refermait son placard. On pouvait l'observer à travers l'interstice entre le mur et le rideau de douche. Nue d'abord, puis enveloppant son corps volumineux de vêtements de ville. Puis elle disparut dans le couloir.

Elle attendit son départ pour sortir de la douche. Elle avait plus froid que tout à l'heure, l'eau lui collait à la peau, elle avait beau se frotter avec une serviette jusqu'à en avoir mal.

L'uniforme paraissait encore plus grand, maintenant qu'elle était propre.

Mais elle ne pleurait plus.

Elle évita la glace, regarda droit devant elle en sortant. Elle traversa le couloir en baissant la tête, saluant vaguement deux personnes en uniforme bleu. Il y avait une horloge sur le mur ; elle y jeta un bref regard. 11 h 55. C'était bon.

Elle monta les escaliers, se retrouva dehors parmi la foule et les voitures, traversa Drottningholmsvägen.

C'était un immeuble banal.

Un magasin de poussettes d'un côté de l'entrée, un encadreur de l'autre.

Elle connaissait le code de la porte, évitait toujours de prendre l'ascenseur, il était exigu et tressautait chaque fois qu'elle bougeait. C'était au dernier étage. Il y avait une seule porte sur le palier.

Elle entra sans sonner. Du parquet, un tapis clair, quatre chaises, une table basse avec des piles de magazines bien rangées. Une belle salle d'attente. Il y avait du monde.

— Tu peux entrer.

Il y avait deux cabinets de consultation, mais elle n'en connaissait qu'un, le plus grand, où il y avait une table d'auscultation. Le médecin avait l'air sympa, il souriait toujours quand il la faisait entrer. La cinquantaine, une barbe poivre et sel bien taillée, il était aussi grand que Leo, mais il avait un corps athlétique et se tenait bien droit. Sa blouse blanche ouverte laissait voir une chemise bleu clair et un jean encore neuf. Il portait des chaussures noires pointues. Son père en avait eu des comme ça.

– Tiens. Je t'ai tout préparé.

Il lui tendit un sac en papier. Elle savait ce qu'il contenait : soixante-dix-sept comprimés de Stesolid, soixante-trois comprimés de Mogadon et trois comprimés de lithium.

– Tu en as assez pour une semaine.

Elle hocha la tête et fourra le sac dans une des poches de l'uniforme. *Ce n'est pas le fait qu'il me touche.* Sans dire un mot, elle se dirigea vers la table d'auscultation et commença à se déshabiller. *Ce n'est pas ça.* Il faisait froid ; sa peau irritée était plus rouge que jamais. *C'est surtout le fait d'être propre quand il le fait. Il n'y a rien qui me protège. C'est surtout ça.*

Elle fixait du regard deux longues fissures du plafond.

Cela fonctionnait. Elle l'avait déjà fait vingt-deux fois. Elle avait compté.

C'était pire quand elle était plus jeune.

Elle se disait toujours ça.

La douche et l'eau, ce que lui faisaient les mains, ce n'était qu'un début. Etre seule, n'avoir nulle part où aller quand c'était fini, c'était encore pire.

Maintenant, ce n'était pas pareil.

Elle ne le connaissait pas. Quand il avait fini de la tripoter, elle pouvait s'en aller, rejoindre le tunnel, retrouver Leo et se laisser envahir par cette crasse qui la protégeait. Alors qu'autrefois, à la maison, elle était obligée de rester là. Pas moyen d'échapper aux mains ; elle les voyait partout, dans la cuisine, dans l'entrée, dans le séjour.

Ewert Grens ferma les yeux.

Une ombre lui tenait compagnie. Il se balançait doucement sur son fauteuil, serrant dans ses bras cette présence impalpable.

Tu t'es moqué de moi ; tu n'as qu'à t'en aller.

La voix, la musique, le texte qu'il savait par cœur : il se retrouvait à une autre époque. Comme si les années n'avaient pas passé.

Ta bague, la voici ; tu peux la remballer.

Son monde, c'était ça. Le lecteur de cassettes qui jouait les vieux tubes de Siw Malmkvist, son bureau qui croulait sous les dossiers, le vieux canapé où poireautaient Sven et Hermansson.

– Ewert ?

Il restait encore une minute et demie, trois refrains, il se racla la gorge et se mit à chanter à tue-tête. C'était une autre époque. Leur époque.

– Ewert, il faut qu'on commence.

Grens secoua la tête. *Tu t'es moqué de moi,* titre original : *Foolin' around,* 1961. Encore cinquante secondes, un dernier couplet, puis de nouveau le refrain. Il regardait ses collègues, le sourire aux lèvres. C'étaient deux personnes bien, il était obligé de l'admettre. Il ne pouvait pas avoir tout faux, puisque ces gens-là le supportaient. En rentrant de l'hôpital, Sven et lui avaient eu le temps d'avaler un repas dans la gargote de Sankt Eriksgatan où ils avaient l'habitude de se réfugier quand ils voulaient être tranquilles ; des morceaux de viande filandreux noyés sous une sauce de couleur indéfinissable. Hermansson leur avait dit qu'elle était pressée : elle se contenterait d'une banane et d'un yaourt. Cela faisait un an, pensa-t-il. Un an qu'elle arpentait les couloirs de l'hôtel de police, qu'elle mangeait sur le pouce à des horaires irréguliers, comme tant d'autres. C'était ça, la vie urbaine ; on courait tout le temps. Est-ce qu'elle se servait de sa cuisine quand elle était chez elle ? Il revoyait sa propre cuisine : four nickel, table de cuisson sans taches de gras.

— C'est ouvert.

Il avait reconnu la manière de frapper.

— Excusez-moi ; je suis en retard.

Lars Ågestam avait son air habituel. Costume sombre, cravate à rayures dans les tons bordeaux, cheveux courts et mèche sur le front. Mèche qu'il rectifia, alors qu'elle était déjà impeccable. Grens regarda le jeune homme qui, en quelques années, était devenu un des procureurs les plus en vue du parquet de Stockholm. *Celui-là, je ne l'ai pas mérité.* Quelques années plus tôt, lors d'une enquête sur le viol et le meurtre d'une petite fille, ils avaient été forcés de collaborer et ils s'étaient immédiatement détestés. Ils représentaient deux écoles différentes ; Grens avait été formé par la vie, tandis qu'Ågestam avait surtout des connaissances livresques.

— Vous n'avez pas déjeuné ?

En refermant la porte derrière lui, Ågestam fit un signe de tête vers la peau de banane et le pot de yaourt vide de Hermansson.

— Pas le temps.

— Quarante-trois enfants roumains et une femme morte ; je comprends.

Ågestam alla chercher une chaise au fond de la pièce. Il poussa un soupir ; encore cette musique ! Il faillit faire une remarque, mais s'abstint ; ça ne servirait à rien. Il lui était arrivé de s'énerver, de faire comprendre qu'il lui était insupportable de perdre son temps avec ces rengaines idiotes des années soixante. A chaque fois, cela s'était terminé de la même façon : avec un grand sourire, Grens avait rembobiné la cassette pour lui infliger de nouveau les trois minutes et vingt-huit secondes de la chanson complète.

Il attendit le silence, puis ouvrit son porte-documents noir. Quelques papiers ; il les feuilleta sans véritablement les lire, hocha la tête vers le commissaire.

– Sur la base des informations qui me sont parvenues ce matin, j'ai décidé d'ouvrir deux instructions séparées. La première concerne un meurtre présumé. La seconde, un présumé trafic d'être humains. Parlons d'abord de la femme, Ewert.

Grens repoussa son gobelet de café vide. Il raconta l'appel signalant la présence d'une femme morte dans le sous-sol de l'hôpital, les traces d'un corps traîné par terre, la porte métallique à laquelle conduisaient les traces.

Un résumé de la matinée en quelques minutes.

– Krantz a finalement pu ouvrir la porte. Il y a les mêmes empreintes digitales sur les deux côtés.

Tout en parlant, Ewert Grens se mit debout.

– Du côté du tunnel, il y a les empreintes des dix doigts. La personne qui a ouvert la porte a donc dû se tenir comme ça, la poussant de ses deux mains. Elle est assez lourde.

Il tendit les deux bras devant lui.

– Puis il y a le corps. On y trouve également des empreintes. Celles de l'homme de service qui l'a découvert. Celles du médecin qui a donné l'alerte. Mais il y a aussi les empreintes d'une troisième personne. Les mêmes que sur la porte.

Ågestam nota quelque chose sur une feuille.

– C'est vous qui avez mené les interrogatoires, Sven ?

Sven Sundkvist avait déjà sorti son calepin.

– L'homme de service est assez âgé ; il travaille là depuis quarante ans. Le médecin est bien plus jeune, c'est un généraliste qui vient d'être embauché. Tous les deux ont touché le corps. Je suis persuadé qu'ils n'ont rien à voir avec l'affaire ; ils se sont trouvés là par hasard, devant le corps d'une femme qu'ils ne connaissaient ni d'Eve ni d'Adam.

Ågestam prit encore quelques notes. Il connaissait le sérieux de Sven Sundkvist, ses qualités d'enquêteur. En général, ses suppositions se révélaient exactes.

– Et c'est là que ça devient intéressant. Krantz vient de faire une première vérification. Quelques secondes devant son ordinateur lui ont suffi.

Ewert Grens avait repris la parole. Il était encore debout au milieu de la pièce.

– Les empreintes sur la porte et sur le corps sont celles d'un homme. D'un homme qui n'a jamais été arrêté ni interrogé. Nous ignorons donc son identité.

Il montra du doigt le porte-documents d'Ågestam.

– Mais les recherches de Krantz ont donné sept résultats.

Grens s'empara du porte-documents, l'arracha des mains du procureur.

– Les empreintes apparaissent dans sept dossiers différents. Des enquêtes qui n'ont jamais abouti. Des affaires sans intérêt, des vols d'objets sans grande valeur, pour l'essentiel. L'affaire la plus ancienne date d'il y a quelques années. Mais tous ces larcins se sont produits à proximité de Fridhemsplan. Pas loin de l'endroit où le corps a été découvert.

L'air content, il regarda les autres à tour de rôle.

– Il y a des cambriolages de bâtiments publics – le lycée Sankt Göran, l'école de Fridhem, l'église Sankt Göran, le rectorat ; on s'est même introduit dans un entrepôt de la Direction générale de la police. Des vols ont également eu lieu dans les entrepôts des supermarchés ICA, situés sous Hantverkergatan. Et dans un économat militaire situé à vingt-cinq mètres sous terre, du côté de la galerie commerciale de Västermalm. Sept cambriolages à sept moments différents. Sans aucune trace d'effraction. Dans aucun cas on n'a constaté des dégâts. On a trouvé les mêmes empreintes digitales sur vingt-quatre portes, dont aucune n'a été forcée. Et ces empreintes correspondent à celles de l'hôpital.

Sa grande carcasse ne tenait pas en place.

– Des bâtiments publics. Un entrepôt situé sous Hantverkergatan. Un économat militaire situé sous la galerie de Västermalm. Je n'ai plus aucun doute. C'est quelqu'un qui opère sous terre. Quelqu'un qui doit posséder plusieurs passes. Vous savez, il y a des passes permettant d'accéder à tous les bâtiments publics à partir du réseau des tunnels. Des passes réservés à l'armée et à la police.

Grens se tourna vers le procureur.

– Jusqu'à présent il s'est contenté de commettre des vols. Des infractions qui mobilisent pas mal de ressources policières, mais dont on ne parle jamais dans la presse. Et qui, de ce fait, n'intéressent pas les procureurs. Du coup, les dossiers prennent la poussière. Mais aujourd'hui il est passé à la vitesse supérieure. Il s'agit d'un meurtre. Et là, nous allons enquêter, n'est-ce pas ?

Il fixa ostensiblement Ågestam du regard jusqu'à obtenir une réaction.

– Vous me fatiguez, Ewert.

Sachant que tout le monde l'observait, Lars Ågestam secoua légèrement la tête. Ce type aigri cherchait à le provoquer, il voulait la confrontation ; ce devait être un réflexe de classe. Les vieux de la vieille, formés sur le tas, face aux jeunes bourgeois passés par la fac.

Il n'avait pas envie de jouer à ce petit jeu. Pas aujourd'hui.

– J'aimerais bien que vous développiez un peu cette idée de quelqu'un opérant sous terre.

La femme avait été découverte sur un lit d'hôpital dans un sous-sol. Elle avait une quarantaine d'années et il lui manquait des bouts de visage. De son corps se dégageait une odeur de fumée humide, comme celle d'un feu de forêt.

– Le Stockholm souterrain est aussi vaste que la ville en surface. Il y a plein d'endroits où se cacher, des milliers d'accès, certains sont assez larges pour laisser passer un camion. Le secteur de Fridhemsplan est un véritable labyrinthe, un entrelacs de tunnels reliés entre eux par des couloirs de communication… Les empreintes sont celles de quelqu'un qui évolue là-dedans, qui connaît le réseau et qui dispose de passes.

Elle avait semblé le regarder, lui demander ce qu'il faisait là.

– Quelqu'un qui opère sous terre, Ågestam. Comme une sorte de golem appartenant à un monde dont nous ignorons tout. Mais donnez-nous quelques jours. Nous savons déjà où le chercher.

Sven Sundkvist et Mariana Hermansson avaient gardé le silence. Lars Ågestam leur demanda s'ils avaient quelque chose à ajouter. Puis il proposa une pause. Il ouvrit la fenêtre ; l'hiver pénétra dans la pièce et le froid lui fit du bien. Il contempla la cour recouverte de neige. Grens n'avait pas tort. Deux mois à s'occuper d'affaires de routine lui avaient donné des envies d'évasion. Il en avait par-dessus la tête des junkies forçant les vitres des voitures, par-dessus la tête des hommes mariés surpris en train de se faire sucer par une prostituée qu'ils essayaient de faire passer pour une amie. Là, il y avait du nouveau. Un meurtre. Des enfants abandonnés en pleine ville. Policiers, procureurs ou travailleurs sociaux, ils étaient tous pareils : le malheur des autres était leur principal stimulus. Mais personne ne l'avouerait.

– Vous êtes prêts ?

Un autre dossier. Aussi mince que le précédent. En relisant rapidement ses notes, il eut la même impression qu'en les rédigeant. Des meurtres, il en avait déjà connu, mais cette histoire d'enfants, c'était presque irréel.

– Mariana ?

Hermansson fit oui de la tête. Lars Ågestam regagna sa chaise, sortit son stylo. Peut-être allait-elle lui faire comprendre que ces gosses existaient vraiment.

– En ce moment il y a quarante-trois enfants installés quelques étages plus bas. A la piscine. Deux personnes des services sociaux et quatre collègues de la brigade de la voie publique sont assis sur le bord du bassin. Les combinaisons que portaient les gosses ont été envoyées au pressing de Fleminggatan. Elles doivent probablement tourner dans les machines à l'heure qu'il est.

Hermansson était jeune. Mais on sentait une maturité dans sa voix. Quand Grens lui avait dit qu'elle s'occuperait seule d'une des enquêtes, Ågestam avait d'abord voulu protester. Puis il s'était ravisé. Elle était compétente, il le savait.

Elle résuma les quatre heures qui s'étaient passées depuis le départ de Grens et Sundkvist pour l'hôpital Sankt Göran.

Elle avait interrogé une fille de quinze ans prénommée Nadja, qui serrait dans ses bras un bébé de six mois s'avérant être son fils. Elle avait continué avec un garçon à qui Grens avait déjà posé quelques questions à l'aide d'un interprète. Ces deux-là lui avaient paru être les meneurs informels du groupe.

Leurs histoires concordaient.

Ils venaient de Bucarest. Des enfants des rues, vivant dans des tunnels, des jardins publics, des locaux à poubelles. Quelque chose qui n'existait pas en Suède. La fille tremblait, transpirait, avait la bouche sèche ; comme tous les autres, elle était en manque. Elle avait des cicatrices récentes aux bras, des traces d'automutilation. Mais pas de marques d'injection. Hermansson ignorait quelle drogue ils prenaient ; en tout cas, ils ne se piquaient pas.

— Je ne comprends pas.

D'habitude, Sven Sundkvist ne s'énervait jamais. Là, il s'était mis debout et parlait d'une voix forte.

— On vient de me faire une piqûre antitétanique parce qu'un gosse de dix ans m'a mordu la main quand j'ai essayé de lui prendre son tube de colle. J'ai dû retenir mon souffle, tellement ces enfants puaient la pisse et la vieille transpiration. J'ai vu des gamins de neuf ans complètement camés monter les escaliers, portant dans leurs bras des petits de trois ans tout aussi camés…

Il se tourna vers Ågestam.

— Lars… je ne comprends pas. Je ne sais même pas si j'ai envie de comprendre.

Parmi les présents, il était le seul à avoir un enfant. L'espace d'un instant, il était de retour auprès de Jonas, le serrant dans ses bras. En découvrant les gosses muets au regard fixe, il avait aussitôt pensé à son fils. Sa colère lui faisait mal dans tout le corps ; comment pouvait-on abandonner un enfant ?

— Pardon.

Il s'assit de nouveau. Mariana Hermansson lui adressa un sourire.

– Leur silence. Ou plutôt leur peur. C'est à cause des uniformes.

Le visage tendu du garçon quand elle l'avait interrogé.

A plusieurs reprises, il s'était tourné vers la porte fermée, vers le couloir invisible. Elle s'était demandé ce qu'il cherchait du regard.

– Ils ont tous dû être en contact avec la police roumaine. Ils ont subi des brutalités. Ils ont appris à se taire. Pour eux, la police suédoise et la police roumaine, c'est du pareil au même.

Elle avait fini par le comprendre.

A un moment donné, un collègue en uniforme était venu annoncer que les gens du service médical étaient arrivés, qu'ils attendaient de pouvoir examiner les enfants.

Le garçon avait sursauté avant de se tasser sur sa chaise.

Comme s'il avait voulu se cacher.

Un animal traqué qui s'enfuit au moindre bruit. Elle n'arrivait pas à chasser cette image. Elle avait honte.

Elle se tourna vers Lars Ågestam.

– Vous voulez bien rouvrir la fenêtre ? On suffoque ici.

Le procureur se leva, se dirigea vers la fenêtre. La poignée était en plastique, elle tournait difficilement. Peut-être à cause du froid.

Hermansson poussa un soupir avant de continuer :

– Leurs récits concordent. Mais il me manque pas mal d'informations. Et celles que j'ai obtenues... à vrai dire, je ne sais pas trop quoi en penser.

Elle fouilla dans ses papiers.

– Ils disent tous avoir été contactés par des hommes ou des femmes qu'ils ont pris pour des travailleurs sociaux. Qui leur ont donné de petites sommes d'argent. Et qui leur ont promis du travail, une autre vie.

Elle soupira de nouveau.

– Pour cela, ils devaient simplement quitter leur tunnel, endosser une combinaison aux couleurs roumaines et monter dans un car.

Hermansson secoua la tête.

– Qui, en quatre jours, les emmènerait en Ecosse.

Ågestam se racla la gorge.

– Pardon ?

– En Ecosse. C'est là qu'ils croyaient aller. C'est là qu'ils ont cru arriver ce matin.

Une rafale de vent ouvrit soudain la fenêtre en grand, la rabattant contre le mur avec un bruit violent. Ils ne réagirent pas ; l'air froid leur parut même agréable.

– Celle qui a un enfant s'appelle Nadja. Après l'avoir interrogée, je l'ai emmenée à Hantverkergatan, à l'endroit où elle et le garçon disent avoir été abandonnés. Ils m'ont parlé d'un car rouge. C'est...

Ewert Grens l'interrompit :

– Elle se promenait avec l'enfant ?

– Bien sûr.

– Ah ?

– C'est son enfant.

– Je veux dire, Hermansson... elle se trimballait avec l'enfant ?

– « Se trimballait » ?

– Elle le portait dans ses bras ?

– Oui.

– Ça ne me paraît pas très commode.

– Je suis bien d'accord.

– Là-bas, au dépôt des objets saisis, il y a tout un tas de poussettes. Je ferai en sorte que tu puisses en récupérer une. Les bébés, ça pèse lourd.

Elle esquissa un sourire. Elle ne put voir le visage de Sven, mais elle l'imagina faire pareil. Ewert les surprenait parfois en faisant preuve d'une gentillesse qui s'accordait mal avec son caractère rugueux.

– Donc, nous sommes allées à Hantverkergatan. La fille m'a parlé d'un car rouge ; il se serait arrêté sur Kungsholms Torg, alors que la plupart des enfants dormaient encore. Il y a une pharmacie sur la place ; elle en a reconnu la devanture.

Des poussettes au dépôt des objets saisis.

Elle n'en revenait pas. Il était aigri, il pouvait se montrer hargneux, mais il dansait dans son bureau et il disait parfois des choses comme ça.

Elle regarda son chef.

C'était sans doute pour ça qu'ils le supportaient.

– On a fait du porte-à-porte dans le quartier. Six témoins – cinq particuliers et le gérant d'un magasin – ont bien vu un car rouge s'arrêter à l'endroit que m'a montré la fille. D'après eux, cela s'est passé vers 4 heures et demie du matin. Le car s'est immobilisé quelques minutes, le temps de laisser descendre un groupe d'enfants trop légèrement vêtus pour la saison.

– Avis général de recherche ?

– Il est lancé depuis l'heure du déjeuner.

Grens parut satisfait.

– Parfait, Hermansson. Parfait. Ce car ne quittera pas le pays.

Lars Ågestam regarda sa montre. Ils étaient enfermés dans le bureau de Grens depuis trente-cinq minutes. La réunion avait duré plus longtemps que prévu.

Ils disposaient de quelques éléments.

Mais il leur en manquait beaucoup.

– Une dernière question. La femme.

Il était déjà en retard pour sa prochaine réunion.

– Qui est-elle ?

Cette femme à qui il manquait des bouts de visage. Elle avait forcément un nom.

– On n'en sait rien. On ne sait pas qui elle *était*.

Un léger soupir.

Ågestam n'aimait pas cette façon qu'avait Grens de le reprendre.

– Quand est-ce qu'on le saura ?

Ewert Grens se pencha en avant, comme pour marquer l'importance de ce qu'il s'apprêtait à dire.

– Je pense que nous le saurons d'ici ce soir. D'après le maître-chien il y avait trop d'odeurs ; l'animal a donc perdu la trace du corps après une cinquantaine de mètres. A un endroit où le tunnel en croise un autre. Mais pendant ces cinquante mètres le chien est tombé en arrêt plusieurs fois. Krantz est actuellement en train d'examiner les lieux.

Se penchant encore plus, il regarda Ågestam dans les yeux.

– Par ailleurs…

Il se tourna vers Sven.

– Sven l'a déjà vue.

Sven Sundkvist écarta les bras.

– Je l'ai croisée. Son visage, je suis sûr que je l'ai déjà vu. Je lui ai peut-être… je lui ai peut-être même parlé.

– Que voulez-vous dire ?

– Rien. Mais c'est l'impression que j'ai. Vous savez… dans une foule, vous apercevez soudain quelqu'un qui vous paraît familier. Mais vous n'arrivez pas à le situer, vous ne vous rappelez pas où vous l'avez rencontré.

Il jeta un œil sur sa montre.

– Quatre heures se sont passées depuis que j'ai quitté l'hôpital Sankt Göran. Et je n'ai cessé de penser à cette femme. Je sais que je l'ai vue.

Lars Ågestam hocha la tête. Il connaissait ça. Après quelques années au parquet, il mélangeait déjà les impressions récentes et anciennes, il lui arrivait de saluer des gens dont il ne se rappelait pas le nom. Il ne savait plus dans quelle situation il les avait croisés ; ce pouvait être des parties civiles ou des témoins ou des jurés ; il était peut-être intervenu dans leur vie d'une manière décisive, mais ils demeuraient anonymes.

Il consulta de nouveau sa montre. Il était en retard d'un quart d'heure. Il s'excusa, se leva et quitta la pièce.

C'est pourquoi il n'entendit ni le téléphone, ni le juron que poussa Grens.

– C'est la troisième fois ! La troisième fois qu'on me passe une communication alors que j'ai demandé qu'on bloque ma ligne !

Il laissa l'appareil continuer de sonner. Tout en rangeant leurs papiers, Hermansson et Sundkvist comptèrent les sonneries.

Vingt-six, vingt-sept, vingt-huit.

Grens frappa un coup de poing sur le bureau. Puis il décrocha.

Ce fut peut-être son silence. Quelqu'un parlait à l'autre bout du fil, mais il ne répondait pas.

Ou alors ce fut sa façon de raccrocher, sa manière de regarder droit devant lui, son air absent quand il se précipita dehors.

Hermansson et Sundkvist devinèrent qu'il s'était passé quelque chose. Quelque chose de grave, qui le laissait sans voix.

On aurait dit qu'il avait cessé d'exister.

Sven Sundkvist posa son calepin et ses papiers sur le canapé et sortit dans le couloir. Il vit le dos d'Ewert s'éloigner, se diriger vers son bureau à lui.

En franchissant la porte, Sven le découvrit assis dans son fauteuil. Toujours aussi silencieux, toujours avec ce regard fixe. Sven eut l'impression de le déranger, comme si son propre bureau ne lui appartenait plus.

– Ewert ?

Il aurait voulu le toucher, lui poser la main sur l'épaule, le prendre dans ses bras. Mais on ne faisait pas ça à Ewert Grens.

– Ewert… que se passe-t-il ?

Douze ans. Cela faisait douze ans qu'ils travaillaient ensemble, et il avait le sentiment d'être devenu aussi proche de lui qu'on pouvait l'être. Ewert lui avait parfois laissé une porte entrouverte sur sa vie privée, il y avait une certaine complicité entre eux.

Mais jamais il n'avait vu son chef dans un tel état.

– Si tu veux, je m'en vais, Ewert. Je te laisse tranquille. Si tu as besoin de moi, je suis dans ton bureau.

Ewert Grens était incapable d'articuler un mot.

Et pourtant, c'est ce qu'il fit alors que Sven avait déjà regagné le couloir.

– L'examen.

Sven Sundkvist s'arrêta net. A deux ou trois mètres de la porte. La voix d'Ewert était presque inaudible, mais il l'entendait.

– Anni devait subir un examen. On allait l'endormir. Comme d'habitude.

Sven ne bougea pas, ne dit rien. Comme s'il craignait que le souffle de voix ne s'éteigne.

– Apparemment, ça s'est mal passé.

Ewert Grens était assis dans sa voiture. Il avait beau être pressé, il n'avait pas mis le contact ni libéré le frein à main.

Vingt-sept ans plus tôt, la roue de son véhicule lui était passée sur la tête.

Le garage de l'hôtel de police était sombre et silencieux. Un groupe de six ou sept collègues se dirigeait vers les ascenseurs sans voir le commissaire Grens, qui se cachait le visage dans ses mains.

Pour la première fois, il n'avait pas été à côté d'elle pour l'examen.

Il se pencha sur le côté, sentit la vitre froide contre sa tempe.

Tant d'années. Et tout se joue en quelques instants.

On peut se comporter comme il faut pendant une vie entière ; cela ne compte pas. Quelques secondes suffisent pour tout détruire.

Si, pendant ces secondes, on fait une erreur, le reste n'existe plus.

– Vous savez bien que cet examen était indispensable, monsieur Grens.

– Je ne comprends pas.

– Vous le savez.

– De quoi parlez-vous ?

– Faut-il encore que je le répète ?

– Vous allez me le répéter jusqu'à ce que je comprenne.

– C'est le seul moyen, monsieur Grens. Le seul moyen de poser un diagnostic quand le patient est dans un état végétatif.

Il ne se souvenait pas du reste de la conversation. Pendant le premier coup de fil, il n'avait rien dit. Le médecin l'avait rappelé et ils avaient parlé pendant dix minutes, mais c'était la seule chose qu'il avait retenue.

Rien qu'une formule.

Un patient en état végétatif.

Elle est pourtant en vie ! Anni vivait dans cette maison de soins depuis ses opérations. Il l'avait lui-même portée dans ses bras pour la monter dans sa chambre. Quand il l'avait installée dans son fauteuil roulant, elle avait eu ce gargouillis qu'il prenait pour un rire. Elle portait toujours de jolies robes et elle était coiffée avec soin. Quand il venait la voir, il s'asseyait à côté d'elle devant la fenêtre, et ils observaient en silence les bateaux qui traversaient le détroit. Elle était en vie !

Il quitta l'obscurité du garage de Kronoberg, faillit s'enliser dans une congère qui s'était formée au bord du trottoir, parvint à dégager sa voiture et se mit en route, roulant aussi vite que le verglas le lui permettait.

Il y avait moins de circulation que d'habitude, le froid incitait les gens à laisser leur voiture au garage, ils s'entassaient dans les autobus ou restaient chez eux. Il prit Scheelegatan, passa devant le tribunal d'instance, traversa le pont de Barnhus, vit en contrebas les trains immobilisés à cause des caténaires givrées. Dalagatan, Odengatan, Valhallavägen ; deux voitures avec le capot ouvert, des gens qui grattaient leur pare-brise, des piétons qui marchaient prudemment en regardant le sol.

Un bref coup de fil à Nils Krantz. Rien de nouveau ; pour l'instant, les endroits reniflés par le chien ne permettaient pas d'établir un lien avec la femme morte. Un autre à Hermansson. Malgré l'avis de recherche, il n'y avait encore aucun signalement du car rouge.

Le parking de la clinique de Sophiahemmet était complet. Grens en fit deux fois le tour, puis renonça et se gara devant l'entrée. Sa voiture gênait, mais peu importait. Il pénétra dans le vieux bâtiment, passa devant l'accueil et monta au premier étage.

Dans tous les hôpitaux régnait la même odeur. Dans les vastes couloirs de Sankt Göran ou dans cette clinique un peu vétuste, c'était pareil.

Ça sentait la mort.

C'était ça, l'odeur des hôpitaux. Dans un hôpital, il y avait des gens qui mouraient.

Il aurait dû y être habitué. Mais là, il ne parvenait pas à raisonner de manière détachée.

Là, ce n'était plus le boulot. Il s'agissait d'Anni.

La seule personne qui comptait pour lui.

Elle était si petite.

Elle dormait, recroquevillée sous le drap, les yeux fermés. On ne voyait pas grand-chose d'autre. Le masque qui l'aidait à respirer lui recouvrait le nez, la bouche et la majeure partie de ses maigres joues. Elle avait les cheveux emmêlés.

Ecoutant sa respiration, il se mit inconsciemment à respirer au même rythme qu'elle. Des appareils semblaient se pencher sur son corps ; froids et impersonnels, ils émettaient des sons, dessinaient des courbes.

Il s'approcha, lui prit la main, posa un baiser sur son front.

— Quelqu'un a donné à manger au patient. Une heure ou deux avant l'anesthésie. Alors qu'il faut être à jeun pour l'intervention.

— Le patient ?

— Oui ?

— Elle a un nom. Anni.

Il dévisagea le médecin-chef, un homme du même âge que lui. L'énervement était souvent une manifestation de la peur, il le savait. Sven avait l'habitude de dire ça.

— Nous avons endormi le patient pendant vingt-cinq minutes. C'est le temps que dure l'examen. Quand nous l'avons…

— Elle a un nom.

— Quand nous l'avons réveillé, nous avons enlevé le tuyau d'intubation que nous lui avions introduit dans la gorge, conformément aux procédures. C'est à ce moment que le patient a aspiré.

Ewert Grens méprisait les médecins âgés, tout comme il méprisait les jeunes procureurs. Pour les mêmes raisons : ils se cachaient derrière des mots, derrière leur professionnalisme ; ils avaient une telle trouille qu'ils devaient tenir le monde à distance.

— Parlez comme tout le monde, s'il vous plaît.

Faisant un geste de la main, le médecin regarda autour de lui. Grens avait inutilement élevé la voix.

— Elle a vomi. Le risque, lorsqu'un patient aspire, c'est qu'une partie du contenu de l'estomac pénètre dans les poumons. Dans un premier temps, il peut alors se produire une réaction chimique. Dans un deuxième temps, il peut y avoir une réaction bactériologique. Dans le cas d'une incapacité pulmonaire, même partielle, les conséquences peuvent être graves.

Tu étais au seuil de la vie.

Il a suffi d'une seconde d'inattention.

Une seconde qui durait depuis vingt-sept ans.

Il lui prit encore la main, la serra comme il l'avait fait autrefois. Son énervement s'était évanoui, la colère s'était emparée de lui.

— Grave ? Ça veut dire quoi ?

L'homme en blouse blanche sursauta, fit un pas en arrière.

— Si vous pouviez parler moins fort...

— Ça veut dire quoi ?

— Immédiatement après le réveil, il est encore difficile de déterminer l'importance d'une éventuelle pneumonie d'aspiration...

— Parlez comme tout le monde !

— Une inflammation pulmonaire. A la suite de son vomissement. Nous allons lui faire des radios. Nous allons surveiller sa respiration, sa température, son état général, sa formule sanguine. Nous envisageons un traitement prophylactique et une assistance respiratoire en cas d'aggravation.

La colère lui emplissait la poitrine, lui faisait mal. Mais il avait cessé de crier. Il n'avait plus de voix.

Il descendit les escaliers, se dirigea vers sa voiture. Il était resté auprès d'elle une demi-heure, écoutant sa respiration, respirant au même rythme qu'elle.

Jamais il ne s'était senti aussi seul.

Il habitait toujours leur appartement au centre-ville, à Sveavägen, près du coin d'Odengatan. Ils avaient fêté un premier Noël ensemble, ils avaient fait du ski dans Vasaparken, entre les marronniers dénudés et les escarpolettes abandonnées. A l'époque il aimait l'hiver.

Elle venait de s'installer chez lui.

Il attendait toujours qu'elle revienne.

Grens mit le contact, alluma son portable et se dirigea vers Valhallavägen. Son téléphone sonna tout de suite, comme si on cherchait à le joindre depuis un moment.

– Ewert ?

– Oui.

– C'est Nils Krantz. Dis donc, pour te joindre...

Grens ne répondit pas. Le technicien continua :

– J'ai examiné tous les endroits reniflés par le chien. Je crois qu'on a ce qu'il faut.

Un camion essayait d'en doubler un autre ; ça bouchait deux des trois files.

– Un instant. Il y a des gens qui font les cons devant moi.

Grens klaxonna furieusement et appuya sur les freins. Le bruit se noya dans le vacarme des semi-remorques.

– Eh bien ?

– Un badge plastifié. Cinq centimètres sur six. Avec les empreintes de la femme.

– Tu en es sûr ?

– Sûr et certain. Ce sont les siennes.

Il bifurqua à gauche pour gagner le centre-ville. Les camions continuèrent tout droit. Il donna encore un coup de klaxon, histoire d'évacuer son irritation.

– Tu m'écoutes ?

– C'étaient deux camions.

– Tu m'écoutes ?

– Bien sûr que je t'écoute.

Nils Krantz s'éclaircit la voix.

– Cinq centimètres sur six. Probablement un badge donnant accès à son lieu de travail. Je suis persuadé qu'il nous permettra de l'identifier.

C'était l'après-midi. Elle était redescendue sous terre. Assise dans le fauteuil en cuir, l'air absente, elle regardait les matelas, les couvertures empilées et le feu éteint.

Elle s'était changée. L'uniforme était suspendu sur un cintre dans les réserves.

Deux pantalons, comme toujours. Une longue jupe par-dessus les pantalons et puis sa doudoune rouge. Cette doudoune, elle avait fait des pieds et des mains pour l'avoir ; papa avait fini par aller la lui acheter aux grands magasins NK et elle l'avait emportée en quittant l'appartement. Devenue trop petite, elle la serrait.

Elle avait retrouvé son odeur habituelle.

Sa peau était noircie par la suie, son visage était recouvert de sa pellicule habituelle ; après avoir franchi la porte, elle s'était empressée de se rouler par terre. Elle avait longuement filtré les cendres à travers ses doigts.

Puis elle avait avalé deux pilules. Elle sentait un bien-être derrière ses yeux, son visage s'était détendu.

Elle n'aurait pas dû être inquiète.

Mais quand elle était revenue il n'était pas là.

Elle regarda son matelas vide. Elle ne comprenait pas. Il devait être quelque part dans les tunnels. Leo qui était resté debout toute la nuit. Leo qui, dans ce cas, passait sa journée à dormir.

Le paquet de tabac et le papier à rouler étaient tout au bout de l'étagère posée dans un coin. Elle prit une feuille, émietta le tabac, se roula une cigarette. Puis elle se pencha en arrière, ferma les yeux et inhala profondément. Elle s'étira paresseusement, son coude heurta le mur et des brins de tabac incandescents tombèrent sur sa doudoune ; sa cigarette n'était pas roulée assez serré. Il y avait maintenant des petits trous près de la fermeture éclair ; si papa avait vu ça, il l'aurait engueulée. La doudoune avait coûté cher ; elle avait dû promettre d'en prendre soin.

Il lui manquait.

– Il y a quelqu'un ?

On frappa à la porte.

Elle n'aimait pas ça, surtout quand elle était seule.

On frappa de nouveau.

– Oui ?

– C'est Miller.

Elle reconnut sa voix.

– Tu peux entrer.

En pénétrant dans la pièce, il lui fit un sourire.

La plupart, elle les supportait. Pas les junkies, qui leur piquaient des trucs dès qu'ils pouvaient. Mais les autres, oui. Ceux qu'elle préférait, c'étaient les gens comme Miller. Ceux qui étaient là depuis longtemps. Ils étaient plus calmes, ce devait être pour ça.

Elle répondit à son sourire. Puis elle montra sa cigarette. Miller fit oui de la tête et elle en roula une autre. Ils n'avaient pas encore échangé un mot.

Elle avait essayé de les compter, mais en vain. Il y en avait au moins cinquante, peut-être soixante. Certains étaient là en permanence, d'autres allaient et venaient ; deux ou trois mois dans les tunnels, puis quelques mois en surface.

Elle tendit la cigarette à Miller. Il en tira plusieurs bouffées avant de se racler la gorge.

– Il s'agit de Leo. Je l'ai vu tout à l'heure.

Elle attendit la suite.

– A la sortie vers Igeldammsgatan. Près de là où j'habite.

– Et...

– J'ai l'impression que ça le reprend.

Ils gardèrent de nouveau le silence. En terminant sa cigarette, Miller la regardait. Elle était inquiète. Avec Leo, elle était heureuse, sa présence lui faisait du bien. Sauf quand il était comme ça.

— Tu crois ?

— Quand je l'ai vu, il chassait les rats.

En général, ça durait deux ou trois jours. Miller avait déjà connu des gens comme ça. Des gens qui avaient la même maladie. Troubles bipolaires, ça s'appelait. C'était comme si on appuyait sur un interrupteur ; ils étaient tout à coup perpétuellement en éveil, lancés dans une fuite en avant. Puis, tout aussi brusquement, c'était fini. Et alors ils s'écroulaient et dormaient pendant deux ou trois jours.

Ils avaient tous vécu la même histoire.

Ils avaient passé des années dans des hôpitaux psychiatriques, parfois avec des diagnostics multiples, comme Leo. Puis, au début des années quatre-vingt-dix, à la suite des coupes budgétaires et des réformes de la psychiatrie, ils s'étaient retrouvés à la rue, incapables de prendre soin d'eux-mêmes, inaptes à vivre dans le monde du dehors.

Le monde en surface.

S'ensuivit ce qui devait s'ensuivre. Les drogues, la mort, la fuite. Leo avait fui. Vers un monde où il y avait de la place pour lui. Il avait tout essayé, jusqu'à trouver un espace sombre situé sous les rues où les gens ordinaires se hâtaient vers leur travail, leur appartement, leur famille.

Miller regarda la jeune fille.

Tu es encore une enfant, tu ne peux pas t'occuper de quelqu'un comme Leo.

Quelqu'un qui essaie d'attraper les couleurs avec ses mains et de les glisser dans sa poche, quelqu'un qui fuit parce que la parole des gens l'agresse, quelqu'un qui court après les gros rats et qui donne des coups de pied aux petits sans même sentir leurs morsures.

Pauvre petite.

Il avait bien fait. Il avait parlé d'elle. C'était il y a trois semaines ; il ne regrettait rien.

Là-haut, quelqu'un était au courant. Sylvi était au courant.

Pauvre petite.

— T'en veux une autre ?

Il avait terminé sa cigarette.

– Non merci.

Miller secoua la tête.

– J'ai dit ce que j'avais à te dire. Maintenant tu le sais. Ça recommence. Il est dans son monde à lui.

Leo cherchait à attraper les gros rats.

Elle savait où. Dans l'autre réseau, dans les égouts, sous l'hôtel de ville ou le palais royal. Là-bas il y en avait davantage. Plus gros, plus agressifs.

Elle avait envie de s'asseoir dans le fauteuil en cuir et de penser à son cochon d'Inde, celui que maman avait tué parce qu'elle avait fait une bêtise. Il lui avait beaucoup manqué. Mais ce n'était pas possible. Il fallait qu'elle retrouve Leo. D'habitude, elle arrivait à le calmer un peu. Et elle avait les pilules ; il en avait besoin, elles atténuaient son agitation, ce que Miller appelait son « état maniaque ».

Elle quitta la pièce. Sa lampe frontale était près de s'éteindre et elle en changea les piles. Elle n'aimait pas parcourir seule les tunnels. Elle connaissait le chemin, le problème n'était pas là, mais il y avait l'obscurité et les courants d'air qui s'emparaient de ses cheveux. Cela lui rappelait quand elle était petite, quand elle était couchée dans son lit ; les mains sur son corps et la voix qui lui chuchotait à l'oreille de venir sous la douche. Elle avait toujours senti un souffle dans ses cheveux à ce moment-là.

Elle était certaine d'avoir pris la bonne direction. On sentait même l'odeur des rats.

Deux cents mètres environ. Elle avait parcouru la moitié du tunnel quand elle aperçut un cône de lumière au loin. Ce n'était pas lui. La lumière venait d'une lampe de poche ; Leo ne serait jamais descendu dans les égouts sans sa lampe frontale ; il ne voulait surtout pas que la lumière vienne éclairer son corps.

Elle ralentit le pas. La lampe de poche s'approchait, la lumière balayait les parois du tunnel, l'éblouissait par moments.

Leo. Miller et son ami. La femme des douches du métro. Le médecin qui la tripotait pendant qu'elle regardait le plafond. Aujourd'hui elle avait rencontré plus de gens que pendant une semaine normale. Et maintenant, cette lampe.

A dix ou quinze mètres d'elle.

Elle vit qui c'était.

Une des onze femmes qui vivaient dans la vaste pièce sous Alströmergatan.

Ou plutôt une jeune fille. Elles devaient avoir à peu près le même âge.

Elles étaient à quelques mètres l'une de l'autre quand leurs regards se croisèrent brièvement. Elles ralentirent toutes les deux, firent un pas de côté pour laisser passer l'autre sans la frôler.

Elles échangèrent encore un regard avant de poursuivre leur chemin.

L'autre continua tout droit. Elles avaient la même taille, les mêmes cheveux bruns et emmêlés, le même visage couvert de suie. Mais l'autre avait ces trucs qui brillaient. Des tas d'anneaux à l'oreille. Plus d'une dizaine.

Elle l'avait déjà vue trois fois.

Mais elles ne s'étaient jamais parlé. Pas un mot. Ici, tout le monde avait son histoire. Et personne ne la racontait.

Encore quelques pas, et la lueur de la lampe de poche disparut. Elles poursuivirent leur chemin.

Ewert Grens roulait lentement à travers le centre de Stockholm. Les rues étaient désertes, le froid empêchait les gens de sortir, quelques personnes emmitouflées dans de gros manteaux erraient sur les trottoirs, rêvant d'être ailleurs. Grens connaissait chaque rue, chaque trottoir, chaque cage d'escalier. En trente-cinq ans de métier, il avait appris où se cachaient les délinquants et les dealers. Les gens ordinaires, il ne les fréquentait guère.

Le feu de Stureplan eut le temps de passer au vert, puis de nouveau au rouge. Il n'entendait pas klaxonner derrière lui, il était encore auprès d'elle, à côté du lit entouré d'appareils qui clignotaient. On lui avait dit que son état était stable. Il était incapable d'en juger. Lui, ce qu'il voyait, c'était une femme aux yeux fermés, inconsciente, respirant à l'aide d'une machine.

Jamais il n'avait ressenti une telle angoisse.

Autrefois, cela se passait mieux. Autrefois il avait su tirer le rideau. Quand les sentiments le submergeaient et qu'il ne pouvait plus faire face. Il se plongeait dans son travail, ne levait pas la tête de son bureau, traversait les couloirs à toute allure. Maintenant c'était moins facile. C'était peut-être l'âge, ses forces qui déclinaient. Ceux qui prétendaient s'y connaître disaient qu'avec l'âge les psychopathes développaient une sensibilité plus aiguë. Il avait le plus grand mépris pour ce genre de théories ; des cinglés, il en avait vu ; jamais il n'avait constaté que leur état s'était amélioré. Et pourtant, s'il y avait une part de vérité là-dedans ? Dans ce cas, cela devait également valoir pour les commissaires de police.

La radio située à hauteur de ses genoux émit un bip intempestif. Puis il entendit la voix d'un standardiste :

– 1923 ?

– 1923, j'écoute.

– Je vous appelle de la part de Nils Krantz. Il demande que vous le rappeliez.

– Je viens de lui parler. Il y a quelques minutes à peine.

– Il veut vous parler de nouveau. Mais il n'arrive pas à vous joindre sur votre portable.

Ewert Grens regarda son portable, suspendu à côté de la radio. Il l'avait coupé tout à l'heure, après l'appel de Krantz. Il voulait être tranquille avec ses pensées, avec elle.

Il le ralluma et rappela Krantz, qui répondit immédiatement.

– Le badge, Ewert. J'ai fait quelques recherches pour savoir d'où il vient.

– Eh bien ?

– La Caisse d'assurance-maladie de Tyresö. C'est juste à côté de la place du marché de Bollmora. Tu prends par...

– Merci.

– ... tu prends par le sud, jusqu'à...

– Merci. C'est bon. Je suppose que tu m'as aussi obtenu un rendez-vous avec le responsable de la sécurité là-bas ? Puisque tu t'amuses à jouer les enquêteurs.

La voix claire du technicien pouvait parfois prendre un ton acerbe. Là, elle paraissait seulement découragée.

– Moi aussi, j'ai parfois du mal à dire merci, Ewert.

Grens sourit.

C'était difficile, en effet. Ça l'avait toujours été.

Sourire lui fit du bien ; il était déjà plus détendu quand il quitta Kungsgatan pour s'engouffrer dans le tunnel et se diriger vers Söderleden et la banlieue sud.

Puis le visage d'Anni réapparut. Il devait l'aider à respirer ; il eut du mal à respirer lui-même.

Sur la place du marché de Bollmora, les gens avaient l'air aussi frigorifiés qu'en centre-ville. Grens avait le dos appuyé contre sa voiture ; il était là depuis une dizaine de minutes, mais il n'avait pas envie de se réinstaller à l'intérieur. Quand on s'y habituait, le froid était plutôt agréable. Il avait appelé Sophiahemmet et on lui avait dit que l'état d'Anni était inchangé. Il avait répliqué que c'était impossible ; rien n'était jamais inchangé.

La voiture de patrouille avait fait vite ; elle se garait maintenant devant lui.

Les deux jeunes collègues le saluèrent aimablement en baissant la vitre côté passager.

Il prit l'enveloppe marron qu'ils lui tendirent, les remercia et les vit s'éloigner.

Le hall de la Caisse d'assurance-maladie de Tyresö avait le même aspect déprimant que l'extérieur du bâtiment. Cela respirait la bureaucratie ; il se demandait pourquoi tous les édifices officiels construits à partir des années soixante-dix devaient obligatoirement avoir cet air impersonnel. Le préposé à l'accueil était un jeune homme grand et costaud aux joues rebondies lui donnant une expression enfantine. Il examina la carte de Grens, hocha la tête plusieurs fois et lui tendit un badge de visiteur.

Le chef de la sécurité n'allait pas tarder à venir. Le préposé fit un geste vers les rangées de chaises. Grens secoua la tête, il préférait rester debout ; sa jambe lui faisait mal quand il la pliait, l'hiver n'avait aucune pitié pour ses articulations raidies et ses muscles fatigués.

Il glissa son badge dans sa poche. Pas question d'arborer un bout de plastique sur le revers de sa veste devant la femme qui s'approchait d'un pas vif.

– Je m'appelle Kajsa.

Le prénom seulement ; il n'aimait pas cette mode. Mais il prit la main qu'elle lui tendit.

– Ewert.

Elle devait avoir la quarantaine. Elle était grande, presque aussi grande que lui, près d'un mètre quatre-vingt-cinq. Elle garda sa main dans la sienne.

– Mais...

– Pardon ?

– Vous êtes Ewert Grens ?

— Oui.

— J'avais complètement oublié votre existence.

Elle lui fit signe de la suivre. Ils montèrent l'escalier. Les marches étaient hautes et l'air trop sec ; Grens était déjà hors d'haleine.

— Nous nous sommes déjà vus ?

— J'ai travaillé à Kronoberg. Pas longtemps. Vous y étiez déjà. Vous faisiez partie des gens que tout le monde craignait.

— Ah.

— Maintenant, douze ans plus tard, loin de l'hôtel de police, vous avez l'air moins redoutable.

Un couloir, puis un autre escalier.

— Vous trouvez ?

— J'ai pris de l'âge. Et vous aussi. Quand les choses s'éloignent suffisamment dans le temps et dans l'espace, on les oublie. Tout ce qui n'est pas dit, tout ce qu'on ne voit plus, sur lequel on n'a plus aucune influence, on n'a plus à s'en préoccuper.

Elle sourit. Une belle femme. Il se permettait rarement de formuler ce genre de pensées, mais belle, elle l'était.

— Nous y sommes.

Toujours aussi souriante, elle pénétra dans la pièce en s'assurant qu'il la suivait. Elle lui fit signe de s'asseoir dans le fauteuil visiteur, s'installa derrière son bureau, le dévisagea un instant avant de parler :

— Que désirez-vous ?

— Du café.

— Pardon ?

— Vous avez du café ?

Elle soupira.

— Bien sûr. Du sucre ? Du lait ?

Il secoua la tête. Elle s'éclipsa. Il regarda autour de lui, il faisait toujours ça pendant qu'on allait lui chercher du café. Le bureau était plus grand que le sien, et surtout plus agréable. Elle avait accroché des photos de famille aux murs, et aussi ses diplômes. Sur une petite table devant la fenêtre, il y avait plusieurs pots de fleurs avec des plantes vertes.

Elle lui tendit sa tasse ; de la porcelaine blanche avec le logo de son employeur.

– Je crois me rappeler que vous n'aimiez guère les policiers femmes.

Il but une gorgée. Le café était brûlant, cela lui fit du bien.

– En effet. Et c'est toujours le cas.

Il la regarda.

– Mais je n'ai rien contre les chefs de sécurité femmes.

Son sourire se mua en un rire franc. Ils avaient tous deux fait assaut de politesse.

Ils pouvaient maintenant passer aux choses sérieuses.

Ewert Grens ouvrit l'enveloppe marron que les collègues lui avaient remise. Elle contenait un badge – cinq centimètres sur six, d'après Krantz – enveloppé dans du plastique transparent.

– Nous enquêtons sur un meurtre. Ceci est un indice matériel. Il appartient à quelqu'un qui fait partie de votre personnel.

Elle prit le badge. Ils savaient tous deux qu'il s'agissait d'un passe permettant l'accès au bâtiment où ils se trouvaient actuellement. Elle le retourna, prit une paire de lunettes dans le tiroir de son bureau, le retourna encore. Elle l'examina sans hâte, parut réfléchir ; elle avait manifestement saisi la portée de ce qu'il venait de dire.

– Qui ?

Elle avait posé le badge sur l'enveloppe. Sa voix était aussi tendue que son visage.

– Comment cela, qui ?

– Vous savez bien ce que je veux dire, Grens.

– Pour l'instant, nous l'ignorons. C'est pour ça que je suis là.

Ewert Grens n'avait pas dit grand-chose. Mais elle avait certainement compris : le titulaire du badge devait être la victime du crime dont il avait parlé. Elle hocha presque imperceptiblement la tête, reprit le badge, ajusta ses lunettes.

Un numéro y figurait. Seize chiffres regroupés quatre par quatre. Elle les rentra dans son ordinateur, un par un. Grens se leva pour la rejoindre derrière le bureau, se mit à côté d'elle pour mieux voir l'écran.

Elle ne s'en offusqua pas. Un être humain avait été assassiné ; c'était plus important que les convenances.

Pedersen, Liz.

Un nom. Probablement celui d'une femme morte.

13.05.1966.

Des visages de victimes, Grens en avait tant vu qu'il les confondait tous. Il avait constaté qu'ils échappaient au temps. C'était toujours difficile de déterminer l'âge d'une personne morte ; quand le cœur et la respiration s'arrêtaient, ses traits semblaient se figer dans une sorte d'intemporalité.

Il fit un rapide calcul. Quarante et un ans. Ça pouvait coller.

– C'est elle, n'est-ce pas ?

La responsable de la sécurité avait le teint bronzé, surtout pour un mois de janvier.

Elle était maintenant pâle. Comme si elle avait peur.

– C'est elle ?

– Comme je l'ai déjà dit, nous n'en savons rien. Pour l'instant.

– C'est elle. Je suis très inquiète. Liz... Liz n'est pas venue travailler depuis trois jours.

Ses doigts couraient sur le clavier, appuyant sur des touches sans rien faire apparaître sur l'écran. On y voyait toujours le même nom, la même date de naissance. Elle semblait mal à l'aise.

– Elle n'est pas en arrêt de maladie. Nous avons essayé de la joindre. En vain.

Grens regarda l'écran. Pedersen. Le nom ne lui disait rien.

– Vous la connaissez bien ?

– Je connais la plupart des gens qui travaillent ici. L'ambiance est bonne, les employés restent longtemps. Liz... elle est arrivée à peu près en même temps que moi. Il y a onze ans.

Elle secoua lentement la tête.

– Au début, nous nous voyions souvent. Entre nouvelles recrues, c'est normal.

Ewert la dévisagea. Elle se tassait sur son fauteuil, comme si elle avait rétréci.

– Vous avez travaillé chez nous. Vous connaissez donc la question suivante.

Elle ne répondit pas.

– Vous pensez pouvoir le faire ?

Toujours pas de réponse.

– Vous pensez être capable de l'identifier ?

Mariana Hermansson montait d'un pas énergique l'escalier du bâtiment C de Kronoberg, où se trouvaient les bureaux d'Interpol.

Elle voyait encore les visages sales, apeurés. Ceux des enfants qu'on avait fait descendre d'un car le matin même, en les traitant comme des marchandises. Elle ne parvenait pas à effacer celui d'une jeune fille de quinze ans, portant un bébé dans ses bras. Une jeune fille avec des marques de scarification.

Elles se ressemblaient. Elles avaient une différence d'âge de douze ans, mais leur constitution, leur nez, leur bouche, leurs cheveux, leur façon de marcher avaient un air de famille. Elles auraient pu être sœurs. L'une aurait pu être à la place de l'autre. Etrange comme le hasard pouvait jouer, comme il suffisait de peu de choses pour tout changer. Si son père n'avait pas fui la dictature, s'il n'avait pas atterri à Malmö, si elle n'avait pas grandi dans cette tour d'habitation de Rosengård, ce quartier déprécié où elle s'était pourtant sentie si bien...

Elle aurait été quelqu'un d'autre. Elle aurait vécu ailleurs.

Elle aurait pu être à la place de cette fille.

Le bureau de Jens Klövje était au dernier étage. Elle y était déjà venue l'hiver dernier, par un froid semblable. Mais à l'époque, c'était un autre visage qui la hantait. Celui d'un homme porteur d'un faux passeport, un homme qui, officiellement, n'existait pas et qui avait été pris de spasmes quand on l'avait enfermé dans sa cellule. Un homme qu'elle n'arrivait pas à chasser de son esprit, qui ne se réduisait pas à un cas. Avec Nadja, c'était pareil. *Tu es trop jeune, Hermansson, tu ne peux pas t'engager comme ça dans le destin de chaque personne qui fait l'objet d'une enquête.* Grens l'avait mise en garde : il ne fallait pas qu'elle se laisse envahir par le travail ; coupables et plaignants ne devaient pas empiéter sur sa vie. *A la fin, il n'y aura plus assez de place, ils te boufferont complètement, tu ne sauras plus faire la différence entre eux et toi. Il faut que tu arrives à tirer le rideau.* Sauf que ça ne marchait pas. Pas pour elle. Dans certains cas, elle ne savait pas dire stop. Elle n'avait jamais su. Il y avait des gens qu'elle ne pouvait pas laisser tomber.

Assis derrière son bureau, Klövje regardait l'écran de son ordinateur, un dossier dans une main et une cigarette dans l'autre. Comme il ne l'avait pas entendue, il sursauta lorsqu'elle se racla la gorge.

– Dites donc, quelle tabagie !

Il rougit légèrement. Instinctivement, il cacha sa cigarette sous le bureau.

– D'habitude... Je sais qu'on est censé sortir sur le balcon pour fumer.

Il fit un geste vers la porte-fenêtre.

– Mais vous avez vu la température ? Il fait moins dix-sept.

Hermansson haussa les épaules.

– Bon, je ne suis pas venue vous faire un cours sur le tabagisme. Si vos collègues vous supportent, j'en ferai autant.

Il redressa le dos, parut moins gêné. D'un pas décidé, elle fendit les nuages de fumée.

– J'ai besoin de votre aide. Je sais bien que vous êtes débordé, comme tout le monde. Mais j'aimerais que vous vous interrompiez quelques instants. C'est vraiment urgent.

Jens Klövje posa son dossier sur le bureau. Puis il porta sa cigarette à ses lèvres et inhala avidement.

– Je me rappelle la dernière fois que vous êtes venue me parler d'une affaire urgente. Cela s'est terminé par l'exécution d'un innocent, dans l'Ohio.

L'homme qui n'existait pas, qu'elle n'avait pas pu chasser de son esprit. Il avait dit s'appeler John Schwarz ; pendant l'année qui s'était écoulée, elle avait souvent pensé à lui. Elle avait même failli téléphoner à son père, un gros homme chaleureux qui était venu jusqu'à Stockholm pour essayer de sauver la peau de son fils, pour tenter d'empêcher son extradition vers les Etats-Unis. Elle aurait aimé savoir comment il allait.

– Cette fois, il s'agit de quarante-trois enfants abandonnés.

Klövje tira encore une bouffée de sa cigarette, puis il l'écrasa dans un cendrier dissimulé dans son tiroir. Il prit un air grave.

– C'est vous qui vous occupez de cette affaire ?

– Oui.

– On en a discuté entre collègues. Quarante-trois enfants ! Je n'ai jamais entendu parler d'une chose pareille. Et ça fait un bail que je suis dans le métier.

Il fit un geste vers l'écran.

– J'ai déjà vérifié. Il n'y a aucun avis de recherche international concernant quarante-trois enfants roumains.

Il avait beau fumer comme un pompier et avoir le cuir tanné, sa voix tremblait.

– Si vous voulez, je peux contacter les autres bureaux européens.

Hermansson fit oui de la tête.

– Ce serait formidable. Il vous faut combien de temps ?

– Je vous tiendrai au courant.

En descendant l'escalier, elle avait de nouveau cette boule à l'estomac. Ça grossissait. Un mélange de frustration et de dégoût.

Des enfants. Des enfants en chair et en os. Que personne ne cherchait.

Les cambriolages, les vols à la tire, la maltraitance, les meurtres, les assassinats – tout ça, elle connaissait, elle le côtoyait tous les jours, cela faisait partie de sa vie, de son travail.

Mais ça…

Elle ne le comprenait pas.

Le travailleur social l'attendait à l'accueil de Bergsgatan. Un homme du même âge qu'elle, souriant, mais un peu stressé. Après s'être salués, ils parcoururent le couloir, descendirent l'escalier, prirent un deuxième couloir, passèrent devant la salle de gym, descendirent encore un escalier. Des chaises en plastique rouges et vertes étaient disposées le long des parois de verre. Ils s'assirent pour observer les enfants qui évoluaient de l'autre côté.

Leurs corps étaient blancs. Certes, on était en hiver, mais elle n'avait jamais vu des peaux aussi blanches.

La plupart étaient debout dans le petit bain, sans bouger. Dans l'eau froide sentant le chlore.

Certains étaient assis sur le bord du bassin. D'autres, enveloppés de serviettes blanches, s'étaient regroupés un peu plus loin.

Quarante-trois enfants dans la piscine de la police.

A distance, vus à travers la paroi de verre, on aurait dit des enfants ordinaires.

Mariana Hermansson sentit de nouveau la boule dans son estomac.

Mais ils étaient dans un hôtel de police. Dans un pays qu'ils croyaient être l'Ecosse. Et personne ne les cherchait.

– Nous allons être obligés de les séparer.

– Pardon ?

– Je n'ai jamais eu affaire à un cas pareil. Pour l'instant, nous ne pourrons pas faire autrement.

Hermansson eut un vif mouvement de recul.

– Les séparer ? Ils ont besoin les uns des autres. Plus que jamais.

– Ils ont besoin d'un toit. De nourriture. Mes priorités, c'est ça. Je...

– Mais ce sont des enfants...

– J'ai eu huit heures pour trouver une solution. Pour l'instant, personne ne peut accueillir tout le groupe.

Ils ont les cheveux mouillés. Ils ont froid. Ils remontent, sautent de nouveau dans l'eau, remontent encore.

Hermansson respirait fort.

– Ensemble, ils se sentent en sécurité. Vous ne comprenez pas ? Ils forment comme une famille. Séparer une famille... ça va nous poser des problèmes.

Elle dévisagea le jeune homme, qui était toujours aussi souriant. Il l'écoutait. Il portait un jean et une veste de costume, et il avait un dossier sur ses genoux. Elle poursuivit :

– Nous aurons encore besoin de les interroger. Quand les gens ont peur, ils ne parlent pas.

Il lui manquait des bouts de chair.

Ce fut sa seule pensée. Que ce soit une femme, une femme morte, une femme qui avait cessé de respirer, dont le cœur avait cessé de battre, ne lui traversa même pas l'esprit.

Elle ne voyait que ça.

Les bouts de chair qui manquaient près de l'arcade zygomatique.

Par la suite, sa réaction allait lui paraître étrange. Elle la connaissait pourtant, cette femme, ce corps posé sur une table au milieu de la salle d'autopsie du médecin légiste. Mais il y avait ce mot, *chair*, qui lui emplissait l'esprit, qu'elle ne parvenait pas à effacer.

Ewert Grens observa le témoin.

Il savait déjà. Elle n'avait pas besoin de parler. Il avait reconnu l'expression de son visage ; ils avaient toujours cet air-là, les gens à qui on présentait le corps d'un proche. Un air vide.

– C'est elle.

Grens se tenait de l'autre côté du corps. Il fit un pas en avant, essaya de capter son regard.

– Nous ne sommes pas pressés. Prenez votre temps. Je veux que vous soyez absolument certaine.

La peau était légèrement boursouflée, très blanche, grise, bleuâtre par endroits. Etrange comme un être humain pouvait changer en si peu de temps. Elles se croisaient tous les jours dans les couloirs, s'adressaient un sourire, bavardaient de choses et d'autres. Elle pensa aux premières années, aux soirées qu'elles avaient passées ensemble, aux dîners avec leurs conjoints respectifs, à une fête de la Saint-Jean au château de Tyresö. Petit à petit, elles avaient cessé de se voir en dehors du travail, elle ne savait pas pourquoi. Leurs vies avaient sans doute pris des cours différents.

– Je suis certaine.

– C'est bien Liz Pedersen ?

– Oui.

Grens se tourna vers Ludvig Errfors, qui se tenait légèrement à l'écart.

– Elle est identifiée. Maintenant, tu vas me dire tout le reste.

Sven Sundkvist était resté dans l'entrée ; il avait pris l'habitude d'attendre là, à bonne distance de la mort. Grens lui demanda de s'occuper du témoin, de l'emmener dans le bureau d'Errfors pour lui poser les questions nécessaires. Puis il retourna dans la salle d'autopsie.

– Trente-trois blessures au torse.

Le légiste avait posé deux feuilles A4 sur les jambes du corps. Des notes tapées à la machine. Ewert Grens avait vu la vieille machine à écrire qui trônait sur le bureau d'Errfors. La même que la sienne.

– Douze d'entre elles sont mortelles. Perforation du cœur, du foie, des poumons.

Ludvig Errfors leva la tête de ses feuilles.

– Les blessures lui ont été infligées avec un long couteau effilé. Elles sont de profondeur variable. L'auteur n'a pas toujours frappé avec la même force. Quant à la victime, elle a essayé de parer les coups : on compte quatorze blessures sur les deux bras. Elle a tenté de se protéger, même après être tombée à terre.

De profondeur variable.

– Continue, s'il te plaît.

– Ce que tu veux, c'est que j'émette des hypothèses ?

– Oui.

Errfors poussa un soupir. Il était trop scrupuleux, n'aimait pas évoquer des choses dont il ne pouvait pas être certain.

– Si je tiens compte de la manière dont l'auteur a dû s'approcher de sa victime, je crois – je dis bien : *je crois,* Ewert – qu'il lui a d'abord porté des coups superficiels avant de lui infliger des blessures profondes. Je pense donc qu'il a agi en état d'affect. Qu'il a frappé de plus en plus fort.

Le légiste ôta le tissu qui recouvrait le corps. Grens chercha un endroit où poser son regard, mais en vain. Le corps de la femme était en lambeaux.

– Les derniers coups ont été portés avec une force… démentielle.

Ewert Grens contempla le corps lacéré.

– Un couteau, tu disais ?

– Un couteau long et effilé. A la lame dentelée. Encore une fois, c'est une hypothèse, mais je pense qu'il doit s'agir d'un couteau de cuisine.

Un meurtrier se servant d'un couteau avait généralement l'esprit perturbé ; Grens ne l'ignorait pas. Il y avait des gens qui faisaient des statistiques là-dessus, qui transformaient les données en colonnes et en tableaux. Il n'avait pas besoin de cela, son expérience lui suffisait. Il avait passé sa vie à traquer des cinglés ; il savait que l'usage d'un couteau était synonyme de troubles mentaux.

– Tu vois dans quel état elle est.

Ewert Grens avait reculé d'un pas ; il s'apprêtait à s'en aller, mais Errfors n'avait pas fini. Il passa lentement sa main sur le corps, de la tête aux pieds.

– Tu vois ?

– Oui.

– Des blessures partout.

– En effet.

Le légiste se tut un moment. Puis il replaça le tissu.

– J'ai ouvert des enfants, des adolescents, des femmes, des hommes. Il y a longtemps que ça ne me fait plus aucun effet.

Il se tourna vers Grens.

– Mais quand je vois ça… une telle violence. Une telle rage. Tu cherches un malade mental. Ou quelqu'un poussé par la haine.

Mariana Hermansson mit le clignotant, jeta un œil dans le rétroviseur et quitta la E4. Le trajet entre Kronoberg et la bretelle d'accès de l'aéroport d'Arlanda avait pris dix-neuf minutes.

– Ça va ?

Elle ralentit et se retourna.

– Ça va ?

La jeune fille était assise sur la banquette arrière, son bébé de six mois dans les bras. Hermansson lui avait prêté une veste coupe-vent.

– Oui.

L'avis de recherche était lancé depuis trois heures lorsqu'une patrouille de la police des frontières avait remarqué un car correspondant au signalement, garé sur une place de stationnement longue durée de l'aéroport. Hermansson l'avait appris alors qu'elle discutait avec le travailleur social qui voulait séparer les enfants. Elle l'avait planté là pour rejoindre Nadja au bord de la piscine. Nadja s'était d'abord montrée méfiante ; quand Hermansson lui avait assuré qu'elle pourrait emmener son fils, elle avait cependant fini par la suivre. Ensemble, elles s'étaient rendues dans le bureau de Hermansson pour prendre des vêtements chauds, puis elles étaient descendues au dépôt des objets saisis pour récupérer une poussette. Hermansson avait absolument besoin de Nadja pour identifier le car.

– Tu veux que je t'aide à la déplier ?

Mariana Hermansson montra du doigt la poussette rangée dans le coffre de la voiture. La poussette avait l'air neuve, les roues étaient à peine usées. L'étiquette où figurait le numéro du scellé était toujours attachée à la poignée.

– Oui.

Manifestement, elle ne s'était jamais servie d'une poussette.

Son fils avait six mois, et elle s'était toujours déplacée en le portant dans ses bras.

Deux collègues de la police des frontières les attendaient à l'entrée du parking. Ils les saluèrent, puis leur ouvrirent les grilles.

Garé deux cents mètres plus loin, le car ressemblait à celui qu'elle prenait, enfant, pour se rendre de Rosengård au centre de Malmö. Il avait dû être rouge vif, mais sa couleur avait viré au rose orangé. Les pneus, les vitres, la carrosserie étaient marqués par l'usure. Il devait avoir au moins trente ans.

– C'est celui-là ?

Nadja souleva son fils, l'embrassa sur le front, le serra fort dans ses bras. Puis elle hocha la tête.

– Oui.
– Tu en es certaine ?
– Oui.
Un vent froid balayait le parking. Mariana Hermansson se dirigea lentement vers le car. Quarante-trois enfants. Quatre jours pour traverser l'Europe. Elle se pencha, ouvrit une petite trappe à côté de la roue avant et tourna la poignée qui se trouvait à l'intérieur. La portière s'ouvrit. C'était bien le car qu'ils cherchaient ; elle n'eut même pas besoin de monter à bord pour s'en assurer. L'odeur de colle l'assaillit ; elle eut le sentiment de se trouver devant un mur toxique.
Elle fit le tour du véhicule.
N 864. Principaute de Monaco.
La plaquette d'immatriculation avait l'air authentique.
– Il a froid ?
Nadja avait couvert son fils d'un pan de sa veste. Elle le berçait doucement, se balançant d'un pied sur l'autre.
– Non.
– Sûr ?
La jeune fille secoua la tête.
– Bon. De toute façon, on va bientôt entrer dans le hall. Il y fera chaud.
Les deux collègues étaient restés un peu à l'écart. Elle leur demanda de vérifier l'immatriculation du car. Et d'appeler la police scientifique ; elle voulait qu'on passe au peigne fin chaque siège, chaque barre métallique, chaque centimètre carré du sol. Elle réclama aussi la liste des passagers de tous les vols internationaux en partance. Ainsi que des vols ayant décollé depuis le début de la matinée. Elle avait fait le calcul : les personnes qui, protégées par l'obscurité, avaient abandonné quarante-trois enfants dans une ville inconnue pouvaient très bien avoir quitté le pays aux alentours de 8 heures du matin. C'était même tout à fait probable.
Hermansson regarda de nouveau le car, en fit encore le tour.
Il n'était pas bien grand.
Quarante-trois enfants.

Ils avaient dû rester debout, ou s'asseoir les uns sur les autres.

On étouffait dans le hall du terminal international.

Des vols étaient retardés, d'autres annulés. Des voyageurs erraient à la recherche de leur comptoir d'enregistrement, des hôtesses de sol leur répondaient patiemment, accueillant les remarques désobligeantes sans se départir de leur sourire.

Mariana Hermansson prit la main de Nadja. Ensemble, elles manœuvrèrent la poussette en se frayant un chemin parmi la foule. Hermansson regarda autour d'elle. Deux sœurs. En les voyant, c'était ce qu'on devait penser. La grande et la petite, voyageant avec l'enfant de l'aînée.

Deux anonymes, que rien ne distinguait.

Et non pas une commissaire de police accompagnée d'une fille des rues d'un pays de l'Est.

Cela, personne ne l'aurait deviné.

Hermansson s'efforçait de marcher lentement. Elle avait demandé à Nadja de bien observer les gens, de regarder leur visage. Slalomant avec la poussette entre les files d'attente, elles longèrent la rangée de comptoirs, passèrent devant les toilettes pour femmes et pour hommes, laissèrent derrière elles le bureau de change, le kiosque à journaux, s'attardèrent un moment devant le guichet d'information.

Aucune réaction. Hermansson crut d'abord Nadja trop apeurée pour faire attention à ce qui se passait autour d'elle, mais elle comprit vite qu'elle s'était trompée. Certes, la jeune fille paraissait inquiète, mais elle avait du cran. Elle dévisageait les passants sans jamais détourner le regard ; quand Mariana lui disait d'insister, elle le faisait sans sourciller.

Ågestam avait ouvert une enquête préliminaire pour trafic d'êtres humains. Or ce n'était pas ça. Les trafiquants d'êtres humains avaient recours à la menace, à l'intimidation, à la violence physique. Si Nadja avait peur, ce n'était pas des gens qu'elles croisaient. Son regard le prouvait. C'était autre chose qui l'inquiétait.

Mariana Hermansson se demandait ce que cela pouvait être.

– Il a faim.

L'enfant pleurait depuis un moment. Maintenant il criait.

– Tu ne crois pas ?

Nadja hocha la tête.

– Si.

– On va monter là-haut. A la cafétéria. Il faut qu'il mange. Et toi aussi, Nadja. Mais d'abord, j'ai juste une chose à faire.

Mariana Hermansson s'arrêta devant le contrôle des passeports. Derrière les voyageurs faisant la queue, on apercevait un local où l'on distinguait des détecteurs de métaux, ainsi que des moniteurs où apparaissait le contenu des bagages à main. Hermansson montra sa carte de police, fit signe à Nadja de la suivre et se posta derrière les agents de sécurité.

Les ordinateurs étaient installés sur une étagère au bout du tapis roulant où défilaient les sacs, les valises cabine et les petits paniers où les voyageurs mettaient leurs trousseaux de clés et leurs pièces de monnaie. Trois visages s'affichaient sur les écrans, deux hommes et une femme dessinés d'après les descriptions données par Nadja et deux de ses camarades.

– Aucun signalement ?

– Non.

– Rien du tout ?

– Malheureusement non. Les images ne sont pas assez précises ; avec ça, comment voulez-vous qu'on reconnaisse quelqu'un ?

Hermansson y jeta un œil. En effet, ils étaient allés trop vite. Il leur fallait d'autres portraits-robots, plus précis ; elle s'occuperait d'en faire faire.

Elles prirent l'escalator pour monter à la cafétéria, où l'on avait vue sur tout le terminal. Le petit garçon criait de plus en plus fort ; Nadja le berçait, chantait doucement pour le calmer, lui caressait les cheveux. Hermansson demanda à un serveur de réchauffer un pot de nourriture pour bébés, une purée à base de pommes de terre et de viande à l'aneth. Puis elle commanda un café pour elle-même et un sandwich aux crevettes et un jus d'orange pour Nadja.

Le bébé mangea avec bon appétit, cessa de pleurer et finit par s'endormir dans les bras de sa mère.

Elles restèrent silencieuses, écoutant le bruit de fond incessant, regardant la foule qui se bousculait à l'étage du dessous. Elles pouvaient observer les voyageurs à travers la paroi de verre, comme Hermansson avait pu observer les enfants dans la piscine, tout à l'heure.

– Tu parles le roumain.

Nadja avait pris la parole sans qu'on lui pose une question.

– Comment ça se fait ?

Jusqu'ici elle n'avait guère prononcé que des monosyllabes.

– Puisque tu vis ici.

Hermansson finit son café avant de répondre. Elle se réjouissait de la soudaine loquacité de la jeune fille.

– Tu veux le savoir ?

– Oui.

Il y avait toujours autant de monde dans le terminal. Pour chaque voyageur qui quittait le hall, un autre s'engouffrait par les portes d'entrée. Mariana Hermansson raconta comment son père avait fui la Roumanie, parla de son enfance.

Pour la première fois, Nadja sourit.

– Une policière suédoise. De Roumanie.

– Je ne suis pas de Roumanie. C'est mon père qui est roumain. Moi, je suis de Malmö, une ville du sud de la Suède.

Pourquoi tenait-elle tant à le préciser ? Elle ne savait pas, mais elle l'avait toujours fait. Même quand cela n'avait aucune importance.

Se levant pour chercher une autre tasse de café, elle demanda à Nadja si elle voulait autre chose. La jeune fille lui répondit gentiment « *Nu mulţumesc* ». Hermansson pressa le pas ; elle avait hâte de reprendre la conversation. Cela faisait des heures qu'elle espérait ça. Elle s'apprêtait à payer, fouillant dans sa poche à la recherche de pièces de monnaie, quand son portable sonna.

Dans la voix de son interlocuteur, on sentait l'urgence. Elle l'imagina dans son bureau, une cigarette à la main.

– Ici Jens Klövje. D'Interpol.

– Vous êtes rapide.

– Vous êtes où ?

Elle paya, prit son café et se mit un peu à l'écart.

— A Arlanda.

— Le car ?

— Il est ici.

— Vous êtes sûre que c'est le bon ?

— Oui. On vient d'ailleurs de me confirmer qu'il a traversé le pont de Liljeholm à 4 h 18 ce matin pour se diriger vers le centre de Stockholm, et qu'il est repassé dans l'autre sens à 4 h 52. Malgré la neige, les images des caméras de surveillance montrent un véhicule où l'on voit distinctement le numéro d'immatriculation N 864.

Elle l'entendit inhaler, tousser, allumer une autre cigarette.

— Arlanda. Cela concorde.

Il tira encore sur sa cigarette.

— J'ai trouvé quatre cas analogues. Dans quatre pays différents. Allemagne, Italie, Norvège, Danemark. Chaque fois, il s'agit d'un vieux car avec des enfants roumains à bord. Des groupes de vingt-cinq à soixante enfants.

Elle jeta un regard sur Nadja, qui se demandait ce qui se passait. Hermansson montra du doigt son téléphone, puis leva deux doigts en l'air : elle en aurait encore pour deux minutes.

— Vous m'écoutez ?

— Je vous écoute.

Klövje baissa la voix. Quelqu'un était peut-être entré dans son bureau. Ou alors, c'était l'émotion.

— A chaque fois, les choses se passent de la même façon. Les enfants sont abandonnés tôt le matin, avant qu'il ne fasse jour. Toujours dans le centre d'une grande métropole. Parmi les villes concernées, Stockholm et Oslo sont les plus petites.

Elle but une gorgée de café, puis se dirigea vers la table.

— Ensuite, les cars se volatilisent, mais on finit par les retrouver sur le parking d'un aéroport international. La dernière fois, c'était à Kastrup, l'aéroport de Copenhague. J'ai discuté avec les enquêteurs qui suivent l'affaire là-bas, ainsi qu'avec ceux d'Oslo. Mais ils ne peuvent rien me dire. Ils n'ont pas d'autres informations que nous. Quand j'essaie de pousser un peu… je ne sais pas ce qui se passe. Ils se ferment comme des huîtres.

Elle l'entendit fouiller dans ses papiers. Elle patienta, le téléphone collé à l'oreille. Au bout d'une minute, il reprit :

– Les enfants portaient les mêmes combinaisons qu'ici. Ils trimballaient les mêmes sacs en plastique. Et ils n'avaient pas la moindre idée de l'endroit où ils se trouvaient. En tout, il s'agit de cent quatre-vingt-quatorze enfants. Le plus âgé a seize ans. Et le plus jeune… le plus jeune, Hermansson, a quatre mois !

Il manquait des bouts à son visage. Sa poitrine et son ventre étaient lardés de coups de couteau.

Elle était allongée sur la table d'autopsie. Ewert Grens la regarda une dernière fois. Au moins, il connaissait maintenant son nom.

Liz Pedersen.

Ce nom ne lui disait rien.

Ludvig Errfors s'apprêtait à recouvrir le corps. Il se tourna vers Grens, qui hocha la tête.

Errfors avait parlé de violence, de rage, de haine. Ewert Grens fit une grimace. Il était bien placé pour savoir que la rage pouvait vous submerger, que la haine pouvait vous dévorer de l'intérieur. Ce n'était pas pour ça qu'il allait porter quarante-sept coups de couteau à quelqu'un.

Il quitta la pièce. Pendant qu'il patientait dans le hall de l'institut médico-légal, il pouvait voir Sven Sundkvist interroger la responsable de la sécurité de la Caisse d'assurance-maladie de Tyresö. Encore quelques précisions ; elle venait d'identifier une collègue morte, elle avait hâte de s'en aller, mais elle s'efforçait de répondre à ses questions sur la famille de Liz Pedersen, son entourage, ses derniers jours.

Grens pénétra dans la petite cuisine. Une table, un four à micro-ondes, un réfrigérateur. Il se versa les dernières gouttes de café qui traînaient dans la cafetière électrique, huma le contenu de sa tasse et la vida d'un trait. Le café était froid.

Subventionné par l'Etat.

Il ouvrit le réfrigérateur, prit le paquet de beurre et le pain posés sur l'étagère du haut et se prépara deux tartines.

Comme chez nous.

Il les mangea debout, puis retourna au frigo à la recherche d'autre chose à manger. La porte du bureau d'Errfors s'ouvrit soudain ; il se retourna, prit la main de la chef de la sécurité, la remercia pour son courage. Ensemble, ils descendirent l'escalier et retrouvèrent le froid du dehors. Sven Sundkvist indiqua à la jeune femme le chemin le plus court pour retourner à son bureau, lui recommanda de conduire prudemment sur les routes verglacées.

Grens et Sundkvist s'arrêtèrent devant la porte d'entrée. L'après-midi était à peine entamé, mais on se serait cru le soir ; la lumière baissait déjà.

– Elle a quelque chose à voir avec le meurtre ?

– Non.

– Et l'interrogatoire ? Qu'est-ce que ça a donné ?

– Pas grand-chose. Elles étaient collègues. Au fond, qu'est-ce qu'on sait de ses collègues ?

Sven Sundkvist regarda Grens. Celui-ci n'avait pas son air habituel. Grens pouvait parfois paraître fatigué, vidé, stressé par les dossiers qui s'accumulaient. Mais là, sa fatigue semblait venir de l'intérieur. Comme s'il s'agissait de résurgences du passé, de choses contre lesquelles il avait déjà lutté en vain et qui le hanteraient à tout jamais.

– Ça va ?

– Cette femme...

– C'est à toi que je pense, Ewert. Tu vas bien ?

– Cette femme. Elle a été attaquée par des rats. On a traîné son corps à travers les tunnels. On a trouvé sur elle les empreintes d'un homme et des taches de suie. Elle a été poignardée à plusieurs reprises par quelqu'un qui doit souffrir de troubles mentaux.

Ewert Grens reboutonna son pardessus, noua son écharpe.

– Sven ?

– Oui ?

– Parmi les gens qui s'occupent des sans-abri, il doit bien y avoir quelqu'un qui connaît ceux qui gravitent autour de Fridhemsplan. Trouve-moi cette personne.

Sven Sundkvist sortit son calepin, l'ouvrit à une des dernières pages.

– L'église Sankta Clara.
– Qu'est-ce que tu veux dire ?
– J'ai déjà vérifié. On a dû avoir la même idée.
– Et…
– Une diaconesse. Sylvi je-ne-sais-pas-quoi, j'ignore son nom de famille. C'est elle qu'il faut voir. L'église organise une patrouille de volontaires ; ils distribuent de la nourriture deux fois par semaine près de la bouche de métro de Fridhemsplan. En hiver, ils y vont même plus souvent ; à cause du froid, je suppose. Ce sont probablement les seules personnes à qui les SDF du coin font vraiment confiance. Je veux dire, les travailleurs sociaux doivent être moins proches d'eux. Et nous, n'en parlons pas.

Ils étaient venus chacun dans leur voiture. Ils se dirigèrent vers le parking en continuant leur conversation.
– Tu peux y aller, Sven ? Tout de suite ?

Sven Sundkvist fit oui de la tête. Il y avait déjà pensé. Il introduisit la clé dans la serrure de la portière, la tourna dans un sens puis dans un autre pour débloquer le mécanisme gelé.

Il s'apprêtait à monter, mais se ravisa.
– Ewert.

Quelques pas rapides le long des voitures ensevelies sous la neige. Ewert Grens était déjà installé au volant. Sven frappa sur la vitre.
– Je tiens vraiment à le savoir.

Sven Sundkvist fit le tour de la voiture, ouvrit la portière côté passager.
– Comment tu vas, je veux dire.

Ewert Grens donna un coup de poing dans le tableau de bord.
– Ferme cette portière. Il fait froid.
– J'insiste, Ewert.
– Ferme cette putain de portière !
– Peu de gens te connaissent aussi bien que moi. Tu le sais. Alors tu peux toujours gueuler, j'y suis habitué.

Sven Sundkvist dévisagea son chef.

– On se voit tous les jours, on travaille ensemble depuis dix ans. Ta tête, je sais à quoi elle ressemble. Et là… je vois que ça ne va pas, Ewert.

Ewert Grens ne répondit pas. Il continua de regarder la neige qui tombait.

– Comment va-t-elle ?

Grens donna de nouveau un coup de poing dans le tableau de bord. L'armure de colère et d'agressivité qui, d'habitude, le protégeait ne lui était d'aucune utilité. Il décida d'attendre que Sven s'en aille. Puis il comprit que Sven ne céderait pas.

– Je pense que c'est la fin.

Il baissa les yeux, fixant d'abord ses genoux, puis le volant revêtu d'une sorte de caoutchouc rigide.

– Je crois…

Il se racla la gorge, donna encore un coup dans le tableau de bord. Un bout de plastique s'en détacha.

– Je crois que je ne supporterai pas de me retrouver seul.

Sur le bureau d'Ewert Grens, entre les deux nouveaux dossiers venus s'ajouter à ceux déjà en cours, trônait une couronne briochée. Sven Sundkvist en coupa un bout et mordit dans la pâtisserie, qui sentait le sucre et la cannelle. Entre deux autres piles de documents bien plus hautes était posé un plateau avec trois tasses de café. Noir pour Ewert, avec deux sucres pour Hermansson, avec du lait pour Sven.

Tout semblait prêt pour une réunion agréable. Sauf que le malaise était palpable.

Ewert Grens n'était pas du genre à organiser des goûters. Depuis le temps que Sven Sundkvist travaillait avec lui, il n'avait jamais vu son chef acheter une pâtisserie.

Là, il leur avait même demandé comment ils préféraient leur café.

Une attention si inhabituelle qu'ils en étaient troublés.

Cet homme était sur le point de craquer.

– Je peux commencer ?

Hermansson brandissait un dossier plastifié. Grens et Sundkvist firent oui de la tête. Elle ouvrit son dossier, en sortit un papier. Le résumé de ce qui s'était passé depuis la réunion du matin, avec Ågestam.

Le car garé sur la place de stationnement longue durée d'Arlanda.

L'observation des milliers de voyageurs passant par le terminal international.

Et enfin le coup de fil de Jens Klövje, lui apprenant l'existence de cas analogues d'enfants abandonnés dans quatre autres pays.

— En ce qui concerne le car, j'attends le rapport des techniciens. On doit aussi me communiquer les listes des passagers de tous les vols internationaux du jour. En fait, j'aurais déjà dû les recevoir.

Elle jeta un regard sur la montre de Sven.

— Depuis une demi-heure, Nadja se trouve dans les locaux de la police des frontières, en train de visionner les images des quinze caméras de surveillance du hall de départ. Tant qu'on lui laisse son bébé, elle se montre tout à fait coopérative. Si elle reconnaît quelqu'un parmi les passagers, elle ne manquera pas de nous le signaler.

Deux sucres pour elle. Et du lait pour Sven. Elle était persuadée qu'ils pensaient tous les deux la même chose : ce café avait beau être tel qu'ils l'aimaient, il avait un drôle de goût.

— Parfait. Du bon travail. Et ensuite ?

Grens paraissait fatigué, mais il avait noté ce qu'elle disait et se montrait aussi exigeant que d'habitude.

— Quand nous aurons terminé, je retournerai voir Klövje. Il aura d'autres informations dans la soirée et pendant la nuit. Si tu veux, je te tiendrai au courant au fur et à mesure ; je resterai sans doute un bon moment là-bas.

Un sourire parut égayer le visage tourmenté de Grens.

— Tu es là dès potron-minet. Tu te passes de déjeuner. Et tu travailles jusqu'à pas d'heure.

Il souriait toujours.

— J'ai bien fait de te donner le job.

Ils éclatèrent tous de rire. Elle se dit qu'il ne leur arrivait que trop rarement de partager des moments de gaieté. Avec une affaire de meurtre non résolue, quarante-trois enfants abandonnés et l'inquiétude d'Ewert pour le seul être qui comptait dans sa vie, ils en avaient bien besoin.

Ewert repoussa la couronne briochée pour se saisir d'un dossier. Une chemise cartonnée assez mince, qu'il extirpa de la pile.

— Et puisque nous sommes tous de si bonne humeur, nous allons maintenant nous replonger dans l'affaire de cette femme dont le visage a été dévoré par des rats.

Ewert Grens les regarda à tour de rôle, l'air content de lui. Parfois il aimait bien doucher l'ambiance.

– Sven ?

– Oui ?

– Tu viens d'interroger la responsable de la sécurité de la Caisse d'assurance-maladie. Dans le bureau d'Errfors, à l'institut médico-légal. Vous parliez de quoi ?

Sven Sundkvist se frotta le menton. L'ironie n'était pas son fort. La question de Grens avait quelque chose de malveillant, de blessant.

– Qu'est-ce que tu veux dire ?

– La femme morte. C'était bien d'elle que vous parliez ?

– Evidemment.

Grens remarqua le malaise de son collègue. Il prit un ton moins sarcastique :

– Elle s'appelle comment ?

– Je ne comprends pas où tu veux en venir.

– Elle s'appelle comment ?

– Liz. Liz Pedersen.

– Parfait. Ce nom, Sven, est-ce qu'il te dit quelque chose ?

– Non.

– Vraiment ?

– Il devrait ?

Cet homme était étrange. Tour à tour, il pouvait paraître au bord du gouffre, se montrer attentif ou envoyer des piques d'une incroyable méchanceté. Sven Sundkvist connaissait Ewert Grens depuis des années. Mais en fait il ne le connaissait pas du tout.

Le commissaire brandissait la chemise.

– J'ai fait quelques recherches. En tapant 660513. Le numéro d'identification de Liz Pedersen. J'ai eu plusieurs résultats. Les trucs habituels : permis de conduire, passeport, etc. Rien d'intéressant. A part ça.

Il tendit la chemise à Sven.

– Un signalement de disparition. Où l'on est prié de contacter Liz Pedersen si la personne disparue est retrouvée. Le signalement a été fait par le collège de l'enfant de Liz Pedersen.

Se penchant en avant, Grens montra du doigt un papier.

– Par le collège de sa fille. Qui a disparu il y a deux ans et demi.

Sven regarda le document.

– Tout à la fin, Sven. Tout en bas. Tu reconnais la signature ?

Sven Sundkvist parcourut le papier des yeux.

Un nom.

Le sien.

– Tu disais la reconnaître. Maintenant tu sais pourquoi. C'est toi qui l'as vue quand elle est venue ici.

Sven Sundkvist ne répondit pas.

Il fit glisser le papier entre ses doigts.

Liz Pedersen, 660513-3542, est convoquée par la police le 17 septembre 2005 à la suite de la disparition de Jannike Pedersen, 910316-0020. Cette disparition a été signalée par le directeur du collège d'Eriksdal à 10 h 30 le 16 septembre 2005.

Tous ces visages, tous ces gens.

Une personne qu'on a brièvement croisée deux ans et demi plus tôt.

Une femme parmi tant d'autres.

Liz Pedersen confirme les informations données par le collège : Jannike Pedersen a déjà fugué à trois reprises. Selon Liz Pedersen, les absences de sa fille n'ont jamais duré plus d'une semaine.

Il en gardait un vague souvenir. Il s'était trouvé face à une femme dont la fille venait de fuguer pour la quatrième fois. De manière instinctive, il avait pensé à Jonas, à la panique qui les avait saisis, Anita et lui, la seule fois où leur fils unique était parti en vadrouille. Il était resté absent deux heures seulement ; là, il s'était passé deux longues semaines, et il avait fallu que ce soit le collège qui tire la sonnette d'alarme.

Liz Pedersen affirme que le père, Jan Pedersen, 631104-2339, s'est livré à des attouchements sur sa fille à plusieurs reprises. Elle estime que les fugues de Jannike sont liées à ces attouchements.

Deux semaines.

Il secoua la tête. Les deux semaines s'étaient prolongées. Maintenant, cela faisait deux ans et demi.

La mère a déjà fait état de ses soupçons à deux reprises, en octobre 2002 et en août 2004. Ses plaintes ont été classées sans suite.

Il haussa les épaules.

– Que voulez-vous que je dise... J'ai effectivement dû la recevoir il y a deux ans.

– Rien, Sven.

– Quelqu'un d'autre a dû hériter de l'affaire. Moi, je l'ai vue pendant une petite heure. Je ne sais pas qui...

– Arrête de t'excuser, Sven ! Ça remonte à deux ans. Moi, je ne me souviens même pas des gens que j'ai croisés hier.

Ewert avait de nouveau changé de ton. Décidément, Sven ne comprenait rien à son chef. Mais il lui jeta un regard reconnaissant.

– Lis le reste.

Ewert Grens souriait.

– Si tu arrives à comprendre ce qu'écrit ce type, je veux dire.

Sven répondit vaguement à son sourire, puis il se plongea dans les deux pages de son propre rapport.

– En fait, il n'y a pas grand-chose de plus. La mère, Liz Pedersen, affirme que les prétendus attouchements du père sont à l'origine du changement de comportement de leur fille. Celle-ci refuse tout contact physique, se montre agressive envers son père. Elle est de plus en plus renfermée ; sa mère ne parvient plus à communiquer avec elle.

Sven Sundkvist remit les papiers dans la chemise, qu'il posa sur l'accoudoir du canapé.

– C'est tout.

Il se leva, l'air inquiet, et se passa la main dans les cheveux.

– Cela fait deux ans et demi qu'elle a disparu.

Il regarda ses collègues, l'un après l'autre.

– Elle est morte.

Il attendit leur réaction, n'en obtint aucune.

– Depuis que je travaille ici, jamais on n'a retrouvé quelqu'un en vie après une disparition aussi longue.

Il se tourna vers son chef.

– Et toi ?

A l'extérieur, la nuit était tombée. L'obscurité était plus compacte ; le silence du dehors renforçait celui qui régnait dans la pièce.

– Toi, ça t'est arrivé ?

– Non.

La mère, morte. La fille, morte.

Encore une réunion superflue.

– Une jeune fille suédoise. Agée de quatorze ans. Disparue depuis plus de deux ans.

Depuis qu'elle avait résumé son enquête sur le car rouge, Hermansson n'avait pas pris la parole.

– Disparue dans une capitale comme Stockholm. Et personne… personne ne la cherche.

Dans son esprit, elles se confondaient presque. Celle qui s'appelait Jannike Pedersen et celle qui s'appelait Nadja Cioncan. Elles se confondaient tout en restant distinctes.

– Comme Sven, je ne comprends pas. Pas plus que je ne comprends cette autre fille qui, à quinze ans, est déjà mère. J'ai passé une partie de la journée avec elle, on a pris le café ensemble comme deux copines, on s'est relayées pour promener la poussette. Mais elle a vécu la moitié de sa vie dans un tunnel. Et il lui arrive de vendre son corps pour survivre. Combien de temps peut-elle continuer comme ça ? Sans devenir une loque ?

Tu es trop jeune, Hermansson.

Il faut que tu arrives à tirer le rideau.

Elle n'y arrivait pas, elle n'avait pas encore appris à le faire.

– Des enfants. Mais ils vivent comme des animaux. Une vie dont on n'a même pas idée, dans ce pays.

Elle regarda ses collègues, écarta les bras.

– On ne sait pas ce que c'est. Parce que, ici, des enfants comme ça, il n'y en a pas.

C'était le soir.

Elle ignorait quelle heure il pouvait être, mais cela n'avait pas d'importance. Il y avait qu'un moment de la semaine où il fallait faire attention à l'heure. Et maintenant, elle était tranquille pour huit jours.

Elle regarda autour d'elle.

Elle avait posé une nouvelle nappe à petits carreaux rouges et verts sur un des cartons vides près du mur. Il était assez stable, c'était souvent le cas des cartons de victuailles ; on pouvait y poser des assiettes et des verres, et même un chandelier. Le chandelier était un peu gros, mais il était si beau.

La nappe était propre, elle l'avait à peine touchée ; elle ne voulait pas que ses doigts noirs de suie y laissent des empreintes. Généralement, elle aimait bien ça, mais pas sur la nappe. Et là, c'était le soir ; il fallait que ce soit joli.

Elle avait choisi une des assiettes en plastique blanc décorées de fleurs vertes. Au milieu de l'assiette traînaient quelques restes de jambon ; le même qu'ils avaient mangé au déjeuner. Au fond de son bol, il y avait encore un peu de soupe aux champignons ; elle avait ouvert une des boîtes que Leo avait piquées à l'entrepôt d'ICA. Son verre était également en plastique ; on aurait dit un vrai verre à vin. Sur le bord, on voyait un peu de mousse, traces d'une bière qu'elle s'était efforcée de savourer aussi lentement que possible.

Elle était prête. Rassasiée, presque ballonnée, comme cela arrive quand on mange des bonnes choses et qu'on se ressert alors qu'on n'a plus faim.

Elle regarda la chaise de Leo. La chaise était vide. Elle regarda l'assiette de Leo, son bol, son verre. Le jambon, la soupe, la bière, tout était intact. Comme lorsqu'elle avait mis la table.

Ce soir, il ne mangerait pas.

Il ne viendrait même pas.

Il était dehors quelque part. Elle avait espéré qu'il rentrerait, mais elle savait que c'était une de ces périodes où il ne tenait pas en place, où il n'arrivait pas à dormir. La dernière fois qu'elle l'avait vu, c'était dans la matinée, quand il lui avait ouvert les réserves, quand il lui avait tendu l'uniforme et les deux clés auxquelles il tenait tant.

Elle tripota la feuille de papier essuie-tout qui faisait office de serviette. Elle tenta de chanter, de fredonner comme la femme du vestiaire, mais sa voix sonnait faux. Elle se roula une cigarette. En l'allumant elle fit vaciller la flamme de la bougie. La cigarette n'avait aucun goût. C'était de la fumée, rien d'autre.

Elle était inquiète.

Quand Leo était dans cet état-là, il se fatiguait, il prenait des risques, ça pouvait être dangereux pour lui et pour elle. C'étaient les seuls moments où il remontait à la surface en plein jour ; comme il n'y était pas habitué, il interprétait mal ce qui se passait autour de lui.

Son monde à lui se mélangeait à celui des gens ordinaires.

Il lui manquait. Elle aurait voulu qu'il soit là, auprès d'elle.

D'abord, il eut peur. Puis il s'énerva. Enfin, il se mit en colère.

En colère contre ce truc bleu et blanc qui lui barrait le chemin. Des couleurs qui l'agressaient. Laides, trop intenses.

Du noir et blanc, ça aurait été mieux. Ça, il aurait supporté. Mais ce truc qui pendouillait, qui collait aux doigts, ça lui tapait sur le système.

Leo tira dessus, arracha le truc et le roula en boule.

Une boule qui tenait dans sa main.

Il la jeta par terre. Une boule bleu et blanc, qui rebondit une fois ou deux avant de s'immobiliser.

Il était de retour dans le sous-sol de l'hôpital. Il avait pris le même chemin que l'autre soir, quand il avait laissé le compresseur en charge avant de revenir avec la femme. Celle qui attirait les rats.

Il attrapa encore des trucs bleu et blanc. Ces trucs qui le gênaient.

D'autres boules rebondissaient sur le sol. Il arracha les couleurs jusqu'à ce qu'il n'y en ait plus. A la fin, tout était gris. Le gris, ce n'était pas agressif. Le gris, c'était supportable.

Il respirait fort. Son front était trempé de sueur. Mais il sentait le calme se répandre dans son corps. Dans ses bras, sa poitrine, son ventre, jusque dans ses jambes. Il était à l'aise, bougeait enfin sans difficulté.

Il donna des coups de pied dans les boules de couleur, les menaça du poing.

Il les avait terrassées.

Il pouvait de nouveau penser.

Il était 9 heures et quelques minutes. La dernière équipe était passée, celle qui transportait les déchets. Il était tranquille jusqu'à l'arrivé de l'homme de service, au petit matin. Ce qu'il avait à faire ne prendrait pas beaucoup de temps ; il serait déjà loin à ce moment-là.

Encore quelques pas, et il se trouva devant la porte métallique, celle dont la serrure nécessitait une clé longue et effilée. Il l'ouvrit. Ça sentait l'huile et la poussière. Il évita d'allumer sa lampe, chercha à tâtons dans la lumière du couloir.

Comme il l'avait espéré, personne ne semblait avoir touché aux établis de l'atelier.

Personne n'y était venu depuis son dernier passage.

Le compresseur l'attendait là où il l'avait laissé. Il ne l'emporterait pas. Cette nuit, il devait parcourir une distance bien plus longue que l'autre nuit ; il ne pouvait pas trop charger son sac à dos. Il se contenta donc de débrancher deux cartouches d'air comprimé. Deux tubes d'une cinquantaine de centimètres contenant un puissant explosif.

Sur l'étagère du haut, il y avait trois crics. Il choisit celui du milieu, qui était pourtant un peu lourd. Il pesait une douzaine de kilos, mais il avait l'avantage d'être muni d'une poignée repliable. Il était plus facile à ranger dans le sac.

La sueur lui coulait maintenant dans la nuque, dans le dos, sur le ventre.

Quand il était dans cet état, c'était toujours pareil.

Regard fixe, cœur battant la chamade, sueur jaillissant de partout.

Après avoir glissé les cartouches et le cric dans son sac, il referma la porte et traversa le couloir jusqu'à la porte lui permettant de quitter l'hôpital et de retrouver son monde à lui.

La lampe frontale était trop faible, il faudrait qu'il pense à changer les piles. Il avait beau être habitué à vivre dans le noir, il ne voyait pas grand-chose. Il avait quitté l'hôpital, franchi la porte donnant sur les tunnels, parcouru les égouts, le couloir de communication et le réseau de l'armée. Après avoir continué encore pendant deux cents mètres, il se trouvait maintenant dans un puits d'accès débouchant sur la cour de l'école de Fridhem. Le puits était étroit et il se frottait contre les murs à chaque mouvement. Mais c'était un bon endroit pour remonter ; personne ne se promenait dans une cour d'école à 11 heures du soir, surtout au mois de janvier.

L'ouverture était dix-sept mètres plus haut et l'échelle était glissante. Deux sacs remplis de mort-aux-rats étaient accrochés à la grille ; ils le gênaient pour ouvrir le cadenas. Puis il y avait le couvercle, qui était lourd. Il dut appuyer dessus avec les deux mains pour le pousser ; la fonte bougea centimètre par centimètre. Après l'avoir déplacé à moitié, il y eut suffisamment d'espace pour s'y faufiler. Encore une marche à monter, et il fut dehors. Regardant autour de lui, il constata que la cour était aussi déserte que prévu. Il avait attaché une corde à sa ceinture ; tirant dessus, il fit lentement remonter son sac à dos.

Il y avait un banc un peu plus loin, sous un réverbère. Il donna un coup de pied au réverbère, qui s'éteignit immédiatement. Puis il s'assit. Une heure environ. Il avait l'habitude de rester là jusqu'à minuit ; ensuite, il n'y aurait plus grand monde dans le secteur.

Il faisait froid, mais il ne s'en rendait même pas compte. Il transpirait toujours. Il se sentait fébrile. Il regarda le couvercle, qu'il avait remis en place. Son monde, c'était là-bas. Il y était chez lui. Jamais il n'avait cru que ça lui arriverait un jour : être chez lui quelque part.

Sa vie était là. Dix-sept mètres plus bas.

Il s'appelait Leo. Il avait aussi un nom de famille que personne ne prononçait plus jamais, et qu'il avait choisi d'oublier. Là-bas, sous la rue, « Leo » suffisait.

Leo, quarante-quatre ans.

Il comptait les années, les mois et les jours, sans vraiment savoir pourquoi. Il l'avait toujours fait, même à l'hôpital psychiatrique de Långbro, alors qu'il subissait des électrochocs et qu'il était complètement abruti par les médicaments.

Quatorze ans, trois mois et six jours.

Puis on lui avait ouvert les portes et il s'était retrouvé lâché dans la nature. Schizophrène. Paranoïaque. Maniaco-dépressif. On lui avait posé un triple diagnostic, puis on avait fermé l'hôpital. Il en avait vu certains mourir dans la rue ; il savait que d'autres étaient en prison. Lui n'était pas comme ça. Lui n'aspirait qu'au repos, à l'obscurité. Là-bas, sous terre, il avait trouvé ce qu'il lui fallait.

Treize ans, deux mois, neuf jours.

Il se leva, quitta la cour de l'école, s'engouffra dans Arbetargatan. Stockholm était silencieux, la grande ville dormait. Il traversa Sankt Göransgatan, passa devant un immeuble d'habitation, puis un autre. La soirée avait été froide et la température continuerait à descendre ; il faisait déjà moins vingt-deux. Il s'arrêta entre deux voitures garées, en face d'une porte. Il regarda autour de lui, ne vit que la buée de sa propre haleine.

Rien d'autre.

Encore quelques pas. Tout en marchant, il ôta son sac à dos. Puis il s'arrêta devant la porte. Soudain, la minuterie s'alluma, inondant l'entrée de lumière. Il recula vivement, s'accroupit derrière les voitures.

Une femme sortit. Bonnet de fourrure, grande écharpe lui recouvrant le visage et le cou. A en juger par sa démarche, elle devait être jeune.

Leo la suivit du regard pendant qu'elle s'éloignait. Puis il attendit encore un peu. Au bout de deux minutes, la lumière s'éteignit.

Toujours le même rituel.

Avancer prudemment, ôter son sac à dos, observer la porte, attendre d'être seul.

Cela ne lui prendrait que quarante-cinq secondes. Il l'avait déjà fait de nombreuses fois.

Encore un mètre pour atteindre la porte fermée.

Brefs regards à gauche et à droite, sur les murs en pierre de l'entrée.

C'était là. Pas besoin d'aller plus loin. Le passe-partout se trouvait toujours à cet endroit. Jamais dans la cage d'escalier. Leo ouvrit son sac à dos, y prit le cric et une des cartouches d'air comprimé et les relia à l'aide d'un mince tuyau transparent.

C'était le mur de gauche qui l'intéressait.

Si on n'y connaissait rien, on voyait seulement un mur gris. Si on se penchait pour l'examiner de près, on y découvrait cependant un petit bouchon rond qui se confondait avec la pierre.

Une cache.

Pour lui, c'était quelque chose d'inestimable. Ce qui était là-dedans lui apportait la sécurité ; sans cela il ne pourrait pas continuer à vivre dans les tunnels, à se débrouiller tout seul, à l'écart des autres.

Il vérifia le tuyau, s'assura que la cartouche était posée bien à plat sur le sol de l'entrée.

Il introduisit la pointe du cric dans l'interstice entre le mur et le bouchon. Pour bien l'enfoncer, il dut se servir d'un marteau.

Une légère pression sur le bouton rouge du cric, puis un fracas ; le bruit de l'explosion se confondit avec celui des bouts de mur tombant sur le carrelage.

Un cylindre métallique apparut dans l'ouverture.

Il le sortit à l'aide d'un tournevis. Le tenant dans ses mains, sentant le métal froid, il eut un bref sourire. Puis il glissa le cylindre dans son sac à dos, regagna Arbetergatan et se hâta vers une seconde porte.

L'immeuble ressemblait au précédent.

Une porte d'entrée avec une grande vitre, des murs gris, une cache dans celui de gauche.

Mais il lui faudrait plus de temps. Ici, il y avait du monde, il ne pouvait pas se permettre de faire du bruit. Il ouvrit son sac à dos, en sortit une clé à molette.

Avec l'air comprimé, il avait mis quelques secondes.

Avec la clé à molette, cela lui prendrait quatre minutes. Mais il pouvait travailler en silence et sortir le cylindre intact. Il le viderait plus tard, une fois retourné sous terre.

Il serra la mâchoire de la clé autour du bouchon. De toutes ses forces, il le tourna et le retourna, le faisant bouger dans tous les sens. Il transpirait, il avait des crampes dans les bras, mais au bout de quatre minutes il parvint à le défaire. Il s'empara du cylindre et le glissa dans son sac à dos.

Dans le mur gauche de l'entrée il y avait maintenant un trou. De cinq centimètres de diamètre.

Il se pencha en avant, fouilla à l'intérieur. C'était vide.

C'était ainsi que fonctionnait le système des passe-partout. Dans tout Stockholm.

Il sourit de nouveau, réprima un rire, regagna la rue et continua jusqu'à Alströmergatan. Trois pâtés de maisons, trois caches de passe-partout.

Il faisait nuit depuis un moment déjà.

Devant la fenêtre, Ewert Grens scrutait l'obscurité.

Tout semblait désert.

D'habitude, la cour de Kronoberg était éclairée par une rangée de lampadaires longeant l'allée qui reliait les différents bâtiments. Mais, depuis le début de la soirée, les pannes d'électricité s'étaient succédé. L'hiver tenait à montrer sa supériorité ; tout le quartier était maintenant plongé dans le noir depuis une vingtaine de minutes.

Sur son bureau, il avait posé deux bougies.

Il les avait trouvées dans la cuisine, dans le placard où étaient rangés les couverts en plastique et le papier aluminium. Les flammes vacillaient chaque fois qu'il bougeait son corps massif.

Il avait peur.

Le téléphone avait sonné juste avant la dernière coupure d'électricité. C'était une infirmière de Sophiahemmet, du service des soins intensifs. Elle s'était montrée aimable, parlant d'une voix douce, comme elles le faisaient toutes. Elle lui avait dit de venir d'urgence, l'état de la patiente s'était détérioré. *De la patiente ?* Son état s'était détérioré depuis quelques heures. *Il s'agit de ma femme !* Et, étant donné le tableau clinique de la patiente, il était souhaitable qu'il soit présent. *Elle a un nom !* Il avait raccroché, mais la voix de l'infirmière avait continué à tourner dans sa tête. Il s'était mis à faire les cent pas, puis il s'était soudain immobilisé près de la fenêtre. Il s'était dit qu'il ferait bien d'appeler quelqu'un.

Mais il n'avait personne à appeler.

Personne.

Dans sa vie, il n'y avait qu'elle. C'était elle qu'il appelait quand il avait besoin de parler à quelqu'un. Bien sûr, elle ne disait rien ; quelqu'un de la maison de soins lui tenait le combiné, elle l'écoutait, riait parfois, émettait son étrange gargouillis. Il lui arrivait d'échanger quelques mots avec les plus anciens parmi les soignants. Puis il y avait le patron de la pizzeria qui lui parlait d'Istanbul, sa ville natale, et la jeune serveuse du café de Sankt Eriksgatan où il déjeunait parfois seul. C'était tout. Sinon, il n'y avait que les collègues, le boulot. Cette vie, il l'avait choisie, il ne supportait pas qu'on lui réclame une réciprocité, il se barricadait derrière son bureau et dormait parfois sur le canapé défoncé. Il y était à l'étroit, mais au moins il s'y sentait en sécurité.

Avec Anni, il avait presque le sentiment de mener une vie ordinaire. Sans elle, il ne lui resterait rien. Cela faisait vingt minutes qu'il avait reçu le coup de fil ; il aurait dû y aller tout de suite, mais il se raccrochait à la seule chose qu'il savait faire. Il allait s'attaquer aux piles de dossiers sur son bureau, aux enquêtes qu'il avait mises de côté ; commencer par le haut, travailler méthodiquement, se montrer efficace et ne penser à rien d'autre.

Grens alluma une troisième bougie, alla chercher un gobelet de café froid oublié près de la machine qui ne fonctionnait plus, faute d'électricité. Trente-deux dossiers non résolus. Il en prit un, puis un autre, les feuilleta. Une agression dans la file d'attente des taxis à la gare centrale. Une tentative de meurtre dans un appartement de Pipersgatan. Un outrage à agent devant le restaurant Tre Remmare, de Vasagatan. Une tentative de viol au cimetière de Sankta Katarina. Un braquage dans une supérette 7-Eleven de Tomtebogatan. Il parcourait les documents, tentait de réfléchir ; au bout d'une demi-heure, il dut admettre qu'il ne comprenait rien à ce qu'il lisait. Toutes ces formules administratives, qui, d'habitude, lui paraissaient si familières, ne voulaient strictement rien dire.

Il regarda sa montre. 11 heures et demie. Il s'allongea sur le canapé, essaya de dormir, d'oublier. Mais c'était encore pire. Tout ce qu'il fuyait venait l'assaillir et il était sans défense.

Il se leva, chercha à tâtons son portable. En taxi, il mettrait une bonne heure à y aller, avec ce froid et ce verglas. Il s'habilla. Ce n'était pas si loin ; une petite promenade à travers la ville, l'air frais lui ferait du bien, la marche lui calmerait les nerfs.

Bergsgatan, Scheelegatan. A la pharmacie du coin, il s'engouffra dans Hantverkergatan.

C'était là qu'on avait largué les enfants. C'était il y a dix-huit heures à peine ; certaines journées paraissaient sans fin.

Il s'arrêta à l'endroit désigné par la jeune fille roumaine.

Dans ce métier, on avait souvent affaire à des enfants. Des enfants témoins de violences conjugales, des ados complètement défoncés après leur premier fix, des gamins de quatorze ans interpellés à la suite d'un cambriolage raté.

Pendant ses enquêtes, il en avait rencontré un nombre incalculable. Mais jamais il ne s'était trouvé face à quarante-trois enfants à la fois.

Il descendit Hantverkergatan vers le pont de Stadshusbron et de Tegelbackan. Il n'était pas seul ; il n'y avait pas grand monde dans la rue, mais le froid lui tenait compagnie à chaque pas. Au bout d'un moment, il croisa un couple parlant anglais. Alors qu'il s'approchait de Vasagatan, une prostituée chercha à capter son regard. Sinon, il n'y avait que le vent glacial.

Il s'engagea dans Klara Västra Kyrkogata. A sa droite se dressait la vaste église. Inconsciemment, Ewert Grens avait dirigé ses pas vers un lieu dont il était question dans la seconde enquête qui l'occupait : celle concernant la femme au visage dévoré par les rats. Il se rappela sa conversation avec Sven Sundkvist après l'identification de la femme : il lui avait demandé de lui dénicher une personne connaissant bien les SDF de Fridhemsplan. Avant même qu'il eût terminé sa phrase, Sven lui avait déjà répondu, évoquant une diaconesse de Sankta Clara qui faisait des distributions de nourriture près de la bouche de métro. Une femme qui avait réussi à gagner la confiance des sans-abri comme ne le ferait jamais un travailleur social ou un policier. D'ailleurs, s'il avait été dans la même situation que ceux qui faisaient la queue pour un sandwich et un café, il se serait certainement méfié des flics, lui aussi. Surtout si les flics en question ressemblaient aux collègues qui se pressaient dans les couloirs de Kronoberg, des dossiers sous le bras.

Il monta les quelques marches débouchant sur le cimetière de Sankta Clara. Un petit cimetière coincé entre les rues commerçantes et les immeubles fatigués des années soixante-dix ; quelques pierres tombales et une pelouse recouverte de neige. Il s'approcha de l'entrée de l'église, essaya d'ouvrir la lourde porte, puis il vit l'écriteau. L'église était ouverte le matin seulement. Il avait tendance à oublier qu'il vivait dans une sorte de bulle, travaillant vingt-quatre heures sur vingt-quatre ; les autres respectaient les heures de fermeture, rentraient chez eux, meublaient leurs loisirs avec toutes sortes d'activités.

Ewert Grens respirait l'air froid qui lui mordait la gorge. Il voyait les dealers bouger dans le noir, il savait que le cimetière était un de leurs repaires. Juste devant lui, une jeune femme se faisait un fix ; elle chercha une veine, poussa un gémissement. Ewert comprit qu'elle avait raté son coup.

Il aurait peut-être dû intervenir. Ou du moins appeler une patrouille. Mais à quoi bon ? Des junkies plus ou moins abîmés, ne pensant qu'à se procurer leur dose ; demain, ils seraient de retour.

Il quitta le cimetière. Il lui restait un kilomètre et demi à parcourir jusqu'à Sophiahemmet, dont les fenêtres éclairaient Valhallavägen.

A l'heure du déjeuner, son état avait été stable.

Il ne l'était plus.

Il essaya de déglutir pour se débarrasser de la boule dans sa gorge. Puis il appuya sur la sonnette du service des soins intensifs.

Maintenant

Mercredi 9 janvier,
15 heures,
église Sankta Clara

Il est fatigué.

C'est encore l'après-midi, mais il a déjà une longue journée derrière lui. Il s'est levé à 4 heures et quart et il est arrivé à l'église à 5 heures et demie, comme d'habitude. Il y a tant de choses à faire avant l'arrivée des premiers fidèles.

Assis sur une chaise au fond de l'église, George réprime un bâillement. Il tremble légèrement. Il commence à faire froid, les radiateurs ne parviennent pas à chauffer la vaste nef. Chaque hiver, c'est pareil.

Elle est toujours là, seule, immobile.

Il la surveille depuis la matinée, jetant un regard sur elle chaque fois qu'il passe devant le banc où elle est assise, ou l'observant de sa chaise du fond de l'église quand il n'a rien à faire. Après l'office de midi, quelques personnes qu'il connaît de vue sont venues prier, un ivrogne est entré par erreur avant de ressortir. Sinon, il n'y a que des touristes, surtout des groupes ; ils regardent les fresques, achètent des cartes postales et prennent des photos, bien que ce soit interdit.

Personne ne fait attention à elle. Personne ne s'approche d'elle.

Elle est assise là depuis sept heures maintenant. Toujours aussi chaudement vêtue. L'odeur qui émane d'elle se fait plus insistante.

Il ne voudrait pas l'effrayer. Mais il aimerait bien établir un contact.

Il a préparé deux sandwichs. Du pain blanc avec du jambon et du fromage. Un gobelet de café et un autre de jus de fruit. Il s'est dirigé vers elle d'un pas prudent, s'arrêtant à un mètre environ de l'endroit où elle est assise.

Elle ne l'a pas regardé. Quand il lui a demandé si elle avait faim ou soif, elle n'a pas semblé l'entendre. Elle n'a cessé de regarder le sol, son visage caché par ses cheveux emmêlés.

Il a posé l'assiette et les gobelets sur le banc. Assez près pour qu'elle n'ait qu'à tendre le bras.

Elle n'y a pas touché.

George regarde autour de lui, dans cette église où il travaille depuis si longtemps qu'il ne compte plus les années. Il ne sait pas ce qui se passe, il devrait y être habitué, il y a tant de solitaires qui entrent et sortent. Mais là, il y a quelque chose qui cloche. Cette fille... il y a quelque chose qui cloche.

Il a besoin d'un coup de main. Il se lève, quitte l'église, traverse le cimetière et pénètre dans un petit bâtiment tout au fond. L'annexe, c'est ainsi qu'on l'appelle. Une jolie construction du dix-huitième siècle, en briques jaunes, donnant sur Vattugatan.

Cette femme. Elle arrivera peut-être à lui parler.

Il sait qu'elle est là. Le matin, elle est tout le temps dehors ; elle s'occupe des sans-abri, ils lui font confiance, elle a connu la même existence qu'eux, elle sait ce que c'est. Mais à cette heure-ci elle est de retour. Elle reçoit des gens dans le besoin, s'occupe de tâches administratives, passe des coups de fil ; de sa voix calme, elle essaie de persuader quelqu'un aux affaires sociales de trouver une solution d'urgence pour la personne assise en face d'elle.

Elle lui ouvre, toujours aussi souriante. Il admire son courage.

— Sylvi ?

— Oui ?

— Je crois qu'il y a quelqu'un qui a besoin de ton aide.

Elle a le visage émacié et le teint blafard. Ses cheveux clairsemés sont coiffés n'importe comment. Mais il y a son regard. Intense, brûlant. Cela fait douze ans qu'elle n'a pas touché à la drogue et sept ans qu'elle occupe ce poste de diaconesse. C'est une survivante. Il en a rencontré quelques-uns comme elle, des gens tombés si bas qu'on pouvait les croire définitivement perdus, mais qui ont réussi à remonter la pente. Ils ont une force, un appétit de vivre. Comme s'il leur fallait rattraper le temps perdu.

Il n'a pas besoin de faire un long discours. Il se contente de décrire la fille, raconter qu'elle reste là, immobile, parler de son odeur étrange. Sylvi va chercher son manteau noir, fouille dans un panier suspendu au mur et finit par y dénicher un bonnet qui fait paraître son visage encore plus petit. Elle prend George par le bras. Ensemble, ils traversent le cimetière enseveli sous la neige.

Normalement, on met quarante secondes. Mais avec Sylvi il faut compter vingt minutes.

Il lui suffit de se montrer. Les junkies qui traînent autour de l'église à longueur de temps, voilà qu'ils surgissent tous comme des mouches ; ils quémandent, s'accrochent. George presse le pas ; ils l'énervent, mais Sylvi semble avoir tout son temps. Elle les serre dans ses bras, demande comment ils vont, veut savoir s'ils ont froid.

– Ce salaud, il m'a entubé, Sylvi !

C'est un type pas tout jeune. George croit savoir qu'il s'appelle Olsson ; il se shoote depuis les années quatre-vingt, mais il est toujours là.

– Tu entends, Sylvi, il m'a entubé !

Planté devant elle, il fait des moulinets avec les bras, pleurniche, supplie ; il pense qu'elle doit avoir de l'argent, des coupons alimentaires, des trucs qu'il pourra échanger contre de la drogue.

Elle lui parle doucement. Le bedeau les observe à distance ; Sylvi l'étreint, mais elle ne lui donne rien, et il finit par s'en aller, les mains vides. On le voit s'éloigner vers Klara Västra Kyrkogata, mais il reviendra. Olsson aura oublié ; il retentera sa chance ce soir ou demain, dès qu'il la verra passer.

George l'admire ; elle a gagné leur confiance. Elle n'est pas dupe de leur manège, mais ils la respectent.

Il s'apprête à s'en aller quand un autre se pointe. Il se met de nouveau à l'écart ; il y en a quatre qui se succèdent et c'est toujours le même rituel ; ils mendient et se lamentent ; elle les serre dans ses bras et ils finissent par repartir sans l'argent tant espéré.

Bien sûr, on doit les plaindre. Il sait que c'est son devoir d'avoir pitié d'eux, il espère en être capable, mais il n'en est pas certain. Parfois, il ressent une sorte de mépris. Un malaise qui le mine quand il se rend compte qu'ils se foutent de tout, qu'ils ne reculent devant aucun mensonge, aucune bassesse, qu'ils sont prêts à se marcher dessus pour quelques grammes d'héro qui ne leur dureront qu'un après-midi.

A la fin, Sylvi le rejoint. Elle sourit, fait un mouvement de tête vers l'entrée de l'église. En entrant, George lui donne le bras ; il n'y est pas obligé, mais cela lui paraît plus correct ; il le fait depuis qu'ils sont collègues, c'est un geste qui lui plaît.

La fille est toujours là.

A part cette gamine crasseuse qui refuse de parler, l'église est vide.

Sylvi a compris. Elle a déjà remonté la moitié de la nef. Sans hésiter, elle se dirige vers le deuxième banc, ne s'arrête que lorsqu'elle se trouve à côté de la fille. Elle s'assied. Seuls une assiette et deux gobelets les séparent.

Elle reconnaît l'odeur. C'était la sienne, autrefois. Cette fille vit dans les tunnels, c'est l'odeur des feux, de l'humidité qui imprègne les vêtements.

Sylvi attend.

Quelques minutes. Encore quelques minutes.

Pas un bruit, pas un mouvement.

Elles sont assises côte à côte dans l'église déserte. Elles fixent du regard quelque chose devant elles. Peut-être l'autel. Ou le mur chaulé.

Puis, soudain, un mouvement de tête. Il est à peine perceptible, mais Sylvi le remarque.

La fille la regarde à la dérobée.

Elle s'est donc aperçue qu'il y a quelqu'un à côté d'elle. Quelqu'un qui veut lui parler.

Sylvi déplace l'assiette, s'approche un peu.

Pas de mots. Aucune volonté de s'imposer. Seulement une patience infinie. Elle s'efforce de continuer à regarder droit devant elle.

La fille répète son mouvement de tête. Elle jette des regards timides sur la personne assise à côté d'elle. A chaque fois, Sylvi s'approche un peu plus. Elle déplace un des gobelets, puis l'autre, elle est maintenant si près qu'elle pourrait la toucher. Ce qu'elle ne fait pas, bien sûr. Elle ne voit pas son visage, mais elle remarque ses mains, posées sur ses cuisses ; maigres et sales, elles tremblent et elles ont les jointures qui blanchissent.

Elle est toute frêle. Son corps semble vouloir se briser.

– Elle ne pouvait pas rester là.

Sa voix est à peine audible. La diaconesse ne pose aucune question, elle attend que la fille se tourne vers elle, son souffle sent l'angoisse et les restes de nourriture.

– Vous comprenez ? Elle ne pouvait pas rester là.

Puis elle se détourne.

Muette, immobile, les yeux fermés.

Elle est de retour dans son monde à elle.

Trente-sept heures plus tôt

Il faisait nuit.

Devant Sophiahemmet, Ewert Grens scrutait le ciel noir. Le bruit de la ville s'était atténué ; derrière les fenêtres des immeubles en face, les lumières s'éteignaient les unes après les autres ; seule subsistait la lueur bleutée des postes de télévision où défilaient les images d'une vieille série rediffusée.

Il faisait froid, mais il n'y prêtait pas attention.

Placée sous assistance respiratoire, Anni lui avait paru bien plus pâle que dans la matinée.

Il vit les phares d'un taxi un peu plus loin.

Le médecin – il ne se rappelait plus son nom ; de toute façon, ils se ressemblaient tous – lui avait expliqué que ce qu'ils craignaient avait fini par se produire : le contenu de son estomac avait pénétré dans ses poumons, déclenchant une réaction chimique et bactériologique.

Il monta dans le taxi. Voulant rester seul avec ses pensées, il ne tenait pas à écouter le chauffeur déblatérer sur les impôts, la politique et les péages urbains.

La paix fut de courte durée :

– Sale temps, hein ?

Le chauffeur avait réglé le rétroviseur de manière à pouvoir le regarder.

– Moins vingt-sept. C'est ce qu'ils ont dit tout à l'heure. A la météo.

Grens détourna les yeux.

– Je n'ai pas très envie de bavarder.

Il avait passé un long moment sur une chaise à côté d'elle, il lui avait pris la main, l'avait gardée dans la sienne. Il détestait les hôpitaux. Il aimait pouvoir influer sur le cours des choses, résoudre les problèmes, ignorer les obstacles. Là, il était réduit à l'impuissance. Il ne pouvait rien faire, sauf enrager et lui serrer fort la main.

– Journée pénible ?

Le chauffeur le regarda de nouveau dans le rétroviseur.

– Ça s'arrangera. Les choses finissent toujours par s'arranger.

– Je n'ai pas été clair ? La ferme !

Ils quittèrent Valhallavägen, roulèrent lentement sur l'asphalte verglacé d'Odensgatan, attendirent longuement à un feu qui s'obstinait à rester au rouge malgré l'absence de circulation.

– Ça vous dérange que j'allume la radio ?

Le chauffeur ne le regardait plus. Renonçant à lui faire la conversation, il tripotait maintenant les boutons de sa radio, à la recherche d'une station musicale. Ayant enfin trouvé quelque chose à son goût, il monta le son.

– Oui.

– Pardon ?

– Oui, ça me dérange.

Après le départ du médecin, Grens avait complètement perdu la notion du temps. Assis sur sa chaise, il avait écouté la respiration de la machine. Peu après minuit, une infirmière était venue lui donner une discrète tape sur l'épaule ; elle lui avait annoncé que l'état de la malade s'était de nouveau stabilisé. Les appareils et les médicaments avaient fini par produire leur effet ; le commissaire Grens pouvait donc rentrer chez lui, se reposer, reprendre des forces pour le lendemain. Avant de partir, il avait exigé d'être tenu au courant de tout changement, positif ou négatif. Sur le pas de la porte, il s'était encore retourné, expliquant à l'infirmière qu'il habitait à moins de vingt minutes de Sophiahemmet. Puis il s'en était allé.

Le chauffeur prit à droite au coin d'Odengatan et Sveavägen. Après avoir ralenti, il se rabattit sur le côté et s'arrêta devant l'immeuble plongé dans le noir. Puis il arrêta le compteur. Cent vingt-cinq couronnes.

Ewert Grens ne bougea pas.

Il avait demandé à être conduit chez lui. Mais là, alors qu'il était à quelques pas de sa cage d'escalier, le courage lui manquait. Il était incapable d'affronter le silence, la solitude, dans ce qui avait été leur appartement à tous les deux. Qui l'était toujours.

— On est arrivés…

Il avait passé la soirée entouré de médecins et d'infirmières, des gens compétents.

Il leur avait posé des questions. Et ils lui avaient répondu, avec beaucoup de patience.

Mais il y avait une chose qu'il n'avait pas osé leur demander : est-ce qu'elle allait continuer à vivre ? Il avait eu trop peur de la réponse.

— On est arrivés.

Quelqu'un frappa à la vitre. Un quidam voulant savoir si le taxi était libre.

— Vous entendez ? J'ai une course, là.

Grens fit un geste irrité.

— Continuez.

— Vous voulez que je continue ? Où ?

— A Kronoberg. L'entrée de Bergsgatan. Et roulez lentement en passant devant Vasaparken.

— De toute façon, c'est limité à cinquante.

— Je veux voir si quelqu'un s'y promène à ski.

— C'est ça, oui.

— Entre les marronniers et les balançoires.

Le chauffeur rajusta le rétroviseur sans se retourner.

— Je ne ferai pas un mètre de plus sans être payé. Cent vingt-cinq couronnes pour le trajet déjà effectué. Et pour la course jusqu'à Bergsgatan, je veux être payé d'avance.

Grens fouilla dans sa poche intérieure. Puis il lui tendit une carte de crédit et sa carte de police. Le chauffeur regarda la photo d'un air méfiant.

— Parce que vous êtes flic ?

— Je ne vous ai pas dit de vous taire ?

— Si.

— Je ne voudrais pas avoir à vous le répéter.

Comme toujours à cette heure tardive, l'hôtel de police était plongé dans le noir. Seule une fenêtre au dernier étage était éclairée ; un collègue cherchant quelque chose à manger à la cuisine ou fumant une cigarette sur le balcon, malgré le froid. D'infimes signes de vie au milieu du silence.

Grens s'engouffra dans le long couloir conduisant à son bureau. Un rai de lumière filtrait à travers une porte entrouverte.

Ne voulant pas l'effrayer, il frappa sur le chambranle.

— Bonsoir.

Hermansson était assise devant son ordinateur. Elle lui fit signe de la main sans lever le regard.

— D'habitude, je suis seul à cette heure-ci.

Elle lui fit de nouveau signe de la main, mais sans détacher les yeux du texte qui défilait sur son écran. Il quitta la pièce, puis revint avec deux gobelets de café. Avec deux sucres pour elle, comme tout à l'heure.

Il posa les gobelets sur son bureau et s'installa dans son fauteuil de visiteur.

— Confortable, ce fauteuil.

C'était un fauteuil tout à fait ordinaire, comme on en trouvait partout. Et puis ce café. Pour la deuxième fois de la journée, Grens s'était rappelé qu'elle le prenait avec deux sucres.

Grens voulait lui parler.

Mariana Hermansson finit par lâcher l'écran des yeux.

— Comment ça va ?

Il était tendu. Ces choses-là, il ne savait pas en parler.

— Pas très bien.

Il voulait poursuivre, elle le voyait bien. Mais il n'y arrivait pas. Il avait peur, il se bloquait, les mots restaient coincés quelque part dans son corps volumineux. Elle attendit. Il but la moitié de son café, reposa son gobelet, le reprit, le vida d'un trait. Il semblait avoir rétréci.

— Le pronostic vital est engagé.

Ils n'avaient jamais parlé d'Anni. Cela faisait partie du territoire défendu. Même Sven, qui le connaissait depuis si longtemps, ne l'avait entendu prononcer son nom qu'une seule fois. Hermansson était sûre qu'il ne faisait que répéter la formule des médecins ; cela devait lui paraître plus facile que de le dire avec ses propres mots. Elle le comprenait ; c'était plus simple de se dissimuler derrière ce langage professionnel et neutre. Mais Ewert Grens finit par baisser la garde. Et il lui parla pendant une demi-heure, sans reprendre son souffle. Il évoqua leur première rencontre ; deux jeunes policiers timides à la recherche d'un compagnon de vie. Quelques hivers, printemps, étés, automnes, où il ne s'était pas senti seul. Puis l'accident qui avait tout brisé net. Le sentiment de culpabilité qui ne le quittait jamais. Et ces vingt-sept années pendant lesquelles elle n'avait cessé de lui manquer, pendant lesquelles ils avaient vécu séparés : elle dans un fauteuil roulant devant la fenêtre d'une maison de soins ; lui dans son bureau à l'hôtel de police.

Hermansson était stressée ; l'ordinateur venait de commencer à lui livrer quelques bribes d'information sur le car abandonné. Mais elle l'écouta. Elle comprit qu'elle faisait désormais partie du cercle très restreint des personnes à qui Grens avait choisi de faire confiance.

Il se leva soudain. Manifestement, il avait fini.

– Mais tu as du boulot, non ?

Sa voix, qui avait semblé se briser, était redevenue normale.

– Ce n'est pas le moment de rester là à prendre le café.

Puis il quitta la pièce. Elle le suivit du regard. Il lui faisait pitié.

Si fort. Et si fragile.

Il chantait.

La boule dans la gorge avait disparu. Il fouilla parmi les cassettes rangées sur l'étagère, finit par y dénicher *Donkey Serenade, Siw Malmkvist et l'orchestre de Harry Arnold, Metronome, 1961*. Joignant sa voix à celle de Siw, il chantait de plus en plus fort tout en débarrassant son bureau des dossiers qui y traînaient. A la fin, il n'en resta que deux.

L'enquête concernant la mort de Liz Pedersen, ouverte le matin même.

L'enquête concernant la disparition de Jannike Pedersen, ouverte deux ans et demi plus tôt.

Il commença par la fille, feuilleta le dossier constitué à la suite du signalement fait par le collège. Une pile de documents soigneusement classés ; l'enquête avait été menée avec soin.

Une gamine qui fugue à plusieurs reprises sans que sa mère alerte la police.

Il posa le dossier et se mit à faire les cent pas. Il s'étira, bougea sa nuque raide, essaya de ranimer sa jambe endormie. Puis il se rassit, reprit les documents et s'y replongea.

Une gamine disparue depuis deux ans et demi.

Il se laissa absorber par sa lecture. Il aimait ces moments où il ne voyait plus le temps passer.

D'abord des considérations générales : il s'agissait d'une enfant, et sa disparition remontait à deux semaines lorsqu'elle avait été signalée ; on avait donc décidé d'ouvrir une enquête préliminaire.

On avait ouvert une enquête préliminaire. Autrement dit, on soupçonnait que la disparition puisse être liée à un crime.

Puis un historique confirmant les multiples fugues de la jeune fille. Fugues pouvant durer une semaine sans que la famille contacte le collège ou la police.

Elle s'enfuyait. Quand on s'enfuit, c'est qu'on a peur de quelque chose.

Ewert Grens se renversa dans son fauteuil. Il était presque 2 heures. Il aurait dû être fatigué ; cela faisait deux nuits qu'il n'avait presque pas dormi. Mais il éprouvait l'ivresse propre à l'enquêteur ; le soupçon d'un crime faisait monter son adrénaline.

Le troisième document était composé de six feuilles A4, glissées dans une chemise en plastique transparent. Des listings d'appels téléphoniques. La plupart n'avaient suscité aucun commentaire ; ils n'avaient aucun intérêt.

Un seul numéro avait retenu l'attention des enquêteurs.

Celui d'un portable appartenant à Jannike Pedersen.

Ewert Grens suivit de l'index la liste de ses appels entrants et sortants.

On avait identifié tous les numéros.

Sauf un.

Un téléphone à carte SIM prépayée, sans abonnement, avait reçu dix-sept appels provenant du portable de Jannike Pedersen. Et tous ces appels avaient été passés dans les semaines entourant sa disparition.

Les enquêteurs avaient utilisé tous les moyens techniques possibles pour identifier le possesseur de la carte. Grens se sentit vieux, tout à coup ; tout cela, il n'y comprenait rien. C'étaient des choses dont on n'avait même pas entendu parler, quelques années auparavant. Avant que n'existe ce qu'on appelait la Cell Global Identity. Grâce aux renseignements fournis par l'opérateur, on avait pu déterminer à quelle heure les appels avaient été passés. On avait également pu les localiser à cent mètres près, grâce aux bornes. Puis il y avait quelque chose qui s'appelait Timing Advance, un instrument mesurant le temps qu'il fallait aux ondes radio pour atteindre la borne. Ce qui permettait de réduire à soixante mètres le rayon de la zone.

Ewert Grens se pencha en avant pour détacher une feuille attachée avec un trombone au listing des appels.

C'était un plan de Stockholm. Où étaient tracés dix-sept cercles entourant les zones où se trouvait le possesseur de la carte SIM. Zones dont le rayon était effectivement de soixante mètres.

Grens frappa du poing sur son bureau.

– Tu es en vie.

Chaque cercle tracé au feutre bleu se trouvait dans le secteur de Fridhemsplan.

Le possesseur du téléphone appelé deux ans et demi plus tôt par Jannike Pedersen se trouvait dans le secteur où avait été découvert le corps de sa mère.

– Je sais que tu es en vie.

Elle n'arrivait pas à dormir.

Elle avait fumé cigarette sur cigarette. Elle avait mis trop de lattes de bois sur le feu ; elle savait qu'il fallait les économiser, mais cela l'avait rassurée de voir les flammes s'élever plus haut que d'habitude. Elles bougeaient, lui tenaient compagnie. En regardant le sac à dos de Leo et son matelas vide, elle s'était sentie seule comme elle ne l'avait jamais été.

Elle n'avait pas froid, mais elle avait gardé ses vêtements de dessus : sa doudoune rouge avec les trous de cigarette qui auraient mis papa en colère, ses deux pantalons sous sa jupe longue, et même son bonnet et ses gants de laine. Plus il y avait de couches de vêtements, moins on pouvait l'atteindre. Elle était fatiguée ; elle essayait de garder les yeux ouverts, mais ils se refermaient parfois tout seuls. Et dès qu'elle avait les yeux fermés, elles revenaient. Les mains. Celles qui l'avaient touchée quand elle était nue sous la douche, à la maison.

Elle ne s'était pas aperçue du départ de Leo. Il aurait pu la réveiller. Elle savait que cela ne durerait plus que quelques jours ; son état maniaque serait bientôt terminé, mais elle était quand même inquiète. Comme toujours, quand il n'allait pas bien, quand il dépensait son énergie à des choses inutiles et qu'il courait dans les tunnels sans but ni repères.

Encore deux lattes de bois.

Il y eut un crépitement quand elle les posa sur le feu. Elle quitta le fauteuil de cuir et se glissa dans le sac de couchage de Leo. Elle voulait sentir son odeur.

Grens poussa le son du lecteur de cassettes.

Les dix-sept cercles de la carte.

Quelques pas de danse au milieu de la pièce.

Si je m'y rends.

La femme avait été découverte dans un sous-sol de l'hôpital Sankt Göran.

Les traces laissées par son corps s'étaient arrêtées devant une porte métallique donnant sur le réseau de tunnels.

Les empreintes digitales sur son corps correspondaient à celles trouvées dans sept bâtiments cambriolés. Des immeubles possédant chacun une porte donnant sur le réseau de tunnels.

Si je me mets au centre de chaque cercle.

Il ouvrit la fenêtre, respira l'air froid et cria de toutes ses forces entre les immeubles endormis :

– Enfin !

Au centre de chaque cercle, il y a une plaque d'égout.

Maintenant il n'y avait plus de doute.

Une ouverture sur le monde du dehors.

Les nuits à tourner en rond, c'était fini. Les petits matins indécis, c'était fini.

Un accès au monde des tunnels.

– Enfin ! cria-t-il de nouveau.

Son enquête prenait soudain une autre tournure. C'était un de ces moments qui vous redonnaient goût à la vie.

Le sac de couchage était imprégné de l'odeur de Leo. Elle se sentit encore plus seule ; ce n'était pas son odeur qui lui manquait, c'était lui. Elle se disait parfois que jamais elle n'avait aimé quelqu'un comme elle l'aimait. Qu'en réalité elle ne s'était jamais sentie proche de quiconque. Pas comme elle se sentait proche de lui. Elle avait confiance en lui, vraiment confiance. Elle lui avait demandé – surtout au début – si elle pouvait s'allonger contre lui, si elle pouvait le serrer dans ses bras, s'il voulait la toucher. A chaque fois il avait secoué la tête en prenant un air agacé. Une fois, devant son insistance, il s'était mis en colère, comme cela lui arrivait à elle quand il lui disait de faire attention aux clés. Il l'avait rembarrée – « C'est impossible » –, il avait parlé de leur différence d'âge – « Tu ne comprends pas ? C'est impossible » –, il avait affirmé que jamais un type comme lui ne pourrait toucher une fille comme elle.

Le dossier contenait également plusieurs comptes rendus d'investigations infructueuses. On avait identifié et interrogé les rares amis de la jeune fille. Sans résultat. On avait parlé avec ses professeurs et ses camarades de classe. Sans résultat. On avait saisi son ordinateur pour vérifier les sites fréquentés et la liste de ses contacts. Sans résultat. Au début de l'enquête, on avait appelé trente-deux fois son téléphone portable, qui avait continué de sonner dans le vide. Cela faisait partie des routines : les possesseurs de portables avaient besoin de s'entendre confirmer leur existence. Leur curiosité finissait toujours par les perdre, et ils faisaient l'erreur de répondre. C'était arrivé à des personnes plus aguerries que cette gamine.

– Tu as un moment ?

Il ne l'avait pas entendue arriver.

– Toujours là ?

– Oui.

– Tu devrais rentrer chez toi.

– Je voudrais juste que tu regardes ça. Le car. J'ai retrouvé sa trace.

Ewert Grens secoua la tête.

– Pas tout de suite.

– Quand ?

– Je suis ton chef, Hermansson. Je te donne un ordre. Rentre chez toi.

– Quand est-ce que je pourrai te le montrer ?

– Dans une heure. Pas avant.

Grens la regarda s'éloigner. Son opiniâtreté avait beau l'énerver, il était quand même content.

Il ne lui restait plus que quelques papiers à parcourir.

La copie du signalement de sa disparition. La copie de l'avis de recherche. La copie de sa fiche signalétique.

Il les mit de côté pour examiner les derniers documents du dossier.

Douze coupures de journaux.

Ewert Grens fuyait les journalistes comme la peste. Mais il savait que, dans certaines enquêtes, on n'avait pas le choix : pour obtenir des informations, il fallait mettre le public au courant. Il y avait d'abord deux articles assez longs, parus dans les journaux gratuits distribués dans le centre de Stockholm : *Une fille de quatorze ans disparaît sans laisser de traces.* Le titre barrait la une et le sujet occupait une double page à l'intérieur. Puis quelques brèves dans les quotidiens du matin : *Disparition d'une jeune fille.* Et enfin, accompagnés de photos et avec des titres plus gros, quelques articles dans la presse du soir, sur le mode : *Jannike, 14 ans, disparue.* Leur contenu ne lui apprenait rien.

Feuilletant les coupures, il s'attardait sur les photos.

Tous les journaux publiaient le même portrait réalisé à l'occasion d'une photo de classe. Un sourire figé sur fond bleu ciel. Elle ressemblait à pas mal de filles de son âge. Sachant que ses camarades scruteraient impitoyablement le cliché, elle avait soigné son apparence. Longs cheveux marron impeccablement lissés. Regard alourdi par le mascara. Peau acnéique cachée sous une épaisse couche de fond de teint. Une bouche qui s'efforçait de sourire, mais où se lisait son manque d'assurance.

Dans les journaux du soir, il y avait d'autres photos, dont certaines provenant de son album personnel. Jannike et deux copines assises sur son lit, habillées comme pour une fête. Jannike au milieu de la foule, assistant à un concert d'un artiste dont Grens n'avait jamais entendu parler. Une photo prise lors d'un réveillon ; une autre lors d'une fête de la Saint-Jean. Des moments de joie que quelqu'un avait voulu immortaliser en sortant son appareil.

Il ajusta ses lunettes, scruta son visage, tenta de pénétrer son esprit.

Sur tous les clichés, elle avait quelque chose de triste dans le regard. Quelque chose qui s'interposait entre elle et le photographe. Comme si l'appareil ne parvenait pas à la saisir.

Des moments de joie.

Ewert Grens resta un instant immobile, les vieux journaux froissés à la main.

Mais toi, tu n'étais pas joyeuse.

Elle baissa la fermeture éclair et s'extirpa du sac de couchage. Elle avait chaud, elle transpirait dans le dos et sur le ventre. Elle s'était endormie un moment, rêvant de maman, de papa, du jour où papa avait déménagé et où elle l'avait aidé à porter les cartons de livres et d'albums de photos. Les cartons étaient lourds ; à la fin elle n'avait plus eu le courage de les soulever et elle l'avait laissé se débrouiller seul. Elle se redressa, s'alluma une clope et vérifia où en était le feu. Ça brûlait encore bien ; elle n'avait pas besoin d'y rajouter du bois. Pas avant une heure au moins.

Elle ne tenait pas en place. Toute cette attente.

Elle ne savait pas quoi faire.

Le sac à dos de Leo était appuyé contre le mur. Elle allait l'aider ; comme ça, le temps passerait plus vite.

Elle ouvrit le sac.

Une clé à molette, un cric, un marteau, quelques tournevis. Elle posa les outils sur le sol, près du matelas de Leo. Les trois cylindres se trouvaient au fond du sac. Ils étaient en métal, comme toujours. Elle les soupesa ; ils étaient assez lourds.

Elle s'installa dans le fauteuil en cuir, une lime dans une main et un cylindre dans l'autre.

Elle entreprit de limer le cylindre avec des mouvements lents et réguliers.

Elle entendait les passes s'entrechoquer à l'intérieur. Pour les récupérer, ce serait long, mais elle avait tout son temps. Elle le faisait pour lui, elle savait que ça lui ferait plaisir.

Ewert Grens remit les coupures de journaux dans la chemise. Il resta un moment pensif, tambourinant du doigt sur son bureau. Puis il s'empara d'un autre dossier, nettement moins épais.

Une enquête préliminaire ouverte quatorze heures plus tôt, lorsqu'on avait découvert un corps de femme dans le sous-sol d'un hôpital.

Le corps de la mère de Jannike Pedersen.

Ouvrant le dossier, il prit la chemise plastifiée contenant le rapport technique de Nils Krantz. C'était le seul élément nouveau. Le deuxième sous-sol de l'hôpital Sankt Göran, vu par un technicien de la police. Grens y avait passé une grande partie de la matinée, scrutant les lieux avec le regard d'un commissaire cherchant une vue d'ensemble. Dans ce rapport, on découvrait les détails, tout ce qu'on ne voyait pas à l'œil nu, mais qui pouvait infirmer ou confirmer les premières impressions. Des rapports de ce genre, il en avait parcouru des milliers ; celui-ci ne différait guère des autres.

Photo 5. Alignés contre le mur du nord, huit lits.

Les clichés étaient aussi flous et mal cadrés que d'habitude, et le texte aussi laborieusement rédigé.

Photo 9. Le corps est placé de telle manière que la tête est orientée vers l'est.

Krantz et ses collègues étaient d'excellents professionnels ; Grens avait entièrement confiance en eux. Mais ce n'étaient pas de grands artistes.

Photo 14. Une étiquette en tissu cousue à l'intérieur du col du manteau de la femme indique que celui-ci est en nylon imitation castor. L'étiquette, visible sur la gauche de la photo, est partiellement recouverte de sang coagulé de type B Rh D+.

Grens examina les clichés en gros plan du visage rongé de la femme, des traces laissées par son corps, des empreintes digitales trouvées dans le sous-sol. Réprimant un bâillement, il s'apprêtait à aller chercher un café lorsqu'un passage le fit sursauter.

Un baiser.

Au milieu de l'avant-dernière page. Trois lignes où Nils Krantz parlait de traces de salive sur le corps de la femme.

Quelqu'un l'avait embrassée.

Grens ouvrit le tiroir de son bureau et fouilla à la recherche du répertoire téléphonique qui devait s'y trouver. Il fit le numéro et compta jusqu'à onze sonneries. Une voix de femme lui répondit. Il se présenta, demanda à parler à son mari. Puis il patienta en chantonnant.

– C'est Grens.

– Oui ?

– J'ai besoin d'un mandat de perquisition.

Lars Ågestam avait la voix ensommeillée.

– Vous ne pourriez pas appeler la permanence du parquet ?

Comme si la vie respectait les horaires de bureau. Grens esquissa un sourire.

— Je croyais pourtant que c'était vous qui instruisiez cette affaire.

— Il est 2 heures et demie du matin, Grens, je n'ai pas envie de m'occuper de ça maintenant.

— J'ai une hypothèse. Si elle se vérifie, votre enquête préliminaire aura fait un grand bond en avant. Et vous ne manquerez pas d'en tirer gloire et profit.

— Il est 2 heures et demie, Grens. Je voudrais dormir.

Faisant des efforts pour prendre un ton officiel, Ågestam s'était redressé dans son lit. Mais il se rendit compte que sa voix traduisait surtout son découragement. De toute manière, ce vieil emmerdeur ne comprendrait pas, ça ne servirait à rien de lui expliquer les choses. Il n'avait pas la même notion du temps que le commun des mortels.

— Je m'en fous, Ågestam. Je veux mon mandat, tout de suite. Je veux pouvoir pénétrer dans l'appartement de Liz Pedersen.

Assis sur le bord du lit, le procureur caressa la joue de sa femme.

— Vous l'aurez.

Avant de poursuivre, il se recoucha.

— En appelant la permanence.

Ewert Grens se retrouva avec un téléphone muet à la main. Ågestam avait raccroché.

Il aurait dû gueuler. Ou frapper du poing sur le bureau. Il se contenta de se lever et de sortir dans le couloir.

Tu es en vie.

Il s'étira, vit de la lumière dans le bureau de Hermansson et se dirigea vers la machine à café.

Je sais que tu es en vie.

Mariana Hermansson entendit des pas dans le couloir. Un pas lourd, un pas plus léger ; la claudication de Grens s'était aggravée. Elle entendit aussi la musique ; il avait dû laisser la porte ouverte. Toujours ces rengaines des années soixante, chantées par une voix aussi claire que l'âme du commissaire était sombre. Le bruit de la machine à café la fit sourire ; du café noir à toute heure du jour et de la nuit.

Elle regarda le gobelet que Grens lui avait apporté tout à l'heure, sans oublier les deux sucres. A côté du gobelet traînait une salade sous vide à peine entamée, achetée à l'épicerie de nuit.

Elle n'avait pas eu le temps de manger. D'ailleurs, elle n'avait pas faim.

Quelque chose l'obsédait.

Le regard de Nadja. Comme si la jeune fille était assise en face d'elle.

Hermansson repoussa sa salade et jeta un regard autour d'elle. Des dossiers s'empilaient partout, le sol était jonché de documents. D'habitude, son bureau n'était pas comme ça ; elle avait besoin d'ordre et de tranquillité pour réfléchir et travailler.

Elle rangerait tout ça quand elle aurait terminé.

Il lui avait fallu vingt minutes pour vérifier que les plaques d'immatriculation étaient authentiques. *PRINCIPAUTE DE MONACO*. Puis une heure pour retrouver le propriétaire du véhicule : la Child Global Foundation, un organisme dont le nom des dirigeants n'apparaissait nulle part, qui n'avait pas de numéro de téléphone et ne figurait dans aucun registre. Un organisme ayant comme adresse une boîte postale à Monte-Carlo.

Cela ne lui disait rien. Toute solution semblait même s'éloigner davantage. Elle avait besoin d'autres informations, quelque chose qui la rapprocherait de ces gens qui abandonnaient des enfants au cœur des villes.

Sans se soucier de l'heure, elle s'était mise à passer des coups de fil.

D'abord à Jens Klövje, au bureau suédois d'Interpol. Elle était tombée sur un répondeur lui annonçant qu'il serait joignable le lendemain matin.

Ensuite au consulat monégasque, sur Blasieholmen. Un employé affable avait tenté de faire barrage, mais elle avait fini par obtenir qu'on lui passe le numéro du domicile du consul, dans Strandvägen. Une voix encore ensommeillée lui avait répondu. D'un ton ferme mais courtois, l'homme lui avait fait comprendre qu'il n'avait pas accès à ce type d'information.

Et qu'elle n'obtiendrait pas davantage de renseignements si elle décidait d'enquêter sur place. En effet, elle ne pouvait ignorer que l'existence même d'un Etat comme Monaco reposait sur le secret qu'il garantissait à ses ressortissants.

Elle avait enfin appelé Vincent Carlsson, un reporter de la télévision suédoise qu'elle avait connu lors de l'enquête sur l'évadé du couloir de la mort retrouvé en Suède. Depuis, elle était restée en contact avec lui. C'était un des rares journalistes qui trouvait grâce aux yeux d'Ewert Grens. Ou qu'il ne détestait pas, tout au moins. Elle lui avait expliqué qu'elle avait besoin de son aide, en lui proposant la contrepartie habituelle : si son enquête aboutissait, il en serait le premier informé.

Après avoir contacté ses sources et fouillé dans ses archives, Carlsson lui avait confirmé ce dont elle se doutait déjà.

« Vous ne comprenez pas, Hermansson ? »

L'organisme se réduisait à une boîte postale. Pas de bureaux, aucune existence physique.

« Ils se cachent derrière des organisations philanthropiques, ils ramassent des millions et on n'arrive jamais à les coincer. »

Il avait déjà enquêté sur des fondations de ce type. A chaque fois il avait pu constater que des sommes énormes avaient changé de mains à l'abri de façades aux apparences respectables. Dernièrement, il s'était intéressé à une organisation nommée A Non Smoking Generation ; officiellement, il s'agissait d'une association à but non lucratif, mais elle était pilotée par des hommes d'une quarantaine d'années portant des vêtements de marque et fréquentant les bars huppés de Stureplan. Comme la Child Global Foundation, elle avait pour siège social une boîte postale de Monaco.

« Vous savez, Hermansson, la raison d'être de ces petits Etats, c'est précisément d'offrir une confidentialité à ce genre de trafiquants. »

Comme il s'était heurté à l'absence de documents, il n'avait rien pu faire. Mais il avait reconnu le mode de fonctionnement : sous prétexte de venir en aide à des enfants, on engrangeait des profits colossaux.

Elle piocha une feuille de salade dans la boîte en plastique. La chose n'avait aucun goût.

Les yeux de Nadja.
Ils la regardaient.
Ils la hantaient, exigeaient une réponse.
Elle se renversa dans son fauteuil, ferma les yeux, revit son entrevue avec la jeune fille, quelques heures plus tôt.

Elle avait pris une voiture banalisée. Elle ne tenait pas à attirer l'attention ; débarquer dans une voiture de police pourrait se révéler contre-productif. Le soir était tombé ; Mariana Hermansson avait quitté Kungsholmen et le centre de Stockholm, traversé le pont de Traneberg et continué par Ulvsundvägen vers la E18 et la banlieue ouest avec ses tours de béton, réplique à l'échelle de la capitale du quartier de Malmö où elle avait grandi.
Viksjö était à dix minutes.
Elle avait conduit lentement à travers les rues étroites qui se ressemblaient toutes. Des pavillons mitoyens précédés de jardinets devant lesquels étaient garées des voitures enneigées. Elle s'était arrêtée devant une maison ni cossue, ni pauvre ; un logement individuel plutôt coquet, à quelques dizaines de kilomètres de Stockholm. Elle avait vérifié le nom sur la boîte à lettres avant de monter l'allée et sonner à la porte.
Les pas précipités de quelqu'un descendant un escalier en bois.
C'était un enfant qui lui avait ouvert, un garçon en jeans et tee-shirt rouge arborant un large sourire. Il devait avoir dans les cinq ans.
– Bonjour.
– Bonjour.
Il était radieux.
– Comment-tu-t'appelles-tu-viens-d'où-et-qu'est-ce-que-tu-as-dans-ta-poche ?
– Pardon ?
– Comment-tu-t'appelles-tu-viens-d'où-et-qu'est-ce-que-tu-as-dans-ta-poche ?
Mariana Hermansson avait éclaté de rire.
– Je m'appelle Mariana. Je suis de Malmö. Et ce que j'ai dans ma poche… c'est un secret.

– Tu as…

Elle avait mis un doigt sur sa bouche.

– C'est un secret.

D'autres pas dans l'escalier, plus lourds cette fois-ci. Un homme d'une quarantaine d'années, grand et d'allure juvénile, habillé comme le petit garçon. Sauf que son tee-shirt était vert.

– Pardon ; c'est Emil, mon fils. Tout le monde a droit à la même question. Entrez.

Il lui avait fait visiter la maison : cuisine, séjour, chambres à coucher. L'impression qu'elle avait eue en se garant s'était révélée juste : tout était de bon goût, agréable sans être luxueux. Une maison bienveillante. C'était une expression qui lui venait parfois : certaines maisons étaient bienveillantes, et celle-ci en faisait partie.

L'homme l'avait précédée dans l'escalier lorsqu'ils étaient montés à l'étage. En regardant son dos, elle s'était demandé quelle était sa motivation, comment il trouvait le courage de faire ce qu'il faisait. Pendant sa première année dans la police de Stockholm, elle avait visité plusieurs familles d'accueil. Des familles ordinaires qui acceptaient de prendre chez elles un mineur pour une période plus ou moins longue.

En Suède, dix mille enfants étaient placés dans des familles. Dix mille enfants qui avaient chacun leur histoire. Dix mille enfants dont personne ne voulait.

Ils s'étaient arrêtés devant deux chambres donnant sur la rue. Plafond mansardé, rideaux de couleur claire ; deux lits, un bureau et un placard dans chaque chambre.

– On n'a pu en prendre que quatre.

Hermansson avait jeté un œil dans la première chambre. Deux garçons parmi les plus jeunes ; à peine plus âgés que celui qui lui avait ouvert.

– *Ce faceţi voi ?*

Elle avait simplement demandé comment ils allaient. Fixant le sol des yeux, se tassant sur leurs lits, ils n'avaient pas répondu.

L'air découragé, l'homme avait écarté les bras.

– Moi non plus, je n'arrive pas à établir un contact. J'ai tout essayé ; ils restent complètement apathiques. Ils ne s'intéressent même pas aux jouets d'Emil.

Hermansson avait regardé les murs, les meubles, les petites voitures en plastique. Combien parmi les enfants abandonnés étaient maintenant assis sur leur lit en fixant le sol ? A quoi pensaient-ils ? Voyaient-ils vraiment ce qui les entourait ?

Cela paraissait si simple.

On leur donnait des vêtements, de la nourriture, il y avait des adultes qui s'occupaient d'eux. Ils auraient dû être heureux.

Or c'était peut-être tout le contraire.

Ils ne voyaient que mieux ce dont ils étaient privés depuis toujours.

Dans la deuxième chambre, elle avait trouvé Nadja assise par terre, son fils sur ses genoux.

– *Bună.*

Nadja n'avait pas répondu à son « salut ». Décidant de ne pas s'en formaliser, Hermansson avait pénétré dans la chambre et s'était baissée pour la serrer dans ses bras. La jeune fille portait de nouveaux vêtements, un gros pull noir et un pantalon gris en velours côtelé. Mariana Hermansson espérait qu'on avait brûlé sa combinaison jaune et bleu.

– *Ce faci tu ?*

La fille avait haussé les épaules.

– OK.

Elle transpirait.

Elle avait beau essayer de s'en cacher, ses mains tremblaient.

Son corps était en train d'éliminer le poison. Une enfant en état de manque ; le spectacle n'était pas beau, mais c'était bien ce que Hermansson avait espéré.

La jeune fille ne s'était pas droguée depuis la veille.

– Bien dormi ?

Nadja avait secoué la tête.

– Elle a froid. Elle transpire. Vous avez compris, n'est-ce pas ?

L'homme était resté sur le pas de la porte. Il avait vu ce que voyait Hermansson.

– Même le bébé est en état de manque. Hier, quand on leur a changé leurs vêtements... Leur peau... je ne sais pas comment le dire... de la colle séchée, des plaies et des abcès. Cela faisait longtemps que je n'avais pas vu des enfants dans cet état-là. Je ne vais plus sur le terrain. Mais... ça me fait penser aux enfants qui vivent dans les tunnels et les jardins publics de Stockholm.

Hermansson s'était tournée vers lui.

– Que voulez-vous dire ?

– Ce sont des enfants des rues. Ils ressemblent à ceux d'ici.

Hermansson ouvrit les yeux, mais sans quitter son fauteuil. Elle allait bientôt retourner devant son écran ; elle voulait profiter des dernières heures de la nuit pour avancer. Encore un petit moment, et elle chasserait de son esprit ce père de famille qui lui avait parlé d'enfants suédois vivant exactement comme Nadja, dans des tunnels et des jardins publics. Des enfants que personne ne cherchait, puisque les autorités s'obstinaient à nier leur existence.

Une dernière feuille de salade insipide. Elle se pencha en avant, appuyant ses coudes sur le bureau.

Les personnages sans visage. Ils n'allaient pas tarder à apparaître.

La police d'Arlanda avait fait un montage des rushes des caméras de surveillance que Nadja avait regardés. D'abord ceux des caméras 14 et 15, qui filmaient de face les voyageurs passant le contrôle de sécurité.

Elle avait désigné trois personnes. Deux hommes et une femme.

Ils avaient franchi le portail de sécurité à 9 h 32, regardant la caméra sans même s'en rendre compte.

Hermansson ouvrit le fichier joint. Il contenait un petit film de quelques minutes. En remontant dans le temps, on distinguait de mieux en mieux leur visage. On les vit ainsi passer devant les caméras 13, 12 et 11, jusqu'au moment où on leur tendit leur carte d'embarquement, entre 9 h 16 et 9 h 18.

Elle revint en arrière, repassa la succession d'images.

Ils étaient habillés avec élégance. Les hommes étaient bruns ; ils portaient des costumes sombres et de longs pardessus. La femme avait les cheveux blonds décolorés ; elle portait une robe et un manteau noirs.

Rien ne vous distingue des autres voyageurs. Mais vous venez d'abandonner quarante-trois enfants.

Elle prit la fiche où étaient notées leur identité, leur nationalité et leur destination.

Des noms français. Des passeports français. Des billets pour Paris Charles-de-Gaulle.

Ce n'est pas vrai.

D'après Nadja, ils parlaient le roumain sans accent. Ils ressemblaient en plus jeunes au père et à la tante de Mariana Hermansson.

Vous êtes roumains.

Le père d'Emil était resté un moment devant la porte de la chambre de Nadja, évoquant les enfants des rues dont les autorités niaient l'existence, « vous savez », son visage était rouge d'énervement, « ces gosses sont terrifiés, ils se cachent ». Sans s'en apercevoir il avait élevé la voix : « Vous ne les imaginez tout de même pas appeler les services sociaux ? »

Il les avait invités à descendre au rez-de-chaussée, à la cuisine où la table était mise pour le dîner. Se tournant vers Nadja, Hermansson avait dû répéter deux fois le mot *mâncare*, repas, pour qu'elle se décide à se lever. Serrant son fils dans ses bras, elle avait lentement descendu l'escalier.

Les deux garçons avaient été encore plus longs à bouger ; Hermansson, le père d'Emil et Nadja avaient dû remonter plusieurs fois pour leur expliquer qu'ils devaient manger, qu'ils n'avaient rien à craindre. Quand ils s'étaient enfin installés sur les deux chaises libres, le repas était déjà froid.

Comme le matin, quand on leur avait apporté des pizzas à l'hôtel de police, ils s'étaient jetés sur la nourriture, mangeant sans rien dire, comme des animaux. Des chiens, avait-elle pensé ; des chiens léchant leur gamelle pour ne rien laisser.

– Je suis content que vous soyez là.

Le père d'Emil l'avait regardée d'un air reconnaissant.

– J'ai déjà essayé tout à l'heure, quand ils sont arrivés. Pas moyen de leur faire quitter leur chambre. Je voyais bien qu'ils avaient faim, mais ils n'osaient pas, ils n'avaient pas confiance. Avec vous… on dirait qu'ils ont moins peur.

Hermansson n'avait presque rien pu avaler.

Un jus d'orange, une tartine, c'était tout. Comment penser à manger quand on est assis en face de gosses terrorisés qui sont en état de manque ?

– Avec ma femme – elle travaille ce soir, une réunion de parents d'élèves –, nous avons accueilli des enfants bien avant d'en avoir à nous.

Lui non plus n'avait pas touché à son assiette.

– Des enfants victimes d'abus sexuels. Des enfants qui se prostituaient. Des enfants avec des troubles du comportement. Des enfants qui se droguaient, qui avaient commis des délits, des actes de violence, qui vivaient dans des tunnels et des jardins publics. On a tout vu, je peux vous le dire. Tout.

Il avait discrètement jeté un œil sur son fils de cinq ans. Arrosant ses pâtes de ketchup et de confiture d'airelles, celui-ci ne l'écoutait pas : il était trop occupé à essayer de capter le regard des deux garçons assis en face de lui.

– Mais ça, non. Des enfants qu'on traite comme des déchets.

Il avait promené ses yeux sur Nadja, sur son bébé, sur les deux garçons. Ils avaient semblé ne pas le voir.

– Car c'est bien ça. On les jette, on s'en débarrasse. Comme des déchets. Vraiment… Mais à quelle époque on vit ? Une société qui permet ce genre de choses…

Il avait de nouveau élevé la voix.

Cela avait suffi.

Un des garçons avait soudain cessé de manger. Sa tartine était tombée par terre, il avait renversé son verre de lait, son corps s'était raidi. Il avait été pris de spasmes ; au bout de quelques instants il s'était écroulé sur le sol. Le père d'Emil s'était précipité vers l'évier, s'emparant d'un torchon qu'il avait roulé en boule et enfoncé dans la bouche du garçon.

– Une crise d'épilepsie. Il pourrait se trancher la langue d'un coup de dents.

Délicatement, il avait soulevé le garçon, le couchant sur le côté. Puis il avait regardé sa montre.

— Deux minutes. On va attendre deux minutes. Si la crise n'est pas passée, il faudra que je lui donne un médicament.

Le garçon était blanc comme un linge. Il serrait les poings et son corps était toujours parcouru de spasmes. Le père d'Emil était resté à ses côtés, une main posée sur son front. Hermansson s'était levée pour calmer les autres enfants.

C'était inutile.

Emil était toujours en train d'arroser ses pâtes de ketchup et de confiture. Après avoir passé sa vie entouré d'enfants plus ou moins perturbés, il en avait l'habitude et faisait confiance à son père pour maîtriser la situation.

Nadja et l'autre garçon continuaient de manger comme des chiens affamés. Ils avaient déjà dû assister à des scènes semblables.

— Nadja ?

— Oui ?

— Comment...

— D'habitude, ça passe.

Le père d'Emil avait de nouveau regardé sa montre. Soixante secondes. Le garçon paraissait moins tendu. Quatre-vingt-dix secondes. Progressivement, ses spasmes s'étaient atténués. Cent vingt secondes. Son corps s'était affaissé, il semblait avoir rétréci.

Il l'avait soulevé. Après avoir monté l'escalier en le portant dans ses bras, il l'avait couché dans son lit. Gardant les yeux fermés, le garçon avait vaguement bafouillé quelques mots avant de sombrer dans le sommeil.

— Il a douze ans.

Le père d'Emil s'était arrêté au milieu de l'escalier. Son regard s'était assombri.

— Et il est déjà sérieusement abîmé.

Elle avait fait oui de la tête. Elle avait déjà vu des corps ravagés par le poison. Des drogués ou des alcooliques qui s'écroulaient, pris de spasmes, dans le fourgon de police ou dans la cellule de dégrisement.

Des adultes, âgés de trente ou quarante ans.

Ce garçon en avait douze.
Et il était dans le même état qu'eux.

Elle étouffa un bâillement et se replongea dans son dossier. Puis elle leva les yeux vers l'écran où défilaient les images des caméras de surveillance d'Arlanda.

Des déchets.

Dans le froid et l'obscurité, le père d'Emil avait répété le mot alors qu'elle s'apprêtait à monter en voiture pour regagner Kronoberg.

Des enfants qu'on traite comme des déchets.

Elle n'avait pas répondu. Elle s'était contentée de démarrer. Puis elle avait conduit bien trop vite sur les routes enneigées.

Elle bâilla de nouveau. Elle avait les yeux irrités. Ses doigts parcoururent le clavier et un nouveau document apparut sur l'écran. Soudain, sa porte s'ouvrit en grand.

– Hermansson ?

Ewert Grens n'avait pas frappé. Il avait déjà pénétré dans son bureau.

– Eh bien, entre.

Quand elle leva les yeux de l'écran, il s'était déjà assis.

– Et assieds-toi.

Il était cramoisi. Une veine battait sur sa tempe, comme souvent lorsqu'il était excité.

– On a trouvé des traces de salive sur son corps.

Elle le regarda. Elle n'avait pas la moindre idée de quoi il parlait.

– La femme du sous-sol de l'hôpital. Il y a des traces de salive sur son corps. Quelqu'un l'a embrassée. Quelqu'un qui a dû la croiser dans les tunnels où elle a été tuée.

Il continua sans attendre de réponse, toujours aussi agité.

– Demain. Demain on aura les résultats de l'analyse de son ADN. Alors on saura.

Grens souriait.

– La fille, Hermansson. Sa fille. Tu ne comprends pas ? Elle est en vie.

Le bouillant commissaire frappa du poing sur son bureau. Elle n'avait toujours pas décidé si elle l'aimait bien ou si elle avait simplement pris le parti de le supporter.

Il s'empara de son gobelet de café et le vida d'un trait. Puis il se leva et se mit à faire les cent pas, slalomant entre les piles de documents qui jonchaient le sol.

– Tu as faim, Hermansson ?

– Tu devrais te calmer un peu.

– Il est 3 heures et quart. Le café de Celsiusgatan vient d'ouvrir. Pas de panini, pas de cappuccino ; ils servent de vrais petits déjeuners. On en a besoin.

– Je n'ai pas très faim.

– L'appétit, ça viendra. J'ai besoin de ton aide. Si je veux avancer, j'ai besoin de savoir comment une gamine de quatorze ans peut disparaître pendant deux ans et demi. Dans ce pays. Avec ce modèle social que le monde entier nous envie. Il faut que je le comprenne avant qu'il fasse jour. Je crois que c'est urgent, Hermansson ; il faut la retrouver au plus vite.

Dehors, il faisait froid. Il avait beau le savoir, l'air glacial le surprit quand même. Il eut du mal à respirer.

Kungsholmen était désert. Les gens dormaient ; les bureaux étaient vides.

– C'est une fille.

Grens marchait avec difficulté. Sa jambe gauche paraissait plus raide que d'habitude.

– Et alors ?

– Dans ce cas, c'est important. Pourquoi un enfant disparaît-il ? C'est une fille, Ewert.

Il s'arrêta, frotta son genou gauche.

– Je le sais, que c'est une fille.

– Tu ne comprends pas. C'est toujours comme ça. Quand une fille va mal, elle se referme sur elle-même et ne dit rien. Alors qu'un garçon va se bagarrer et faire des bêtises. On le voit tous les jours. Dans nos enquêtes, les garçons sont majoritaires.

Elle entendit un bruit de craquement d'os. Deux fois. Comme un coup de feu. Puis il se remit à marcher.

– Les filles sont invisibles. La société ne voit que les garçons ; ils font tout pour être vus. Ce sont les hommes que nous arrêtons, que nous interrogeons, que nous mettons en prison. Alors qu'on sait tous qu'il y a des femmes complices. Mais elles nous intéressent moins ; on arrive rarement à les faire condamner, et nous, ce qu'on veut, ce sont des résultats.

Cinq marches couvertes de glace, une porte rouge aux vitres embuées. Elle regarda autour d'elle dans le vieux local patiné. On était en pleine nuit, le froid n'incitait guère à sortir, le café venait à peine d'ouvrir et il était déjà à moitié plein.

– Tu sais bien que les hommes et les femmes n'écopent pas de la même peine pour le même crime. On est plus indulgent avec les femmes. Notre société est pleine de préjugés, Ewert. Nous diabolisons les hommes et nous marginalisons les femmes.

Le buffet ressemblait davantage à une table de cuisine qu'à un comptoir. Des cafetières et de grands plats remplis de petits pains au fromage côtoyaient des bols de porridge et de compote de fruits.

– Tu veux quoi ?

– Des panini et un cappuccino.

Grens fit une grimace.

– Ici, on sert de vrais petits déjeuners, je t'ai dit.

– Je te laisse choisir.

Les clients étaient seuls pour la plupart. Des chauffeurs de taxi, des livreurs de journaux, des jeunes rentrant de boîte. Elle finit par trouver une table libre, coincée entre le juke-box et un réfrigérateur qui avait dû être blanc.

Grens la rejoignit, une tasse de café dans chaque main.

– On nous apportera le reste dans quelques minutes.

Hermansson lui prit une des tasses.

– Je n'ai pas été très claire.

– En effet.

Elle but une gorgée. Le café était brûlant.

– Après tout, on pourrait trouver ça bien. Que les femmes soient moins lourdement condamnées que les hommes, je veux dire. Sauf que… moi, ça me fout en rogne. Les femmes, au lieu de les mettre en taule, on leur attribue la garde des enfants. Si bien qu'elles peuvent continuer leurs abus. Tandis que les hommes, on les empêche de nuire, du moins pour un temps.

Grens se leva tout à coup.

– Un instant.

Fouillant dans sa poche, il finit par trouver une pièce de cinq couronnes. Puis il se pencha au-dessus du juke-box, glissa la pièce dans la fente et appuya deux fois sur le même bouton. *En tout petits morceaux*, Siw Malmkvist. L'acoustique était mauvaise et le disque usé ; la voix de Siw peinait à se faire entendre sous les grésillements.

– Tu vas y avoir droit deux fois.

Il esquissa un pas de danse avant de se rasseoir.

– Hermansson ?

Elle poursuivit :

– En voulant protéger la femme et en coffrant son mari, on ne fait que perpétuer ce qui se passe avec les enfants. On voit les garçons, mais pas les filles. Lui, on le punit et on lui fait un programme de rééducation. Elle, on l'ignore. Elle se referme sur elle-même, elle n'a plus qu'à disparaître, et elle finit par sombrer.

Elle déglutit.

– Voilà la réponse à ta question, Ewert.

Il la regarda longuement, hocha la tête, finit son café.

– Hermansson ?

– Oui ?

– Tu veux danser ?

Avant même qu'elle ait pu répondre, il se leva, s'agenouilla devant le juke-box et se mit à trifouiller dans l'interstice entre l'appareil et le mur. Là où se trouvait le bouton du volume.

Le son monta d'un seul coup ; la voix de Siw faisait vibrer le local.

Il haussa les épaules d'un air faussement nonchalant.

– Avoir un peu vécu, ça présente parfois des avantages, Hermansson.

Il avait l'air content.

Elle prit la main qu'il lui tendait et ils dansèrent sur le rythme à quatre temps. Au bout de deux minutes et quarante secondes la musique se tut. Hermansson s'apprêtait à regagner leur table.

– Je t'ai dit que tu allais y avoir droit deux fois.

Ewert Grens ôta sa veste et fit quelques pas de danse en attendant qu'elle revienne. Il avait la nuque raide et portait son vieil étui à pistolet en cuir marron sur sa chemise en coton blanc. Elle ne put s'empêcher de rire aux éclats.

La musique était assourdissante ; Grens avait remarqué que plusieurs clients s'étaient approchés du bar pour se plaindre. Soudain, son portable se mit à sonner.

Il s'excusa et alla le récupérer sur la table, où il l'avait posé.

Un numéro caché. C'était toujours le cas des standards. Sophiahemmet avait un standard. *Je devrais répondre.* Il avait tenu la main d'Anni ; il avait expliqué à l'infirmière qu'il était joignable à n'importe quel moment. *Je devrais répondre.* A cette heure-ci, ça pouvait être eux. Son état s'était peut-être aggravé.

Il attendit l'arrêt des sonneries.

Ils regagnèrent leur table. On était en train de leur servir du porridge, des petits pains et un deuxième café lorsque le téléphone sonna de nouveau.

Encore un numéro caché. *Je devrais répondre.* Il répondit.

C'était le permanencier de Kronoberg.

– Grens ?

– C'était vous, tout à l'heure ?

– Pourquoi vous ne répondiez pas ?

– C'est à quel sujet ?

L'homme prit une inspiration.

– Quelqu'un a pénétré sur la scène du crime. Quelqu'un est venu dans le sous-sol de l'hôpital Sankt Göran. Quelqu'un y a tout salopé alors qu'on avait mis des rubalises partout et que tous les accès étaient surveillés.

Le sous-sol de l'hôpital Sankt Göran était une mer bleu et blanc. Les rubalises tendues par la police pour délimiter l'endroit où avait été découvert le corps de Liz Pedersen avaient été arrachées et roulées en boule ; elles jonchaient maintenant le sol.

Ewert Grens avait revêtu une blouse blanche, un pantalon blanc et une charlotte blanche. Penché en avant, il contemplait les morceaux de plastique. Il venait d'appeler Sven Sundkvist pour lui demander de se rendre immédiatement à l'église Sankta Clara.

– Je n'ai pas encore fini d'examiner la scène du crime.

Nils Krantz était agenouillé près de la porte qui communiquait avec le réseau de tunnels.

– Mais je sais que tu es pressé et j'ai déjà quelques éléments qui pourraient t'intéresser.

Après avoir enfilé des chaussons en plastique sur ses grosses chaussures d'hiver, Grens rejoignit Krantz en faisant bien attention de marcher là où on le lui indiquait. Le technicien était toujours agenouillé. D'un geste, il décrivit un cercle à quelques centimètres au-dessus du sol en béton.

– Ici.

– Je vois que dalle.

– Ici, il y a une empreinte de chaussures. La même que celle d'hier. Et la même façon de poser le pied.

– Oui ?

– Il s'agit de la même personne, Ewert. L'homme qui a traîné le corps.

Grens tenta en vain de distinguer l'empreinte.
– Il est donc revenu.
– Deux fois.
– Qu'est-ce que tu veux dire ?
– Il a laissé des empreintes à deux moments distincts. Certaines sont plus récentes.

Ewert Grens se retourna, essaya inconsciemment de compter les boules en plastique, arrêta un instant son regard sur l'endroit vide où avaient été rangés les lits.
– Deux fois ?
– Et toujours par le même chemin. En passant par la porte donnant sur les tunnels.

Grens poussa un soupir.
– Et les rubalises ?
– Je n'y comprends rien. Ça, c'est ton boulot. Mais il y a des empreintes digitales bien visibles sur chaque boule.
– Les siennes ?
– Elles correspondent à celles que nous avons découvertes sur le corps.

Nous avions entouré la scène du crime de rubalises. Et surveillé chaque accès.

Grens s'avança vers la porte métallique.

Sauf celui-là.

– Les deux fois, il est venu par là. Et il s'est dirigé vers là-bas.

Krantz prit Ewert Grens par la manche de sa blouse de protection pour l'entraîner vers une porte à l'autre bout du sous-sol. A l'intérieur, Grens aperçut un établi, des machines et toutes sortes d'outils.
– L'atelier de maintenance de l'hôpital. Il a laissé des empreintes un peu partout. Notamment sur un compresseur que les hommes de service utilisent parfois pour défaire des boulons. Sur un cric. Et sur des cartouches d'air comprimé…
– Tu n'as pas besoin de m'en dire davantage.

Grens était en train de regarder un bout de métal posé sur l'établi. Un peu plus loin, il pouvait apercevoir deux tubes métalliques d'une cinquantaine de centimètres. Et, accrochés au mur, une série de tuyaux en plastique.

— Je sais, maintenant. Je ne sais pas qui, ni pourquoi. Mais je sais comment.

Faisant un pas en avant, il pénétra dans la pièce sombre.

— Et je sais qu'il y a un lien entre les traces laissées par le corps et cette incursion dans l'atelier de l'hôpital.

Sven Sundkvist roulait à travers un Stockholm désert. Il faisait encore nuit, mais le jour n'allait pas tarder à se lever ; dans les maisons, on allait bientôt prendre le petit déjeuner, habiller les enfants et courir après le temps. Ewert l'avait appelé du sous-sol de l'hôpital juste après 5 heures, la voix tendue : « La fille est en vie. » Après avoir embrassé Anita sur la joue, Sven s'était attardé sur le seuil de la chambre de Jonas, écoutant la respiration régulière de son fils, qui avait la chance de pouvoir dormir encore quelques heures. Puis il avait quitté le pavillon mitoyen de Gustavsberg à la recherche d'un autre enfant, une fille disparue à l'âge de quatorze ans et qui devait maintenant en avoir seize.

Il se gara devant le centre commercial du viaduc de Klara, traversa la rue qu'on venait de déblayer et monta les marches conduisant à la pelouse enneigée entourant l'église Sankta Clara. L'église était fermée, mais le bedeau l'attendait. Il s'appelait George. C'était un homme affable ; râblé et costaud, il devait avoir le même âge que Sven. Il prit le temps de l'accompagner jusqu'à un petit bâtiment à l'autre bout du cimetière, lui expliquant pendant le trajet que la femme dont il lui avait parlé était toujours là avant tout le monde.

Malgré l'obscurité, Sven put distinguer les junkies, un groupe de quatre personnes se livrant à leur trafic près du parking. *Nature de l'infraction : vente de stupéfiants.* D'autres étaient en train de se faire des shoots, assis sur les pierres tombales. *Nature de l'infraction : possession de stupéfiants.* Sven décida de fermer les yeux ; il n'était pas venu pour cela.

— Hé, George.

Un des types assis sur les pierres tombales les avait aperçus de loin dans la faible lueur des réverbères. Chaussé de tennis malgré la neige, il pressait maintenant le pas pour les rejoindre.

– Tu peux me filer un bon de nourriture, je…
– Ce n'est pas à moi qu'il faut demander ça. Tu le sais.
– Je crève de faim. Si tu pouvais…
– Il faut que tu voies ça avec Sylvi.
Il était encore jeune, Sven lui donnait une vingtaine d'années, mais son visage était déjà creusé. Il les regardait, l'air intrigué.
– Celui-là, qui c'est ?
Le bedeau avait un air de lassitude.
– C'est un policier.
En quelques secondes le type avait disparu, filant avertir ses camarades.
Sven Sundkvist haussa les épaules.
– Ce sera pour une autre fois.
Sylvi, la diaconesse, occupait un minuscule bureau dans le bâtiment annexe. C'était une toute petite femme maigre d'une cinquantaine d'années. Assez étrangement, son visage n'était pas sans rappeler celui du junkie qu'ils venaient de croiser. Un visage usé par la vie. Seuls ses yeux étaient différents : ils étaient incandescents. Le junkie avait le regard mort ; le sien était vivant.
– Sven Sundkvist, de la police de Stockholm.
Elle avait la poignée de main ferme.
Il lui expliqua brièvement qu'il était là dans le cadre d'une enquête pour meurtre. Une affaire où pouvaient être impliqués des sans-abri gravitant autour de Fridhemsplan. Il était donc venu lui parler, puisqu'elle semblait posséder des renseignements que la police n'avait pas.
– Sundkvist ? C'est bien ça ?
Une diaconesse. Une sorte de travailleuse sociale payée par la paroisse. Beaucoup de ces gens-là avaient un passé difficile. Il se demandait quelle pouvait bien être l'histoire de cette femme.
– Oui.
– Je n'aime pas votre façon de parler. *Des sans-abri impliqués.* Je pense que vous en savez plus que ce que vous voulez bien me dire. Que vous cherchez des renseignements sur une personne dont vous connaissez déjà le nom.

Non ; pas sur une personne.

Sur plusieurs.

Un homme qui laisse des traces mais qui n'a pas d'identité. Une fille dont on n'a plus de nouvelles depuis deux ans et demi.

– Il s'agit d'une affaire de meurtre. Nous enquêtons sans aucune idée préconçue.

Elle se renversa dans son fauteuil bon marché. Elle le dévisagea. Il se sentit devenir transparent.

– Pourquoi pensez-vous que je pourrais vous aider ?

– Vous connaissez le milieu de Fridhemsplan.

Elle fit un geste en direction de la fenêtre.

– Dans cette ville, il y a quatre mille sans-abri. Dont cinq cents qui dorment dans la rue. Vous voyez. Là-bas, il y en a déjà une dizaine.

Les junkies. Il hocha la tête.

– Et si nous nous limitions à Fridhemsplan ?

– Pourquoi ?

– Le meurtre. Il a été commis dans ce secteur.

Elle hésita. Elle avait vu clair en lui. Elle savait qu'il mentait.

– Une cinquantaine.

– Une cinquantaine. Des gens comment ?

– Comme ceux là-bas. Des gens souffrant de troubles mentaux. Des toxicomanes. Ou les deux. Des gens dont on ne veut nulle part.

– De quel âge ? Des hommes ou des femmes ?

– Il y a de tout. Ça va des hommes d'un certain âge à des adolescentes.

– Des adolescentes ?

– Il y a des gamines d'une quinzaine d'années.

Dans son travail, il avait rencontré des gosses qui traînaient dans la rue. Mais ils avaient des parents, une maison.

Cette femme lui parlait d'autre chose.

D'enfants sans domicile.

– Si c'est le cas… comment se fait-il que nous ne soyons pas au courant ?

Elle aurait pu se moquer de lui. Mais ce n'était pas son genre.

– Parce qu'elles n'existent pas.

La diaconesse défit le premier bouton de sa veste. On vit le col blanc de son chemisier.

– Elles n'existent pas pour leurs parents. Une gamine qu'on flanque à la porte ou qui fait une fugue, ça représente un danger. Je parle de familles où on se drogue. Où on souffre de troubles mentaux. Où on abuse sexuellement des enfants. De familles qui veulent à tout prix éviter qu'on se mêle de leurs affaires. De familles qui se méfient des services sociaux et qui haïssent la police.

Elle continua de défaire les boutons de sa veste. Le col blanc ornait un chemisier vert. Celui de son uniforme de diaconesse, d'une personne jouissant d'une certaine autorité dans la rue.

– De parents qui préfèrent raconter au lycée que leur fille est malade, plutôt que de signaler sa disparition. Qui font tout pour ne pas se faire remarquer. Parfois il se passe des semaines, voire des mois, avant qu'on s'aperçoive qu'une enfant traîne dans la rue. Avant que j'en entende parler.

Elle se tourna vers les étagères, prit un classeur et le posa sur son bureau.

– Mais elles continuent de ne pas exister. Rien ne se passe. Les services sociaux ne les cherchent pas, ne se posent pas de questions… ils se contentent d'archiver mes signalements. Et je n'ai pas le temps d'écrire pour les archives.

Sylvi ouvrit le classeur.

– Là-dedans, il y a tous mes signalements concernant des filles mineures depuis quatre ans.

Elle fit le calcul.

– Il y en a trente-trois. Des adolescentes d'une quinzaine d'années qui vivent ou ont vécu dans la rue.

Elle sortit une feuille du classeur.

– Le dernier, le voici. Il date d'il y a trois semaines.

Il neigeait quand Ewert Grens quitta l'hôpital Sankt Göran.

Il cherchait un assassin.

Alors que Stockholm était sur le point de se réveiller, il allait tenter de cerner l'homme qui franchissait des portes verrouillées et évoluait à l'aise dans un monde souterrain.

Dans la serviette qu'il serrait sous son bras, il y avait trois documents.

D'abord la liste des sept bâtiments officiels ayant un accès direct au réseau des tunnels et dans lesquels on avait constaté des cambriolages. Des cambriolages liés entre eux par la présence d'une empreinte digitale que l'on trouvait également sur le corps découvert dans le sous-sol de l'hôpital.

Je sais que tu subtilises des clés en te servant d'un compresseur et d'un cric. Je sais que c'est ainsi que tu as pu franchir vingt-quatre portes sans laisser la moindre trace d'effraction.

Ensuite, il y avait la carte où les enquêteurs avaient entouré les endroits où quelqu'un avait reçu des appels provenant du téléphone de Jannike Pedersen.

Je me mettrai au centre de chaque cercle. Je sais que j'y découvrirai par où tu passes pour quitter et rejoindre le monde souterrain.

Enfin, il y avait une copie du document secret de l'armée énumérant les quatorze cages d'escalier proches de Fridhemsplan où se trouvaient des caches abritant des passes donnant accès aux tunnels.

J'ai vu l'atelier de l'hôpital. J'ai vu les outils dont tu te sers. Je sais que je découvrirai bientôt d'autres empreintes digitales. Tu évolues dans un secteur restreint, dans un monde que tu connais bien et que je connais également.

De gros flocons tournaient dans l'air. Le vent s'était levé. Grens n'y prêtait aucune attention. Il savait qu'il était sur la bonne piste, qu'il touchait au but. Dans une heure environ, il y serait.

C'est là que tu vis.

C'est là que vous vivez.

Sven Sundkvist se gara près du café de Hornsgatan. Une tasse de thé et deux petits pains au fromage en attendant 8 heures.

Il s'était attardé un moment dans le petit cimetière. Les paroles de la diaconesse ne cessaient de lui trotter dans la tête. Trente-trois adolescentes. Une heure plus tard, entouré de gens qui prenaient leur petit déjeuner, il luttait toujours contre le malaise.

Sylvi avait vu clair en lui. « Je pense que vous en savez plus que ce que vous voulez bien me dire. » Elle ne s'était pas trompée. « Que vous cherchez des renseignements sur une personne dont vous connaissez déjà le nom. » Il cherchait une fille dont il connaissait le nom. Mais il ignorait tout d'elle.

Son thé avait refroidi. Il laissa la tasse à moitié vide et le petit pain desséché, regagna sa voiture, s'engouffra dans Rosenlundsgatan, continua jusqu'au boulevard circulaire et prit la route d'accès à l'école d'Eriksdal. Dans la cour de l'école, des enfants couraient devant lui, jetant des boules de neige, maniant des crosses de hockey sur la glace pleine de bosses. Cela faisait longtemps qu'il n'avait pas mis les pieds dans une cour d'école. Même dans celle de Gustavsberg ; Jonas n'aimait pas trop ça, il était à l'âge où on avait honte d'être vu avec ses parents. Sven imagina son fils, le bonnet enfoncé jusqu'aux yeux, les joues rougies par le froid et l'excitation ; il était sans doute en train de dépenser son énergie de la même façon en attendant que la cloche sonne.

Il reconnut l'odeur du couloir ; elle n'avait pas changé depuis sa propre enfance. Des vêtements mouillés suspendus sur les patères en bois à l'entrée des salles de classe, de la transpiration stagnant sous plusieurs couches de tissu. Tout cela était si loin. Il eut l'impression que c'était hier.

La salle de classe était vide. Une femme entre deux âges l'attendait, assise derrière le bureau. Il frappa sur le chambranle de la porte. Elle leva les yeux, lui fit signe d'entrer, avança une chaise et l'invita à s'asseoir.

— Sven Sundkvist, de la police de Stockholm.

D'un air inquiet, elle déplaça une pile de documents posée devant elle.

— Vous vouliez me poser des questions sur Jannike ?

— C'est exact.

— Vous l'avez retrouvée ?

— Non. Je suis désolé.

— Elle a disparu il y a deux ans et demi. Vous n'êtes pas là par hasard.

La salle était assez grande. Sven regarda les murs où étaient punaisés des photos d'un voyage de classe à Bornholm et des dessins réalisés à l'occasion d'un travail de groupe sur les ressources mondiales d'énergie. Une salle à l'image des élèves qu'elle abritait ; des enfants qui ne voulaient plus être considérés comme des gamins, mais qui étaient encore loin du monde des adultes.

– Nous avons combien de temps devant nous ?

– Les cours ne commencent qu'à 9 heures.

Il savait qu'à force de retourner les choses dans leur tête certaines personnes finissaient par nourrir de fausses espérances, tandis que d'autres attendaient le soulagement qu'apporterait l'annonce de la mort.

– D'après le directeur du collège, vous avez des informations qui pourraient faire progresser notre enquête.

Elle voulait savoir. Vivante ou morte ? Elle comprit que ce policier ne lui donnerait pas de réponse.

– Je n'en suis pas certaine. Mais je peux vous aider à vous forger une image d'elle. J'ai cru comprendre que c'était ce que vous désiriez.

Elle ouvrit une porte de placard. Des piles de livres, de documents, de classeurs. Elle en prit un.

Des photocopies de coupures de journaux.

– Parfois on s'aperçoit des choses trop tard.

Elle posa le classeur sur un pupitre d'élève.

– Un projet sur la presse. On en fait toujours un, au collège. Du moins ici.

Sven Sundkvist feuilleta les travaux réalisés par d'ambitieux élèves de douze ans. Il avait entendu les profs de Jonas parler de travaux similaires. Des projets en prise directe avec le monde réel ; cela lui semblait bien plus intelligent que le bourrage de crâne qu'il avait connu.

– Jannike était la bonne élève par excellence. Travailleuse et sage. Docile. Et pourtant... on ne la voyait pas.

Sven chercha le dossier réalisé par Jannike.

– Vous ne trouvez pas son dossier ?

Il parcourut de nouveau le classeur.

– Justement. Elle n'en a pas réalisé. C'était ça que je voulais vous montrer.

C'était la première fois. Celle qu'on ne voyait pas s'était fait remarquer. Elle n'avait pas participé au projet, elle n'avait même pas fait semblant d'essayer. Et elle avait continué à se faire remarquer de la même façon : en s'abstenant.

— A l'époque, je ne savais encore rien. Je n'ai su que lorsque la mère a porté plainte contre son mari.

Elle reprit le classeur.

— Après coup, tout paraît si évident.

Elle remit le classeur dans le placard. Elle était du genre à garder des souvenirs de tous ses élèves. Même de ceux qui avaient quitté le collège depuis longtemps.

— Et ses parents ?

Elle haussa les épaules.

— Sa mère ? Je ne l'ai jamais rencontrée. Son père ? Au début, il venait souvent aux réunions de parents d'élèves. Il ne disait pas grand-chose, mais il semblait... s'intéresser à la scolarité de sa fille.

— Au début ?

— Au bout d'un moment, on ne l'a plus revu. Cela fait sept ans que j'enseigne dans des classes de collège ; après un divorce... les pères ont tendance à disparaître dans la nature.

Sven Sundkvist s'était levé du pupitre qu'occupait normalement un élève de douze ans. En sortant, il avait laissé la porte ouverte ; il avait déjà eu le temps de passer devant deux autres salles de classe quand il entendit la voix de la prof :

— Vous feriez mieux de me dire la vérité.

Il se retourna.

— Pardon ?

— Vous venez me poser des questions. Au bout de deux ans et demi.

— J'enquête sur sa disparition.

Elle regarda autour d'elle avant de poursuivre :

— Elle est morte. Je le sais. Elle est morte.

Ewert Grens sourit devant la neige qui tombait.

Il était en face d'un immeuble en brique rouge de Mariebergsgatan. Après avoir salué deux habitants se rendant à leur travail, il pénétra dans le hall et se pencha pour scruter le trou rond à gauche de la porte d'entrée. *Je m'approche de toi.* Environ cinq centimètres de diamètre, de quoi contenir un cylindre métallique. *Je m'approche de vous.* La première des quatorze cages d'escalier dans le secteur de Fridhemsplan abritant des passes dont on se servait en cas d'accidents, d'incendies, de guerre.

La carte de la Défense civile à la main, il tourna le barillet de la serrure et fouilla à l'intérieur du cylindre. Deux clés. Tout était normal. Grens les sortit, les examina, les remit dans le cylindre.

Le bâtiment suivant était un immeuble ancien d'Arbetargatan. Une façade ornée, du début du siècle dernier. Mais à gauche de la porte, au milieu du mur, il y avait un trou vide.

Un trou sans cylindre métallique.

Il lui avait suffi de se rendre dans deux immeubles. Il avait déjà découvert ce à quoi il s'attendait.

C'est comme ça que tu travailles. C'est comme ça que tu parviens à survivre.

Grens enfila une paire de gants en plastique pour tâter les bouts de ciment que le piétinement avait réduits en poussière. Il remarqua de petites inégalités sur le bord du trou circulaire dans le mur. Sans doute des traces laissées par une clé à molette.

Tu es venu ici il n'y a pas longtemps.

Il passa deux coups de fil. D'abord à Nils Krantz, pour lui dire de se rendre à Arbetargatan dès qu'il aurait fini son travail dans le sous-sol de l'hôpital. Ensuite à la direction de la logistique, pour leur demander de sécuriser ce qui était maintenant une nouvelle scène de crime.

Il faisait moins sombre, une brève journée d'hiver s'annonçait. Il se rendit dans les six autres immeubles de la liste et vérifia les caches sans se soucier des regards méfiants des habitants. Quatre cylindres métalliques étaient intacts. Un cinquième avait été vidé, mais le vol ne semblait pas récent. En revanche, une sixième cache venait manifestement d'être forcée ; des bouts de plâtre jonchaient le sol de l'entrée et les premières marches de l'escalier.

Grens se rappela le cric et le compresseur que Krantz lui avait montrés dans le sous-sol de l'hôpital.

Ce cylindre, il l'avait fait sauter.

Tu te montres efficace. Au moins deux caches dans la même nuit.

Ewert Grens avait eu affaire à des cinglés qui s'étaient emparés des clés du palais royal, il avait poursuivi des hommes de main qui s'introduisaient dans la morgue pour y entreposer les cadavres plutôt que de les abandonner dans une carrière. Des criminels qui subtilisaient les clés de bâtiments publics, cela n'avait rien d'exceptionnel.

Mais ces gens-là n'agissaient pas sur une grande échelle.

Ils n'avaient pas compris que tout Stockholm, que tout le pays fonctionnait sur le même modèle. Si on comprenait cela, on pouvait ébranler le pouvoir ; avec dix charges d'explosif placées à des endroits stratégiques, on pouvait faire sauter l'ensemble des réseaux d'électricité et de télécommunications et porter un coup fatal à la nation.

Ce n'était pas le but de l'homme qu'il cherchait.

Grens en était persuadé.

Il était comme les autres ; un petit délinquant ayant découvert le système par hasard, et qui se contentait d'en profiter pour survivre.

C'était toi qui te trouvais au centre des cercles tracés par les enquêteurs.

C'était toi qu'elle appelait au moment de sa fugue.

Il ne souriait plus. Il riait maintenant ; assez fort pour que les gens se retournent en secouant la tête. Et comme si cela ne suffisait pas, il se pencha en avant, ramassa une poignée de neige poudreuse et en forma une boule qu'il lança en l'air.

Le meurtrier de Liz Pedersen se trouvait sous ses pieds.

Il vivait là-bas, à quinze ou vingt mètres sous terre.

Riant toujours, il lança une deuxième boule de neige. Puis il rappela Krantz pour s'informer d'éventuelles empreintes dans la cage d'escalier d'Arbetargatan. Après un coup de fil à la direction de la logistique pour demander qu'on envoie une patrouille sur les lieux, il se dirigea vers Kronoberg. Il n'avait pas besoin de se rendre aux autres adresses. Il savait maintenant ce qu'il voulait savoir.

Si elle était en vie.

Si elle était en vie, elle était là, sous les pieds des gens qui enquêtaient sur sa disparition, depuis deux ans et demi. Sous l'asphalte, dans le secteur de l'hôtel de police.

Je te rejoindrai.

Je vous rejoindrai.

Je descendrai dans ce monde où vous vous croyez en sécurité.

La main de la prof s'était attardée sur les vestes suspendues aux patères du couloir.

Elle est morte. Je le sais.

Sven Sundkvist avait le sentiment pénible d'avoir rouvert de vieilles blessures. Luttant contre son malaise, il traversa la cour verglacée en direction de l'autre bâtiment, qui abritait les élèves les plus âgés. Jetant un regard curieux par les portes ouvertes, il put apercevoir des adolescents d'une quinzaine d'années penchés sur leurs cahiers, stylo en main. C'était plus moderne qu'à son époque ; il gardait le souvenir de portes fermées, d'enseignants refusant tout regard extérieur.

Dans la salle des profs, on lui offrit du café noir. Le café avait un goût amer à force d'être tenu au chaud, mais Sven le but tout en écoutant un jeune homme en jeans lui expliquer qu'il avait été le prof principal de Jannike Pedersen au moment de sa disparition et qu'il avait du mal à reconnaître celle-ci dans le portrait qu'en avait brossé sa collègue.

La jeune fille qu'il avait connue était différente. Déjà provocante alors qu'elle n'avait que treize ans. Lui faisant même des avances explicites. Il s'était dit qu'elle cherchait à tester son pouvoir de séduction sur quelqu'un d'inaccessible. Ce devait être du même ordre que les photos de chanteurs que les gamines punaisaient dans leurs chambres. Une sexualité à distance, éludant tout contact physique.

Sven Sundkvist l'écouta en se renversant sur un canapé en cuir marron gardant l'odeur d'une époque où il était encore permis de fumer dans les bâtiments publics. Il avait le sentiment d'être redevenu un enfant pénétrant dans une pièce où l'on ne se rendait que sur convocation, dans un monde d'adultes ayant le pouvoir de vous punir. Pour lui, la salle des profs restait associée à un certain malaise.

Le prof lui versa une autre tasse de café et s'assit à côté de lui. Son trouble était manifeste ; les questions de Sven avaient réveillé de vieilles douleurs. Il lui parla longuement d'une élève à qui il avait consacré beaucoup de temps, une élève qui avait continué de lui manger son énergie quand elle s'était mise à sécher les cours. Une élève qui n'avait pas hésité à aguicher des hommes adultes. Une élève arborant des mini-jupes et des bas résille déchirés. Il n'avait pas su répondre à ses appels au secours.

A la fin, les choses avaient changé.

Juste avant sa disparition.

Le prof se leva pour s'assurer qu'ils étaient bien seuls.

Elle s'était mise à sentir mauvais.

Elle arrivait en classe pas lavée.

Au lieu de jouer les aguicheuses, elle se montrait hostile.

Sven remercia le prof de lui avoir fait part de ses réflexions, d'avoir accepté de parler d'une jeune fille qu'il n'avait jamais appris à connaître, mais dont il gardait un souvenir indélébile. Puis il retrouva la cour déserte. Pendant qu'il se dirigeait vers sa voiture, il ne cessa de penser au désespoir de cette gamine qui faisait tout pour être vue, mais que personne ne voyait. Qui avait fini par fuguer, et que personne ne cherchait. Et qui les intéressait maintenant, non pas pour elle-même, mais parce qu'elle apparaissait dans une enquête pour meurtre. Il se racla la gorge, déglutit, chercha en vain à se débarrasser de son sentiment de honte.

Visiter le domicile d'une personne décédée avait toujours quelque chose d'étrange.

Quelqu'un avait lavé le verre à pied posé sur la paillasse de l'évier. Quelqu'un avait fait le lit dans la chambre à coucher, suspendu le manteau bleu sur un cintre dans l'entrée, empilé le linge sale dans une bassine cachée derrière le rideau de douche. Quelqu'un était parti en fermant la porte d'entrée sans savoir que c'était la dernière fois.

Ewert Grens n'avait jamais connu Liz Pedersen. Il ne l'avait même pas croisée.

Il se trouvait maintenant dans l'entrée de son appartement. A la recherche d'une jeune fille qui n'y vivait plus depuis plusieurs années.

C'était un appartement agréable du quartier de Södermalm, proche à la fois des grandes avenues bruyantes et de la verdure du parc de Tantolunden. Grens souriait en se disant qu'il s'était encore approché de la jeune fille. Et qu'il n'allait pas tarder à découvrir un homme dont il était persuadé qu'il avait commis un meurtre.

Je te rejoindrai. Je vous rejoindrai. Je descendrai dans votre monde.

L'appartement devait faire dans les quatre-vingts mètres carrés. Mais Grens n'avait pas besoin de tout fouiller ; il lui suffirait d'examiner sa chambre. Cette chambre où elle n'avait pas mis les pieds depuis longtemps, mais qui était restée celle d'une jeune fille de quatorze ans. En effet, tout portait à croire que rien n'y avait changé depuis son départ.

Il y pénétra. Une épaisse moquette de couleur claire. Un lit plein de coussins et de peluches, un bureau où trônait un ordinateur d'un modèle déjà ancien, une glace rectangulaire accrochée au-dessus de la coiffeuse, des rideaux sombres encadrant la fenêtre donnant sur une cour enneigée. Elle avait quitté le monde rassurant d'une chambre de jeune fille ; si l'hypothèse de Grens était juste, elle luttait maintenant pour survivre dans les dures conditions du monde des tunnels. Sa chambre était restée intacte, attendant quelqu'un qui n'existait plus. En quelques années, elle avait vieilli plus vite que son entourage ; si elle revenait, elle ne pourrait jamais reprendre sa vie d'avant comme si rien ne s'était passé.

Tu ne peux te réfugier nulle part. Pas même ici.

Il s'approcha de la coiffeuse. D'une main gantée de plastique, il y ramassa une lime à ongles où apparaissaient de minuscules fragments de peau, et une brosse où l'on voyait quelques longs cheveux bruns.

Il débrancha le clavier de l'ordinateur.

Défaisant le lit, il y découvrit une petite culotte coincée entre le cadre et le mur.

Les objets étaient maintenant enfouis dans un sac en plastique.

On a trouvé ta salive sur le corps de ta mère.

Ewert Grens quitta ce qui avait été l'univers d'une jeune fille. Puis il fit le tour de l'appartement. Si ce n'était l'absence de vie, tout lui parut normal.

Un baiser.

Il tira la chasse des W-C, fit couler la douche pour éliminer l'odeur de moisi. Il jeta un paquet de viande hachée mis à dégeler sur le plan de travail de la cuisine et qui baignait maintenant dans un jus douteux. Il arrosa les plantes vertes, bien conscient de la vanité de son geste : de toute manière, elles ne tarderaient pas à se faner.

Ton baiser.

Dans le rétroviseur, il vit s'éloigner les fenêtres sombres de l'appartement de Liz Pedersen.

Sur le boulevard périphérique, le flot de voitures avançait par à-coups. Au croisement de Hornsgatan, il en eut assez ; au grand dam des cyclistes, il coupa par Lundagatan et Högalidsgatan et prit le couloir des autobus, espérant ainsi gagner quelques minutes.

– Commissaire Grens ?

– Comment va-t-elle ?

Il était déjà sur le pont de Västerbron quand il parvint enfin à joindre une aide-soignante de Sophiahemmet.

– Il n'y a rien de changé.

– Rien de changé ?

– Rien depuis une heure.

Il s'apprêtait à raccrocher quand elle poursuivit, d'une voix tendue :

– Commissaire Grens ?

– Oui ?

– Depuis hier soir, vous nous appelez toutes les heures. Treize fois en treize heures. Je vous ai pourtant promis de vous tenir au courant du moindre changement.

– Oui ?

– Je comprends votre inquiétude, monsieur Grens. Mais vos appels… on dirait que c'est surtout pour vous rassurer. Cela ne fera pas évoluer l'état de votre femme.

Le pont de Kungsbron s'étendait comme un bras blanc entre Kungsholmen et Norrmalm ; la neige le recouvrait tel un édredon. En se garant devant l'immeuble où se trouvait le bureau d'Ågestam, il aperçut le 4 × 4 du procureur un peu plus loin. Le genre de voiture qu'affectionnaient les nouveaux riches.

Ågestam était donc là. C'était bien ce que Grens avait espéré.

L'ascenseur était tapissé de miroirs. Il recula devant le personnage qui le dévisageait : un homme d'une soixantaine d'années, trop gros, le teint grisâtre à force de manquer de sommeil. Pendant une petite minute, il allait rester seul ; il aurait pu en profiter pour ne penser à rien. Mais c'était plus fort que lui : il ne put s'empêcher de sortir son téléphone. Il avait besoin d'appeler quelqu'un, de parler à quelqu'un. Il fit d'abord le numéro de Sophiahemmet. Se rappelant la voix de l'aide-soignante, il raccrocha avant même d'avoir entendu la sonnerie. A la place, il essaya le numéro de Hermansson. Ils ne s'étaient pas vus depuis le petit déjeuner près du juke-box, et il n'avait pas eu le temps de lui téléphoner ; de toute manière, il lui faisait confiance pour se débrouiller avec l'affaire des quarante-trois enfants abandonnés. Malgré sa jeunesse, elle était compétente ; dans la police depuis cinq ans seulement, elle venait de passer commissaire ; à lui, il avait fallu plus de temps pour se sentir à l'aise dans le métier.

Hermansson ne répondit pas et il renonça à lui laisser un message. Les boîtes vocales, il n'aimait pas ça. Après avoir préparé sa phrase, il refit cependant le numéro pour lui demander de le rappeler. Sa voix sonna bizarrement à ses propres oreilles.

– Vous avez l'air fatigué.

Le jeune procureur était assis derrière un bureau où rien ne traînait. De sa fenêtre, on avait une vue panoramique sur la capitale. Ågestam faisait manifestement des efforts pour paraître compatissant.

– Je n'ai pas le temps pour des futilités.

– Sundkvist m'a dit que vous... traversiez une période difficile.

Grens avait toujours détesté ce type impeccablement habillé ; il ne s'en cachait même pas.

– Cela ne vous regarde pas.

– Comment va...

– Je travaille. Je suis là pour parler boulot. Si vous avez le temps de m'écouter, je veux dire.

Lars Ågestam poussa un soupir. Encore une fois il avait oublié que cela ne servait à rien. Il se considérait comme un homme normal ; entre hommes normaux, on se montrait aimables et il faisait donc ce qu'il pensait qu'on attendait de lui. Mais avec Grens, cela ne marcherait jamais.

– Du café ?

– Pas en votre compagnie.

Ågestam soupira de nouveau. Deux fois. Puis il leva les mains et fit le geste de se rendre.

– Je vous écoute.

Ewert Grens fit semblant de ne pas voir le fauteuil que le procureur lui indiquait.

– J'ai l'intention d'y descendre.

– Descendre où ?

– Dans le réseau des tunnels.

– Comment...

– Et je compte y pénétrer par l'accès de Kronoberg. Avec la brigade d'intervention. Aujourd'hui même.

– Avec la brigade d'intervention ? Mais il y a la brigade du métro. Des gens qui s'y connaissent.

– Les tunnels dont je vous parle n'ont ni rails ni quais. Il n'y a pas de lumière, c'est étroit, on y sera en terrain inconnu. Il me faut la brigade d'intervention.

Lars Ågestam sourit.

– Et vous pensez l'obtenir ?

– Oui. Et j'y descendrai aujourd'hui même. Avec quatre-vingts hommes.

Le sourire du procureur céda la place à quelque chose qui ressemblait à une moue de mépris.

– Quatre-vingts hommes ? Mais c'est la brigade tout entière.

– En effet. J'ai besoin de tout le monde. Y compris ceux qui sont de repos. Peu importe s'il faut payer des heures sup.

Le procureur secoua la tête.

– Là, ça ne dépend plus de moi. Pour ça, il faut vous adresser au préfet de police.

Grens avait trente-deux dossiers sur son bureau. Et il venait d'en hériter de deux supplémentaires, avec l'histoire des enfants roumains et celle de la femme retrouvée morte dans le sous-sol de l'hôpital.

– Merde, Ågestam, on n'a pas de temps à perdre !

Et comme si cela ne suffisait pas, le seul être qui comptait pour lui était sur le point de s'en aller. Il était resté auprès d'elle, lui serrant la main si fort qu'il avait failli la broyer.

– Nous savons que le meurtrier de la femme de Sankt Göran est là-bas.

Il avait toujours eu du mal à dominer sa colère.

– Nous savons également que sa fille, disparue depuis deux ans et demi, est là-bas.

Mais là, sa propre colère lui faisait peur. Il criait, tapait du poing contre les murs ; les images d'Anni, un tuyau dans la bouche, et celle de Liz Pedersen, le visage mangé par les rats, se mélangeaient à celles de son propre appartement désert, de ses nuits solitaires sur le canapé de son bureau. Il allait défaillir, ses jambes se dérobaient sous lui, il avait chaud, la transpiration lui coulait dans le dos.

Il s'affaissa dans le fauteuil qu'il avait dédaigné tout à l'heure. Petit à petit, la tête cessa de lui tourner et il sentit de nouveau ses bras.

– « Nous savons » ?

Il déglutit.

– Je sais.

Ewert Grens déroula une longue chaîne d'indices conduisant tout droit vers le monde souterrain. Des empreintes d'un seul et même homme retrouvées sur le corps d'une femme morte, dans sept bâtiments public cambriolés et dans des entrées d'immeubles près de Fridhemsplan, où des passes de la Défense civile avaient été dérobés.

— Et en plus, Ågestam, il y a les mêmes empreintes sur les échelles par lesquelles on accède au réseau des tunnels. Des échelles qui se trouvent sous les plaques d'égout du secteur de Fridhemsplan.

Ses angoisses s'étaient évaporées.

— Le meurtrier que nous cherchons est là, sous nos pieds !

Il pouvait de nouveau se lever.

— A l'heure qu'il est, il est peut-être en train de se promener sous l'hôtel de police. Vous vous rendez compte, Ågestam, sous l'hôtel de police !

Grens arpentait la pièce ; son corps massif semblait occuper tout l'espace. Découragé, Ågestam se renversa dans son fauteuil. Ce fou furieux finirait bien par s'épuiser.

— Vous avez terminé ?

Peu enclin à répondre, Grens continuait de marcher de long en large.

— Vous m'avez appelé ce matin à 2 heures et demie. A 7 heures et demie vous étiez à l'hôpital Sankt Göran, sur la scène du crime. Nous sommes maintenant à l'heure du déjeuner et vous venez de perquisitionner l'appartement de la victime. Vous dormez quand ?

— C'est mon problème.

— Et en plus, vous avez des soucis d'ordre personnel…

— Je vous ai dit tout à l'heure que ça ne vous regardait pas.

Lars Ågestam appuya les coudes sur son bureau et leva les yeux vers Grens.

— Vous n'êtes pas dans votre état normal, Ewert. Vous avez besoin de sommeil. Reposez-vous. Pendant ce temps, je m'occuperai de l'autorisation que vous demandez.

Il avait mal dans les épaules, dans la nuque, jusqu'à la naissance des cheveux. S'il levait un peu la tête de l'accoudoir du canapé, s'il se laissait tomber par terre comme il le faisait parfois, ces satanées douleurs cesseraient peut-être de lui irradier le dos et la tête.

Ewert Grens avait rechigné à s'allonger. Il avait trop de boulot. En plus, c'était Ågestam qui lui avait dit de se reposer. Mais, au moment même où il avait ouvert la porte de son bureau, le téléphone s'était mis à sonner. Il n'avait pas répondu, si bien que son portable avait pris le relais. Et comme il ne l'avait pas non plus décroché, le fixe avait recommencé à sonner de plus belle. A bout de forces, il avait fini par céder. Et il avait tout de suite reconnu la voix de l'aide-soignante de Sophiahemmet.

– Il y a un léger changement.

Il n'avait pas osé bouger.

– Son état s'est un peu amélioré.

Pour la première fois depuis vingt-quatre heures, Anni respirait sans assistance. Les fortes doses d'antibiotiques étaient en train de vaincre les microbes qui détruisaient son corps.

Il n'avait même pas ressenti de la joie. Seulement une immense fatigue. Il s'était dirigé vers le canapé, puis il s'était allongé. Recroquevillé, la tête posée sur l'accoudoir, il s'était endormi aussitôt.

– Tu as essayé de me joindre.

C'était pour cela qu'il s'était réveillé. Une voix. Hermansson se tenait sur le pas de la porte.

— Tu m'as laissé un message sur ma boîte vocale. Je ne m'étais pas rendu compte que tu dormais. Je peux…

— Je ne dormais pas.

Il s'était laissé tomber sur le sol. Il se redressait maintenant sur ses genoux. Prenant appui sur le bord du canapé, il parvint à se mettre debout. Hermansson vit son regard fatigué. Elle se rappela leur conversation de la nuit, les confidences qu'il lui avait faites.

— Comment va-t-elle ?

— Qui ?

— Anni.

— Toi aussi ! Ça ne te regarde pas.

Ils avaient dansé. Alors que le jour ne s'était pas encore levé, il l'avait entraînée au café et ils avaient dansé entre le juke-box et la table. Lui en chemise blanche, avec son étui à pistolet dont le cuir était aussi usé que le tissu marron de son canapé.

— Je t'appelais pour savoir où tu en étais. Avec l'affaire des enfants.

Elle non plus n'avait pas dormi. Elle avait bien essayé de s'allonger un peu dans la matinée ; elle était rentrée chez elle, dans son appartement à l'ouest de Kungsholmen. Elle avait senti que son corps réclamait du repos, mais elle n'avait pas pu chasser de son esprit la scène à laquelle elle avait assisté dans la famille d'accueil : le petit garçon pris de spasmes pendant le repas.

— Ils sont très abîmés. Ils ont tous les symptômes d'une toxicomanie déjà ancienne.

Elle lui parla de leur peur de s'asseoir à table, lui décrivit la crise d'épilepsie, lui expliqua qu'ils paraissaient habitués à voir un des leurs dans cet état-là.

— Je suis crevé. J'aimerais bien que tu en viennes aux faits.

— Les faits sont là.

Elle n'était pas comme Ewert. Elle n'arrivait pas à feindre l'indifférence. Il lui fallait parler des choses pour être capable d'avancer.

— Je m'en fous de ce que tu ressens. Ce que je veux savoir, c'est comment l'enquête évolue.

– Et moi, je veux que tu m'écoutes. Ensuite, j'en viendrai aux faits, comme tu dis.

Elle ne l'aimait pas. Elle n'avait pas peur de lui. Elle éprouvait la même chose que tout à l'heure, pendant la nuit.

Elle le plaignait.

– Ce garçon a douze ans. Il se roulait par terre en mordant dans un torchon. Et lui, ce n'est qu'un parmi d'autres.

Mariana Hermansson continua de raconter les choses à sa manière. Elle ne pouvait se résoudre à adopter le point de vue de son chef – un homme très seul et bien plus âgé qu'elle.

Quarante-trois enfants en mauvais état physique et psychique étaient maintenant placés dans des familles d'accueil de la région de Stockholm.

Mais ce n'était que provisoire.

Dans la matinée, les services sociaux avaient fait savoir qu'ils n'avaient pas les moyens d'assurer leur placement jusqu'à la fin de l'enquête. Ils en assumeraient les frais pendant une semaine. Ensuite, les enfants devraient être renvoyés dans leur pays.

Elle s'approcha de Grens, essaya de capter son regard.

– Et, en se référant à un paragraphe dont je ne me souviens pas, ils envisagent de mettre le bébé dans un foyer.

– Le bébé ?

– Le fils de Nadja.

– C'est important pour l'enquête ?

– Pour moi, ça l'est.

Grens s'étira, bâilla. Il demanda à Hermansson d'attendre un instant, sortit dans le couloir et se dirigea vers la machine à café. Il fallait qu'il se réveille. Il but un premier gobelet d'un seul trait, s'en fit couler un second et retourna dans son bureau.

– Je crois que nous y serons bientôt.

Hermansson constata qu'il ne lui avait pas demandé si elle voulait du café. Il était donc moins inquiet ; Anni devait aller mieux.

– Que nous y serons ?

– Que nous touchons au but.

Elle le laissa s'asseoir sur le bord de son bureau avant de lui raconter ce que lui avait appris Klövje : qu'on avait découvert d'autres cars garés sur des parkings d'aéroport de quatre grandes villes européennes. Que cent quatre-vingt-quatorze enfants avaient été abandonnés dans Francfort, Rome, Oslo et Copenhague. Que les enquêteurs locaux s'étaient montrés peu coopératifs, réticents à répondre aux questions.

– Ce matin, j'ai eu un coup de fil du Bundeskriminalamt allemand. Un commissaire, je crois.

– Son nom ?

– Bauer.

– Connais pas.

– Il voulait me parler. Nous parler. Mais pas au téléphone. Sujet trop sensible, paraît-il.

– Eh bien ?

– Il prend l'avion à Wiesbaden dès ce soir.

Trois heures sur le canapé trop petit.

Grens avait toujours mal à la nuque, mais il se sentait étrangement éveillé.

Anni respirait sans assistance. Hermansson menait son enquête avec efficacité, comme il l'avait espéré. Et il croyait savoir où se trouvait le meurtrier de Liz Pedersen.

On frappa à la porte.

– Vous avez l'air plus reposé.

Ågestam.

– Vous avez bien fait, Grens.

– Bien fait ?

– De m'écouter.

Ewert Grens secoua la tête avec irritation.

– Vous voulez quelque chose ?

– Je suis venu vous transmettre une autorisation. Une autorisation à descendre dans les tunnels.

Lars Ågestam fit un pas en avant, un document à la main. Il le posa sur le bureau.

– J'espère que vous savez ce que vous faites, Grens.

Le commissaire ne répondit pas. Il se dirigea vers les étagères, attendit le départ du procureur, fouilla parmi les cassettes, finit par en choisir une avec les tout premiers succès de Siw. Puis il chanta à l'unisson du haut-parleur tout en passant trois brefs coups de fil.

– Ah, tu es réveillé maintenant ?

Grens poussa un soupir.

– Mais qu'est-ce que vous avez tous à m'emmerder ?

– Je suis déjà venu frapper deux fois.

– Je m'étais allongé pour réfléchir. Depuis quand c'est interdit ?

Sven Sundkvist sourit. Il savait que Lars Ågestam avait conseillé à Ewert de dormir un peu. Ewert ne lui avouerait donc jamais que c'était ce qu'il venait de faire.

Sven s'assit sur le canapé qui avait servi de lit à son chef.

– Tu dormais comme un bébé.

La musique, la voix de Siw Malmkvist agissaient comme un remontant ; Ewert avait repris des forces. Les quelques poils qui lui restaient sur le caillou avaient beau être ébouriffés par le sommeil, il était tout sauf endormi. Sven aurait voulu retrouver la sensation de calme que dégageait son chef quand il était bien reposé, mais il paraissait maintenant agité, surexcité. Ses changements d'humeur étaient plus violents que jamais.

– Nous allons y descendre dans quelques heures.

– De quoi tu parles ?

– Nous allons y descendre, Sven. Rejoindre le type qui transporte des cadavres. Rejoindre la fille disparue.

Sven Sundkvist savait maintenant ce qui n'allait pas. Cet homme était en crise ; il agissait de manière irrationnelle.

– Ewert ?

– Oui ?

– Ça va mal se passer.

– Erreur, Sven. Ça va très bien se passer.

Ses cheveux, autrefois épais, ne formaient plus qu'une sorte de couronne autour de son crâne dégarni. Quand il y passa une main, ils se hérissèrent dans tous les sens.

– Nous avons une réunion technique dans quarante-cinq minutes. Toute la brigade d'intervention, quatre-vingts hommes, sera là. Dans une heure et demie, à 17 heures précises, nous stationnerons vingt unités de collègues dans le secteur de Fridhemsplan.

Sa voix couvrait maintenant celle de la cassette, qui faisait entendre un refrain monotone.

– Chaque unité sera composée de quatre hommes. Ils se placeront près des bouches d'égout dans le secteur compris entre Drottningholmsvägen au sud, Mariebergsgatan à l'ouest, Fleminggatan au nord et Sankt Eriksgatan à l'est. Ainsi nous couvrirons tous les accès au réseau de tunnels.

Se penchant en avant, il prit un document posé sur son bureau.

– Le but de l'opération, le voici.

Sur le document brandi par Grens, Sven reconnut la signature du préfet de police.

– Il s'agit de vider les tunnels de leurs habitants et de les emmener ici pour interrogatoire.

Dehors, la nuit tombait déjà.

Alors qu'on était encore au milieu de l'après-midi, l'obscurité gagnait du terrain.

Janvier n'était pas un mois agréable. Sven n'avait jamais aimé cette période de l'année.

– Tout ça ne me dit rien, Ewert.

– Vraiment ?

– Ce n'est pas une bonne idée d'y pénétrer de cette façon.

– Je prends note de ton avis.

Grens était inébranlable.

– Depuis quelques heures, j'ai appris pas mal de choses sur les gens qui vivent là-bas. Je suis persuadé que cette méthode n'est pas la bonne. Tu m'écoutes ? Ce n'est pas avec des hommes armés que nous parviendrons à nos fins.

Sven Sundkvist savait que son chef ne tiendrait aucun compte de ses objections.

– Nous avons besoin de savoir ce qu'ils peuvent nous apprendre. Or, de cette façon... Tu le sais aussi bien que moi ; quand les gens ont peur, on ne peut rien en tirer.

Mais il devait continuer, ne serait-ce que pour lui-même.

– Et en plus… brigade d'intervention ou pas, en précipitant quatre-vingts hommes dans un monde dont ils ignorent tout, on les met en danger de mort.

Ewert Grens arpentait la pièce, en proie à une grande agitation.

– Je note ce que tu dis, Sven.

Il paraissait pressé.

– Mais nous allons y descendre.

Il courait dans l'obscurité, à moitié penché en avant. Le cône de lumière de sa lampe frontale l'énervait ; les rats grouillaient entre ses pieds. Il les chassait, il devait les attraper, mais seulement les gros ; quand il était dans cet état, il lui fallait des rats avec une queue de cinquante centimètres. Leo sentit le plafond du tunnel lui érafler le crâne, il était grand et le passage était étroit. Il frappa l'animal, qui finit par se dresser sur ses pattes arrière, montrer les dents et siffler. Ce sifflement, c'était un peu comme le bruit de sa propre folie.

Il n'avait pas peur, et il était persuadé que le rat le sentait. Ces choses-là, on s'en rend compte, il n'y a que les chasseurs et leur proie qui peuvent le comprendre.

Soudain, l'animal renonça à se battre.

Il s'affaissa, se tut, déguerpit.

Ce n'était pas normal.

Leo se posta à l'intersection de deux tunnels, un de ces endroits où le réseau de l'armée croisait celui des égouts. Il suivit du regard le rat qui s'enfuyait. Puis il comprit.

L'animal avait senti le danger avant lui. Un danger bien plus menaçant.

Là-bas, au loin, une lumière éclairait les parois du tunnel.

Il s'immobilisa.

La lumière s'approchait.

Il crut d'abord que c'étaient les autres. Miller, peut-être, ou une des onze femmes qui venaient là de temps en temps, utilisant les accès qu'il considérait comme les siens. Comme il n'avait pas spécialement envie de les voir, il courut jusqu'à la prochaine intersection.

Un cône de lumière. Puis un autre. Et encore un autre.

Derrière lui, devant lui, à sa gauche. Des cônes de lumière de tous les côtés. Et puis les voix. Excitées, se mêlant aux aboiements des chiens. Il détestait la lumière, il détestait les bruits qui résonnaient entre les parois en béton et lui vrillaient le cerveau.

Ils veulent me prendre mes clés.

Ils veulent me prendre Jannike.

Leo éteignit sa lampe frontale et se précipita dans le seul couloir plongé dans le noir. Il courait vite, plus vite que quiconque ; il connaissait les lieux.

Au coin d'Arbetargatan et Sankt Göransgatan, Ewert Grens vérifia que les barrières bloquant deux des principales artères du centre de la capitale étaient bien en place.

Quelques minutes plus tôt, il avait vu quatre hommes de la brigade d'intervention soulever une plaque d'égout et disparaître sous terre. Combinaisons bleu foncé, casques de protection blancs, de petites lampes frontales puissantes, des pistolets Sig Sauer P228 dans des étuis noirs. Des badauds s'étaient arrêtés, les montrant du doigt. Derrière les rideaux, les gens se massaient, l'air inquiets.

A quinze mètres sous ses pieds se trouvait un meurtrier. Bientôt il l'aurait en face de lui.

Il s'apprêtait à y descendre.

Sven Sundkvist tourna la clé de la Défense civile. La serrure était rouillée, mais elle finit par céder. Derrière lui, le chien aboyait. Du coin de l'œil, il voyait deux des quatre policiers de la brigade d'intervention.

Il ouvrit la porte située dans le mur du sous-sol de l'hôpital.

C'était par ici qu'on avait transporté le corps.

Il franchit le seuil, respira l'air humide.

Il était maintenant dans le réseau des tunnels.

Des barres de métal fixées dans la paroi de béton.

Ewert Grens descendait avec précaution.

Les barres étaient glissantes et trop espacées, il était lourd et il manquait d'agilité ; à mi-chemin il avait déjà des douleurs dans les cuisses et il respirait mal.

La chaleur l'enveloppait.

L'odeur de vêtements humides et de feuilles mortes brûlées lui piquait le nez.

Arrivé en bas, il avait les jambes flageolantes. Il prit la lampe frontale que lui tendait un jeune policier de la brigade d'intervention, espérant que celui-ci n'avait pas remarqué les gouttes de transpiration qui coulaient sur ses joues rougies par l'effort.

Il attendit d'avoir récupéré une respiration normale.

Sur dix-neuf autres sites dans le secteur de Fridhemsplan, des unités de quatre policiers étaient également en train de descendre dans le Stockholm souterrain, passant par des bouches d'égout, par les portes de communication des bâtiments publics ou par les tunnels du métro. A la recherche d'un homme, ils allaient débusquer tous ceux qui se cachaient là-bas.

Grens fit signe à son unité de prendre la direction qu'il avait déjà indiquée lors de la réunion, une heure plus tôt. Pas à pas, les hommes avancèrent dans l'obscurité, pas à pas, ils pénétrèrent dans un monde qui était celui de l'assassin. Ils n'étaient pas pressés ; ils le cernaient à partir de vingt points différents.

Grens commençait à s'habituer à la lumière de sa lampe frontale.

Il parvenait même à distinguer les rats qui s'enfuyaient.

Il travaillait dans la police de Stockholm depuis trente-quatre ans. Il connaissait l'existence du réseau qui s'étendait sous ses pieds ; beaucoup d'enquêtes touchaient d'une manière ou d'une autre au monde des tunnels, on avait toujours affaire à quelqu'un qui connaissait quelqu'un, quelqu'un qui en savait trop et qui avait besoin de se cacher. Mais le commissaire avait rarement eu l'occasion d'y pénétrer. Et il venait seulement de comprendre que la plupart des gens qui y vivaient n'étaient pas des criminels. Ce n'étaient pas des gens recherchés par la police ; ils habitaient là, tout simplement. Personne ne devrait vivre comme ça. Grens tâta la paroi humide. Ces gens-là, il faudrait les obliger à remonter ; il faudrait contraindre les services sociaux à s'occuper d'eux, condamner les accès aux tunnels.

Le passage se faisait plus étroit, le plafond était plus bas ; Grens dut courber sa nuque raide. Il marchait quelques pas derrière les quatre hommes ; leurs casques blancs semblaient flotter comme des bouées au-dessus de leurs corps. Il entendit un aboiement venant de sa gauche ; d'abord assez faible, il s'approchait petit à petit.

Il s'arrêta, tendit l'oreille.

Quand un chien aboie, il est sur une piste.

Sven Sundkvist était resté un moment dans l'obscurité avant de refermer la porte. Il avait voulu s'y habituer progressivement, laisser la lumière des néons de l'hôpital se mêler à celle de sa lampe frontale.

C'était du moins ce qu'il s'était dit.

En réalité, il n'avait aucune envie de faire un pas de plus.

Il s'était démené pour faire comprendre à Ewert qu'il avait tort. Il avait argumenté, supplié, menacé, mais tous ses efforts avaient été vains. Ewert avait refusé de l'écouter ; malgré les objections de Sven, il était décidé à mener à bien l'opération.

Il soupira intérieurement. Pas question de montrer son désarroi ; il était censé commander les quatre hommes de son unité. Ce n'était pas son rôle de contester une décision prise par son chef.

Comme il était plongé dans ses réflexions, l'aboiement le fit sursauter.

– Il est sur une piste.

Un nouvel aboiement. Toujours aussi fort. Le maître-chien allongea le pas.

– Il flaire quelque chose.

– Quoi ?

– Je ne sais pas encore. Quelque chose qu'on est incapables de sentir, toi et moi.

Leo avait entendu les chiens, les voix excitées. *Elle est en danger.* Après avoir éteint sa lampe frontale, il avait couru vers le seul couloir plongé dans le noir. Ils l'entendaient peut-être, ils le flairaient peut-être, mais au moins ils ne le verraient pas.

Quand il ouvrit la porte de leur chambre, quelques minutes plus tard, il était hors d'haleine.

— Il faut qu'on s'en aille.

Elle était assise dans le fauteuil en cuir. Elle se recroquevilla, effrayée.

— Tout de suite, Jannike.

Il se précipita vers les palettes à moitié démantibulées, les traîna jusque dans le couloir, força Jannike à se mettre debout et s'empara du fauteuil. Il restait encore une demi-bouteille d'alcool à brûler. Il en aspergea le bois et le fauteuil. Puis il cria à la fille de s'éloigner.

Les aboiements s'approchaient.

Les voix, il parvenait maintenant à les distinguer les unes des autres.

Il était pressé, mais il n'avait pas peur. Il savait que les autres faisaient pareil, qu'ils rassemblaient les palettes, leurs meubles, leurs affaires, et y déversaient de l'alcool à brûler.

Il regarda Jannike. Elle semblait avoir compris. Il lui caressa la joue, puis il ferma la porte de leur chambre à clé.

Trois allumettes lui suffirent.

Il les jeta sur le tas de bois, puis il recula de quelques pas.

Les flammes s'élevèrent aussitôt, agressives, affamées. Elles s'emparèrent du bois, du cuir ; une fumée noire se répandit, emplissant le couloir. Aspirée par le courant d'air, elle s'engouffrait dans le tunnel que Leo venait de quitter.

Prenant Jannike par la main, il l'entraîna dans l'autre direction. Et ils coururent pour échapper à la fumée, pour échapper aux chiens et aux voix.

Le chien était dans l'obscurité, quelque part devant eux. Sa longue laisse était tendue ; le maître-chien en avait pourtant déroulé huit ou dix mètres.

— Il est sur la piste de quelque chose.

— Quoi ?

— Je n'en sais rien. Sauf que ça doit se trouver là-bas.

Sven Sundkvist s'était habitué aux aboiements. Ce n'était pas de l'agressivité, mais de l'excitation ; le berger allemand voulait faire plaisir à son maître. Sven transpirait ; il avait l'impression de suffoquer, le tissu de son uniforme lui collait à la peau. Il courait, tendait l'oreille, réfléchissait, mais il était toujours aussi désorienté. Il ne comprenait pas ses propres réactions. En tant qu'être humain, il avait vertement critiqué son chef ; l'opération était mal conçue, on n'obtenait pas d'informations en terrorisant les gens, c'était une erreur de pénétrer dans un milieu hostile avec si peu de préparation. Mais il était policier, il traquait un criminel, et la traque vous mettait parfois dans un étrange état d'euphorie. Comme maintenant, avec ce chien qui flairait des choses que lui-même était incapable de sentir. Il y avait quelqu'un là-bas ; quelqu'un qui fuyait.

L'animal s'arrêta soudain, tourna la tête et éternua.

— Qu'est-ce qui se passe ?

Le maître-chien secoua la tête.

— Je ne sais pas.

Le berger allemand éternua de nouveau. Comme un être humain qui aurait les voies respiratoires irritées.

— Pourquoi…

— Je ne sais pas.

Au bout de quelques secondes, il la sentit.

Puis il la vit. La fumée. Epaisse, et toute proche.

Ewert Grens mit le talkie-walkie à la hauteur de sa tête pour obtenir une meilleure réception. Il appuya de nouveau sur le bouton du volume, alors qu'il était déjà poussé à fond.

Sa voix était tendue, stridente.

— A toi, Sven.

Les mots paraissaient se brouiller.

Dans ce tunnel, même les appareils les plus sophistiqués rencontraient des problèmes.

— A toi, Sven.

Ce foutu grésillement. La voix de Sven Sundkvist était à peine audible.

– Je t'entends.

Craignant de perdre la liaison, Grens s'immobilisa.

– On sent une odeur de fumée.

– Ewert, je crois que je…

Un nouveau grésillement, puis la liaison fut coupée. Grens poussa un juron, appuya de nouveau sur le bouton, se mit à crier. Il savait pourtant que c'était une question d'électronique et d'ondes sonores.

– Répète !

– Je crois que j'en vois la source, Ewert.

– Nous sommes dans deux couloirs différents. Ça ne peut pas être la même fumée.

– Alors ça brûle dans plusieurs endroits.

Jannike tremblait.

Assise par terre, elle regardait Leo allumer un nouveau feu.

Mais les deux matelas empilés sur le sol ne voulaient pas brûler. Ils paraissaient fondre et dégageaient une fumée âcre. Un peu comme si on respirait de l'ammoniaque.

Leo alla chercher un pneu, disparut de nouveau, réapparut avec un second pneu.

La fumée formait maintenant un mur compact et sombre, barrant l'accès au couloir qu'ils venaient de quitter.

Jannike se recroquevilla sur le rebord en béton qui formait une sorte de trottoir. Dans certains tunnels, il y avait des rebords rehaussés ; ils restaient toujours secs, même quand l'eau montait. Elle avait peur. Elle avait compris qu'ils étaient traqués ; elle avait entendu les voix et les aboiements ; en courant dans le couloir, elle avait vu des feux s'allumer un peu partout. Une solidarité éphémère s'était créée entre les habitants du monde souterrain ; c'étaient eux contre les gens d'en haut.

Elle s'était d'abord dit que Leo avait des hallucinations ; quand il était dans une phase maniaque, il lui arrivait de voir et d'entendre des choses qui n'existaient pas. Mais maintenant elle avait compris. Ils devaient fuir.

Elle ignorait qui ils fuyaient, elle ignorait pourquoi. Mais elle ne posa aucune question.

Son talkie-walkie muet à la main, Ewert Grens ne bougea pas.

Il vit la fumée envahir le couloir. Il savait que la situation avait changé. Cette fumée noire était une menace, un danger ; dans le réseau clos des tunnels, le feu n'allait pas tarder à consommer l'oxygène. Si la fumée remontait par les puits d'accès, ils étaient coincés.

Bientôt, ils ne pourraient plus s'échapper.

Jannike se redressa.

Leo était prêt. En fondant, les matelas et les pneus crachaient de la fumée. Il se tourna vers elle, lui dit de mettre sa lampe frontale et de courir aussi vite que possible.

Ils traversèrent des couloirs qu'elle ne connaissait pas, les parois se resserraient et le plafond semblait de plus en plus bas. Quand Leo s'arrêta enfin, ils ne pouvaient plus se tenir debout. Elle mit du temps à découvrir la porte dissimulée dans le mur. Leo sortit ses clés et en essaya deux avant de trouver la bonne. Le couloir de communication était encore plus étroit ; elle hésita à s'y engager, mais Leo frappa contre les murs et fit des moulinets avec les bras pour la contraindre à obéir. Elle se mit à ramper ; le sol rugueux lui écorchait les genoux et elle pleurait, mais Leo la poussait pour la faire avancer. Le couloir ne faisait que cinquante centimètres de large et cinquante centimètres de haut ; elle dut se mettre à plat ventre pour parcourir le dernier tronçon. Elle saignait des bras et s'écrasait la poitrine contre le béton, mais elle ne sentait plus la douleur.

La trappe était en métal gris. Jannike s'aplatit contre le mur ; Leo se glissa jusqu'à sa hauteur, une clé à la main.

De l'autre côté s'ouvrait une pièce ordinaire.

Elle se redressa, regarda autour d'elle. La lumière de sa lampe frontale balaya les murs, le sol.

Des bancs d'école. Des chaises empilées les unes sur les autres. Des rayonnages vides.

Ils avaient quitté le réseau des tunnels.

Sven Sundkvist tenait dans ses bras deux couvertures ayant échappé aux flammes. S'aplatissant sur le sol, il entreprit d'étouffer le feu. C'était un des moins importants ; il avait déjà réussi à le réduire un peu en dégageant avec les pieds des cartons et des palettes de bois enflammés. Mais la fumée se propageait rapidement et il avait du mal à respirer. Il commençait à paniquer ; un bref échange de regards avec les quatre hommes sous ses ordres lui révéla qu'il n'était pas le seul.

– A toutes les unités...

Dans le talkie-walkie, la voix de Grens se faisait entendre par à-coups.

– A toutes les unités. Interrompez l'opération.

Si on ne connaissait pas Ewert Grens, on l'aurait cru en colère. Mais Sven le savait : le ton de sa voix exprimait autre chose.

– Quittez le réseau des tunnels. Je répète : interrompez l'opération. Quittez les lieux. Immédiatement.

De la peur.

Ewert avait peur, lui aussi.

Il venait de reculer jusqu'à une intersection de tunnels. Des couloirs s'y croisaient et partaient dans quatre directions différentes.

La fumée dévalait de tous les côtés.

Ewert Grens se plaqua contre le sol. Sa jambe lui faisait mal. Les quatre hommes de son unité étaient quelque part derrière lui ; il ne les voyait pas, mais il les entendait avancer à plat ventre.

Il fallait remonter.

A quelques mètres d'eux se trouvait un couloir latéral. Après y être parvenus, ils se redressèrent et continuèrent d'avancer selon les routines de sécurité adoptées quelques heures plus tôt.

Ils coururent jusqu'à se heurter à un nouveau mur de fumée.

Ils attendirent quelques minutes, le temps de s'assurer que personne ne les avait suivis. Jannike comprit vite ce que Leo savait déjà ; les bancs, les chaises et les étagères indiquaient qu'ils se trouvaient dans une école. A chaque pas, ils soulevaient de la poussière ; ils éternuèrent plusieurs fois en déplaçant les bancs et les chaises qui masquaient la porte. La porte donnait sur un couloir ; il y faisait sombre, mais beaucoup moins que dans les tunnels, et ils purent éteindre leurs lampes frontales.

Leo bougeait avec aisance ; il connaissait les lieux.

Elle marchait derrière lui. Son tremblement avait cessé ; elle se sentait en sécurité, elle lui faisait confiance. Si elle restait près de lui, on ne la trouverait pas.

Le vaste bâtiment était plongé dans le noir. Ils montèrent deux escaliers, de ce qui devait être le deuxième sous-sol, pour atteindre le rez-de-chaussée.

La prenant par le bras, Leo la conduisit jusqu'à deux fenêtres donnant sur la cour de récréation bordée d'une rue étroite. Il lui montra du doigt la fumée qui s'élevait à travers l'asphalte.

Nous sommes faits comme des rats.

Dans un mélange de colère et de frayeur, Ewert Grens donnait des coups de poing dans l'air enfumé.

Avec leurs feux, ils protègent un meurtrier.

Il savait qu'ils avaient perdu. A moins de trouver rapidement une solution, ils étaient en danger de mort. Il brandissait de nouveau son poing quand un de ses hommes lui montra du doigt une ouverture dans le plafond.

Un puits d'accès.

Au-dessus de leurs têtes, des barres de métal étaient scellées dans le mur d'une étroite cheminée de béton.

Appuyant ses pieds sur les mains de deux de ses hommes, Grens parvint à hisser son corps lourd jusqu'à la première barre. Les barres étaient glissantes et il soufflait bruyamment à chaque pas. La poitrine oppressée, il avait grimpé cinq ou six mètres lorsqu'il entendit le bruit.

Un coup de feu.

Il s'arrêta. Il devait faire demi-tour. Retourner en bas.

Cherchant à tâtons, son pied se heurta à quelque chose. En se retournant, Grens vit un de ses hommes remonter derrière lui en toussant violemment. Et juste en dessous, la fumée noire s'engouffrait dans le puits d'accès.

Il était trop tard pour rebrousser chemin.

Leo la tenait toujours par le bras. Tout excité, il se passa la main sur le menton. Ils étaient devant une des fenêtres de l'école de Fridhem. Dehors, les réverbères éclairaient une neige immaculée. La cour était déserte ; dans les immeubles en face, tout était éteint.

Ils virent soudain une plaque d'égout se soulever et une épaisse fumée envahir la rue.

Manifestement à bout de forces, un homme coiffé d'un casque blanc parvint à s'extraire du puits. Puis d'autres hommes apparurent ; quatre en tout. Toussant violemment, ils s'arrachèrent leurs casques et s'assirent sur le trottoir. Des badauds étaient sortis, regardant avec curiosité la fumée noire qui montait du trou. En face, on voyait des silhouettes bouger derrière les rideaux. Des visages inquiets apparaissaient aux fenêtres.

Maintenant

Mercredi 9 janvier,
15 h 50,
église Sankta Clara

Il commence à faire froid dans la vaste église. L'hiver s'infiltre partout ; avec l'obscurité de l'après-midi, c'est le froid qui arrive.

La jeune fille vient de se retourner.

Elle ne pouvait pas rester là.

La même phrase, deux fois.

Sylvi entend sa respiration. Une respiration forte, qui paraît s'accélérer.

Entre elles, les mots sont restés suspendus.

Ce n'est pas le début d'un dialogue. Pas même une tentative de communiquer, sans doute. La fille semble ne s'adresser à personne. Elle a lancé ses mots comme si elle devait s'en libérer.

Et ils continuent de vibrer dans l'air.

Sylvi attend.

C'est le seul moyen.

Il ne faut surtout pas l'effrayer. Juste rester assise à côté d'elle, lui faire comprendre qu'elle ne s'en ira pas, qu'elle ne se laissera pas décourager par son silence et son regard fixe. Elle a elle-même fait partie de ce monde.

Les mains de la jeune fille. Elle serre les poings à s'en faire blanchir les jointures. Comme si elle voulait se battre. Ou s'enfuir. Ou se détruire encore un peu plus.

La diaconesse prend le gobelet de jus posé sur la tablette servant à accueillir les bibles et les livres de cantiques. Elle en boit une gorgée. George l'a apporté pour la fille ; il est tiède, trop sucré, mais c'est une manière de s'approcher d'elle.

– Qui ne pouvait pas rester là ?

La voix de Sylvi est douce, amicale. Elle boit de nouveau une gorgée de jus. Pour la première fois, elle lève les yeux vers la fille.

Si jeune, si fragile.

Elle n'arrive toujours pas à capter son regard, mais elle voit ce que George a essayé de lui décrire : la saleté de sa doudoune rouge, sa jupe, ses deux pantalons superposés, la couche de suie qui recouvre sa peau.

Et il y a son odeur. Elle vit dans la rue depuis longtemps déjà. Sylvi est pourtant certaine de ne l'avoir jamais croisée. Son travail, c'est d'aller à la rencontre de ceux qui vivent dehors, mais cette fille, elle ne l'a vue nulle part. Ni dans le centre de Stockholm, ni près de l'église, ni à Sergels Torg, ni dans Drottninggatan ou à la gare centrale.

Elle vient d'un autre quartier.

Peut-être même d'une autre région.

Passive, l'air égarée. Pas vraiment absente, mais pas présente non plus. Comme en état de choc. Et elle a moins de dix-huit ans. La diaconesse n'a pas le choix, elle doit la signaler aux services d'aide à l'enfance. Une mineure qui refuse de parler, il faut s'en occuper.

Des pas sur les dalles. La diaconesse aperçoit un des pasteurs de l'église, un jeune homme qui cherche à attirer son attention ; *je peux vous aider ?* Sylvi secoue la tête ; *merci, pas pour l'instant.* Elle ne veut pas rompre le fragile contact qu'elle a réussi à établir.

Le banc grince légèrement. La fille respire de plus en plus fort ; sentant qu'elle est au bord de l'hyperventilation, Sylvi lui entoure les épaules de son bras.

La fille réagit comme si on l'avait frappée.

Elle se pousse, se recroqueville, se met à trembler.

Au lieu de retirer son bras, la diaconesse répète sa question.

– Qui ?

La doudoune est froide au toucher. Aux épaules, le tissu commence à s'effilocher.

– Qui ne pouvait pas rester là ?

Dix-neuf heures plus tôt

Dehors, l'obscurité se faisait plus compacte. En ouvrant la fenêtre de son bureau, Ewert Grens put entendre sonner la cloche de l'église de Kungsholmen. Il devait être 8 heures et demie.

Une forte odeur de fumée persistait dans la pièce.

Ils avaient ôté leurs combinaisons, mais ils n'avaient pas eu le temps de prendre une douche et se changer. L'odeur leur collait à la peau, imprégnait leurs cheveux, infestait leur haleine. Pas moyen d'échapper à ces satanés feux. Pas même ici, dans son propre bureau.

– Laissez ouvert.

Lars Ågestam était assis sur le bord du canapé, à bonne distance de Sven Sundkvist. Il tenait manifestement à échapper à l'odeur.

– Si j'ai envie de la fermer, je la ferme.

La tension était palpable. Le moment était venu de faire le bilan, de distribuer les bons et les mauvais points.

– Je ne sais pas si vous vous en rendez compte, Grens, mais vous puez, tous les deux.

Sven Sundkvist se tortillait sur le canapé. Il regarda les épaules coincées d'Ågestam, le dos hostile de Grens ; il sentait venir une discussion dont son chef sortirait vaincu. Grens n'allait pas bien. Depuis le début de l'enquête, il s'était comporté bizarrement. Il s'était montré inhabituellement agressif ; ses plus proches collaborateurs avaient du mal à interpréter ses réactions. A partir du moment où il avait appris que l'état d'Anni s'était aggravé, sa force et son charisme avaient semblé l'abandonner. Il paraissait démuni, inquiet, il commettait des erreurs qui ne lui ressemblaient pas.

Le procureur s'était levé. Il faisait maintenant les cent pas entre le bureau et le canapé. En s'adressant à Grens, il s'efforça de paraître calme :

– Grâce à moi, vous avez eu votre autorisation.

Dehors, le vent soufflait fort. Des vagues d'air froid s'engouffraient par la fenêtre.

– Je vous ai fait confiance. J'ai fait confiance à votre intuition. A votre instinct.

Ewert Grens se tourna vers lui, mais ne dit rien. Ce que vit Sven ne lui plut pas. Cette rage qui parcourait son visage, ces veines qui battaient à sa tempe gauche, ce rictus de la bouche.

– Vous avez eu la brigade d'intervention. Tous les hommes, avec leur équipement et leur savoir-faire. Quatre-vingts policiers pour aller débusquer un assassin.

Sans cesser de marcher, Ågestam leva un doigt accusateur.

– Vous avez bloqué l'accès à tout un quartier du centre de Stockholm.

C'était maintenant deux doigts qu'il pointait sur le commissaire.

– Vous avez…

Ewert Grens fit un pas en avant.

– Vous êtes dans mon bureau !

– Vous avez eu tous les moyens à votre disposition.

Trois doigts.

– Eh bien, Grens… où est votre assassin ?

Le commissaire lourd et massif et le frêle procureur se dévisageaient. Dans leurs yeux, il y avait du mépris, sinon de la haine.

Ewert Grens fit un nouveau pas en avant.

– Sous terre.

Impossible de s'approcher davantage. Ågestam soutenait son regard. Il s'apprêtait à répondre lorsque Grens continua :

– Dans le monde réel.

Sa bouche se tordit en une grimace hideuse. Il affichait son dégoût devant ce costume impeccable, devant cette cravate hors de prix, devant cette mèche bien peignée.

– Un endroit où vous n'avez jamais mis les pieds.

Leo était allongé par terre. Pour la première fois depuis le début de leur fuite, il semblait avoir retrouvé un certain calme. Jannike lui caressait les cheveux. Elle était confiante, heureuse ; il n'acceptait pas souvent des marques de tendresse.

Ils étaient restés longtemps devant la grande fenêtre, à contempler la cour de récréation de l'école de Fridhem. Ils avaient vu les petites rues silencieuses s'emplir de fumée noire, des hommes à bout de forces surgir des puits d'égout en toussant violemment. Pendant leur fuite, Leo avait paru tendu, mais il avait maîtrisé la situation ; il avait allumé des feux pour les couvrir, il lui avait pris la main pour la forcer à avancer dans l'obscurité. Il l'avait protégée ; devant la fenêtre, elle avait enfin osé fermer les yeux et s'appuyer contre son épaule. Puis la fumée s'était dissipée et les badauds s'étaient dispersés.

Ils avaient fui. Ils l'avaient échappé belle. Mais cela n'avait pas suffi pour apaiser Leo. La fuite, l'excitation n'avaient rien fait pour arranger son état maniaque. En parcourant les sous-sols de l'école, il avait tenu des propos incohérents, bougé de manière désordonné, tremblé comme jamais elle ne l'avait vu faire.

Elle laissa délicatement glisser sa main jusqu'à son menton, sentit sa barbe sous ses doigts. Elle allait le laisser se reposer un peu.

Une fois la porte de la réserve ouverte, Leo s'était mis à rassembler les bancs aux quatre coins de la pièce. Il avait construit des barrages à l'aide des étagères ; il avait déplacé sans cesse les chaises sans jamais trouver le bon endroit où les installer. Elle avait essayé de le calmer ; elle l'avait même pris dans ses bras pour l'empêcher de bouger, mais il n'avait rien voulu entendre et elle n'était pas assez forte. Elle avait fini par admettre ce qu'elle avait toujours su : seule la chimie pouvait venir à bout de son agitation. Elle s'était donc faufilée jusqu'aux toilettes qu'elle avait aperçues pendant qu'ils couraient dans le couloir. Sur le mur, il y avait un distributeur de gobelets en carton ; elle en avait pris deux et les avait remplis d'eau. Puis elle avait sorti de la poche de son deuxième pantalon une plaquette de Mogadon. Elle avait écrasé quatre comprimés qu'elle avait dissous dans l'eau. Leo ne s'était pas aperçu de son absence ; quand elle était revenue, il transpirait abondamment. Elle lui avait tendu les gobelets. Plein de reconnaissance, il les avait vidés d'un trait.

Sa main était toujours posée sur le menton de Leo. Il la regardait en souriant. Sa barbe lui faisait l'effet d'une râpe.

Au bout d'une demi-heure, la fatigue l'avait gagné ; les médicaments commençaient à faire leur effet. Petit à petit, il avait cessé de courir ; d'abord il avait ralenti le pas, puis il s'était arrêté de temps en temps, en respirant lentement. A la fin, il s'était allongé, les jambes en coton et les bras sans force. Elle lui caressait doucement le visage ; elle voulait qu'il sente sa main, qu'il s'y habitue. Ils devaient retourner à ce qui était leur domicile depuis deux ans. Ils avaient une heure devant eux, c'était tout. Une heure avant que Leo ne s'écroule, vaincu par le sommeil. Ensuite, il dormirait pendant deux jours, peut-être trois, et il se réveillerait dans un état normal. Loin de la folie, qui lui laisserait quelques mois de répit.

Le commissaire Horst Bauer, du Bundeskriminalamt, avait quitté son bureau de Wiesbaden à 3 heures de l'après-midi. Après un bref trajet en voiture jusqu'à Francfort, il avait embarqué sur le premier vol à destination de Stockholm. Quatre heures plus tard, à Arlanda, un policier suédois en uniforme lui évita le passage par le contrôle des passeports. Une voiture officielle l'attendait pour le conduire jusqu'à Kronoberg.

Mariana Hermansson lui donna une soixantaine d'années.

Une épaisse chevelure argentée, un costume sombre qui avait dû coûter cher, un corps svelte qui prouvait son souci des apparences. Il avait cette sécheresse nerveuse que certains hommes acquièrent avec l'âge.

— Du café ?

Il sourit.

— Non, merci.

– Autre chose ?

– On m'a servi un sandwich dans l'avion. Je n'ai pas faim.

Il s'installa dans le fauteuil visiteur. Alors que chacun attendait que l'autre prenne la parole, elle profita du silence pour l'observer.

Sans un mot, il se pencha en avant et ouvrit la serviette posée à ses pieds.

Il en sortit une enveloppe marron au format A4 et posa sur le bureau de Hermansson les photos qu'elle contenait. Des clichés en noir et blanc avec beaucoup de grain. On devinait qu'il s'agissait d'agrandissements d'images enregistrées par des caméras de surveillance.

Neuf visages en noir et blanc s'étalaient sous leurs yeux.

Six hommes et trois femmes.

Aucun ne regardait la caméra ; ils fixaient quelque chose au-delà du cadre, sans doute l'endroit vers lequel ils se dirigeaient. Mais ils étaient facilement identifiables.

Mariana Hermansson examina les neuf visages. Elle n'avait aucun doute. Elle avait déjà vu trois d'entre eux. Deux hommes et une femme. Les trois personnes que Nadja avait désignées en visionnant les bandes des caméras d'Arlanda. Les trois personnes qui s'étaient présentées à l'enregistrement entre 9 h 16 et 9 h 18, et qui avaient été filmées par les caméras 11, 12 et 13 alors qu'elles se dirigeaient vers la porte d'embarquement. Les trois personnes qui, d'après Nadja, parlaient le roumain sans accent et à qui Hermansson avait trouvé une ressemblance avec ses propres parents roumains. Mais qui portaient des noms français, étaient titulaires de passeports français et avaient des billets pour Paris Charles-de-Gaulle.

– Ce sont eux.

– Vous êtes certaine ?

– Absolument certaine.

Horst Bauer hocha la tête avec un air de satisfaction.

– Bien.

Il savait maintenant qu'il n'était pas venu pour rien.

– Cela veut dire que nous avons le même problème.

Il se renversa dans son fauteuil.

— Ce que je vais vous dire doit rester strictement confidentiel.

Sa voix était grave.

— Vous venez de désigner trois personnes que nous avons identifiées ; ce sont les responsables du premier convoi d'enfants parti de Bucarest. Un car avec cinquante-quatre enfants à bord. Des mineurs vêtus de combinaisons identiques.

Bauer parlait l'anglais avec un léger accent allemand. Jusqu'ici, elle n'avait eu aucune difficulté à le comprendre. Mais l'indignation rendait son accent plus prononcé.

— Après un voyage de trois jours, ils ont été abandonnés devant la gare de Termini, à Rome. Tôt le matin. Abandonnés, quels que soient leur âge et leur état de santé.

Il prit les six photos restantes, montra du doigt les visages flous, expliqua que les six personnes en question étaient les responsables des trois autres voyages. Des convois d'enfants vers Francfort, Oslo et Copenhague. A chaque fois, il s'agissait de deux hommes et d'une femme. Probablement des Roumains, mais portant des noms français, possédant des passeports français et s'embarquant sur des vols à destination de Paris.

Probablement des Roumains.

Hermansson comprit que c'était cela qui posait problème au commissaire allemand ; l'implication d'un pays étranger lui compliquait la tâche. D'où sa demande de discrétion absolue.

Elle lui dit qu'elle préférait interrompre momentanément leur entretien. Elle n'était pas habilitée à prendre une décision de confidentialité ; elle devait mettre au courant son chef, ainsi que le responsable de l'instruction.

Hermansson se dirigea vers la porte. Un silence total régnait dans l'hôtel de police. Elle avait pourtant entendu Ewert revenir ; il avait immédiatement mis en route son lecteur de cassettes, comme d'habitude. Et elle était à peu près sûre que Sven et Ågestam étaient avec lui ; elle savait qu'une réunion était prévue ce soir au sujet de la femme retrouvée morte dans les sous-sols de l'hôpital Sankt Göran.

Elle dit à Bauer de prendre ses photos et de la suivre. Ensemble, ils parcoururent le couloir sombre jusqu'au bureau de Grens, d'où des éclats de voix leur parvenaient, à travers la porte fermée.

Leo était sur le point de s'endormir. Elle dut lui donner plusieurs tapes sur les joues.

Il devait se mettre debout.

Il devait les ramener chez eux.

Il devait encore lutter contre les effets des comprimés de Mogadon. Ensuite, il dormirait autant qu'il voudrait.

Jannike le poussa, le tira. Elle dut faire un effort pour chasser les images des mains qui l'avaient poussée et tirée, elle, quand elle était nue sous la douche. Pour chasser le souvenir des doigts mouillés qui lui tripotaient la poitrine. A l'époque elle était encore petite, elle n'osait pas bouger, pas même protester. Elle n'osait pas non plus pleurer ; elle se contentait d'attendre, espérant que cette fois ce ne serait pas trop long, que les doigts cesseraient bientôt de lui toucher le sexe.

Ils ne pouvaient pas reprendre le même chemin.

Les couloirs étaient encore pleins de fumée, il fallait remonter, aller jusqu'à Thorildsplan et redescendre par un puits là-bas. Dans ce secteur, les tunnels étaient vides, personne n'y habitait. Il n'y avait pas de feux, pas de fumée.

Ils quittèrent la réserve, laissant l'empilement de bancs et d'étagères qui bloquait l'accès au sous-sol de l'école. Dans la rue, les hommes casqués avaient disparu et les barrages avaient été levés. Leo se redressa non sans mal, lui prit la main et ouvrit l'unique porte dépourvue d'alarme.

Ils sortirent dans la cour, où ils furent accueillis par la nuit la plus froide depuis des années.

Elle l'aida à franchir la clôture qui séparait la cour de l'école du terrain de la maison de retraite voisine. En parcourant les pelouses enneigées, ils virent des silhouettes bouger à l'intérieur. Il y avait encore des couronnes d'avent aux fenêtres et des sapins de Noël avec des guirlandes multicolores dans les pièces éclairées. Ils traversèrent Mariebergsgatan, surprenant au passage les conversations entre les passants. Mais personne ne les remarqua, personne ne se retourna sur eux, personne ne leur posa de questions, et ils purent tranquillement continuer jusqu'à Thorildsplan.

Le regard fixe, Ewert Grens répéta sa phrase. Pour qu'Ågestam comprenne, il fallait bien enfoncer le clou.

– Sous terre. Où vous n'avez jamais mis les pieds.

Mais Ewert partait perdant. Sven Sundkvist en était persuadé. Ågestam tenait bon ; il ne bougeait pas, ne cillait pas ; il refusait de céder devant l'homme le plus puissant de l'hôtel de police.

– Un des hommes surentraînés a fait feu avec son arme. Il s'est avéré que sa cible était un rat. Une patrouille entière s'est perdue et a fini par se retrouver par hasard dans les sous-sols de Kronoberg en passant par une porte donnant sur les tunnels. Et l'assassin a allumé dix-sept feux dans un réseau fermé.

– Tout cela, je l'avais prévu.

– Vous êtes responsable d'une opération qui a tourné à la catastrophe. Vous vous êtes mis en danger et vous avez mis vos hommes en danger.

Grens émit un grognement.

– Un chasseur expérimenté sait qu'en lâchant des putois dans un terrier il fait sortir les lapins. Ils sortent par de trous qu'on n'a même pas vus, des trous qu'on n'a pas pu surveiller. C'est un risque à prendre. Vous m'avez donné quatre-vingts hommes. Pour surveiller tous les puits d'accès, il m'en aurait fallu quatre-vingts de plus.

– Erreur, Grens.

Ågestam prit une voix plus grave.

– Un chasseur expérimenté sait qu'il n'y a rien de plus efficace que la fumée pour faire sortir les lapins. Vous, vous ne le saviez pas. Du coup, ce sont les lapins qui ont fait sortir le chasseur.

On frappa à la porte. Sven regarda alternativement son chef et le procureur. Ils semblaient n'avoir rien entendu.

– Vous pouvez toujours prendre des airs menaçants, cela ne m'impressionne pas. Grâce à moi, vous avez eu votre autorisation. Je vous ai fait confiance. Mais votre opération n'a pas fait avancer l'enquête d'un pouce.

On frappa de nouveau. Personne ne bougea.

– Vous n'êtes pas dans votre état normal, Grens. Avec vos soucis personnels, vous n'êtes pas en mesure de mener à bien cette enquête. J'ai l'intention de demander que vous en soyez dessaisi.

Le commissaire ne répondit pas.

– Encore une chose. Vous ne pourriez pas reculer un peu ? Vous me gênez, là.

Ågestam lui tourna le dos. Puis il se dirigea vers la porte et l'ouvrit.

Des éclats de voix provenaient du bureau d'Ewert. Hermansson regarda le commissaire allemand du coin de l'œil ; heureusement, il ne comprenait pas un mot de suédois.

– Je suis désolée. Cette conversa...

– Ne vous en faites pas. Les gens irascibles sont souvent des personnes de grande valeur. Des accrochages de ce genre, ça arrive partout. Chez nous aussi.

Lars Ågestam ouvrit la porte. Il était cramoisi et presque dépeigné. En faisant un pas en avant, Hermansson eut le sentiment de se heurter à un mur de haine et d'agressivité. Le moment était mal choisi ; elle aurait mieux fait d'attendre.

Debout au milieu de la pièce, Ewert était aussi rouge que le procureur. Assis sur le canapé, Sven jouait les observateurs.

– Ça sent la fumée ici. Comment ça se fait ?

Elle les dévisagea les uns après les autres. Personne ne répondit. Ça sentait vraiment la fumée, ce n'était pas son imagination ; une odeur de brûlé. Elle jeta des regards inquiets autour d'elle, cherchant une cigarette mal éteinte tombée sur un dossier ou une bougie dont la flamme lécherait les rideaux. Mais elle ne vit pas le moindre signe de catastrophe.

– Ça vient d'Ewert et moi. Je t'expliquerai plus tard, quand nous serons plus tranquilles.

Sven Sundkvist fit un vague geste. Malgré sa curiosité, elle renonça à poser des questions. L'odeur était pourtant vraiment obsédante. Se tournant vers Horst Bauer, elle s'excusa de parler suédois. Elle expliqua brièvement à ses collègues ce que le commissaire allemand lui avait appris, parla des photos des neuf personnes filmées par des caméras de surveillance, raconta comment ces neuf personnes avaient abandonné cent quatre-vingt-quatorze enfants dans cinq villes européennes.

– Cela me paraît intéressant. Mais je ne vois pas où est le problème.

Ågestam regarda Hermansson d'un air interrogateur. Elle fit un signe de tête vers son visiteur allemand.

– Si nous voulons qu'ils continuent de collaborer avec nous, cette enquête doit être classée secret défense. Voilà le problème.

– Secret défense ?

– Oui. J'ai cru comprendre que c'était une condition sine qua non. Et je vous demande de prendre une décision.

Horst Bauer ne comprenait rien à ce qu'ils disaient.

– Les relations entre la Suède et un pays étranger sont en jeu.

Mais il sentit que c'était à lui de poursuivre.

– Les relations entre l'Allemagne et un pays étranger sont en jeu. Les relations entre la Norvège, l'Italie, le Danemark et un pays étranger sont en jeu.

Il répéta ce que Hermansson avait déjà dit. Que rien ne devait filtrer de leur entretien. Officiellement, il n'y avait pas d'enquête.

– Je ne comprends pas.

Le visage d'Ågestam était toujours aussi rouge.

– Si un crime a été constaté, il est de mon devoir d'instruire et de procéder à des inculpations.

Ewert Grens n'avait pas bougé. En surgissant au milieu de son altercation avec Ågestam, Hermansson avait fait diversion ; c'était déjà bon à prendre. Il manquait de sommeil et son inquiétude pour Anni dévorait ses forces. En général, il arrivait pourtant toujours à faire face ; son moteur intérieur continuait de tourner et de le faire avancer.

Il regarda le procureur.

Et il eut un petit sourire devant cet homme trop formaliste, à qui la vie n'avait pas encore enseigné la souplesse.

– J'ai apporté un dossier.

Il est de mon devoir d'instruire et de procéder à des inculpations.

Bauer avait prévu la réaction du procureur.

– J'ai des explications fournies par le pays qui est… à l'origine de l'affaire. Et j'ai obtenu l'assurance que les enfants seront traités d'une manière exemplaire.

Il brandit une chemise cartonnée.

Lars Ågestam regarda alternativement le commissaire allemand et les documents qu'il agitait.

– Je ne peux pas classer sans suite une enquête pour trafic d'êtres humains. Sauf si vous pouvez m'affirmer qu'aucun crime n'a été commis.

Grens souriait toujours. *Vous êtes trop jeune ; la personne en face de vous en a vu d'autres.* La tension entre les deux hommes l'excitait beaucoup. Et maintenant, il se sentait à l'abri.

– Alors je n'ai plus qu'à m'en aller.

Le ton du commissaire allemand n'était pas sarcastique. Il ne paraissait même pas pressé. Il se contenta de leur tendre la main. Puis il se dirigea vers la porte.

– Je n'ai plus rien à faire ici.

Leo bougeait de plus en plus lentement.

Elle n'avait pas cessé de lui parler ; il fallait qu'il reste éveillé pour les ramener chez eux. Après avoir quitté la cour de l'école de Fridhem, ils avaient traversé le jardin de la maison de retraite et parcouru les sentiers pédestres qui reliaient les différents bâtiments de l'hôpital Sankt Göran. Ils venaient de croiser Lindhagensgatan et se trouvaient maintenant dans un quartier de bureaux désert où, tous les ans, on refaisait une partie de l'asphalte. Ils passeraient ensuite par le quartier résidentiel autour de Kristinebergsgatan, plongé dans le noir.

Le lycée de Thorildsplan était un gros bâtiment jaune se dressant au milieu des immeubles d'habitation.

Les fenêtres du lycée étaient éclairées. Il devait y avoir des réunions, des cours du soir. Normalement, ça aurait dû être vide.

Leo s'arrêta devant une porte de la façade est de l'établissement. Une serrure pas trop compliquée ; il put l'ouvrir au premier essai. Un escalier en béton aux marches peintes en vert conduisait au sous-sol. Il faisait chaud et on sentait une vague odeur d'huile et de gaz. Ils étaient dans la chaufferie. Jannike regarda autour d'elle ; au bout d'un moment, elle cessa de trembler. Elle se rendit compte qu'elle avait les pieds gelés dans ses chaussures trop légères ; ils lui faisaient mal, maintenant qu'ils commençaient à se réchauffer.

Des voyants rouges et verts clignotaient partout. Elle tenait fermement la main de Leo. Il était à bout de forces ; il n'allait pas tarder à s'écrouler sous les effets des médicaments, mais ses gestes étaient encore sûrs. Il ouvrit une porte devant laquelle il y avait une multitude de diodes. Ils descendirent encore un escalier et se retrouvèrent au deuxième sous-sol.

La dernière porte donnait directement sur les tunnels.

Il mit sa lampe frontale et dit à Jannike de faire pareil.

Ici, les couloirs étaient plus étroits que dans d'autres parties du réseau. Ils faisaient un mètre et demi de diamètre ; Leo et Jannike pataugeaient dans l'eau et la boue jusqu'à mi-mollet, et il régnait une odeur de moisi. A peine réchauffés, leurs pieds étaient maintenant trempés.

Au bout de deux cent cinquante mètres, ils atteignirent une porte métallique.

Leo l'ouvrit, et ils pénétrèrent dans un couloir de communication débouchant assez vite sur une nouvelle porte. Ensuite, c'était le réseau militaire.

Ils faisaient maintenant en sens inverse le trajet qu'ils avaient parcouru dans le monde du haut. Ici, c'était plus simple ; ils étaient en sécurité, c'était leur monde à eux, il n'y avait pas d'ennemis, pas de menaces. Ici, ils connaissaient le chemin mieux que personne.

Jannike tenait toujours la main de Leo.

Ils étaient presque arrivés, il ne leur restait qu'un kilomètre et demi, et ici ils marchaient plus vite que là-haut.

Ewert Grens suivit du regard le commissaire allemand. En observant Ågestam, il dut réprimer un sourire. *Comment vas-tu t'en sortir ?* Il n'imaginait pas un enquêteur du Bundeskriminalamt faire neuf mille kilomètres pour finalement laisser le dernier mot à un jeune procureur inexpérimenté.

— *Wenn Sie nur zugehört hätten.*

Bauer avait prononcé sa phrase en leur tournant le dos.

— Pardon ?

— Si seulement vous m'aviez écouté, vous auriez compris.

Bauer continua de s'adresser à Ågestam en allemand.

— Vous auriez compris que rien ne vous permet d'ouvrir une enquête pour trafic d'êtres humains.

— *Was denken Sie ?*

Ågestam répondit en allemand, une langue que ne parlaient ni Grens, ni Sundkvist, ni Hermansson.

— Je pense qu'il s'agit tout au plus d'enlèvements d'enfants.

Bauer s'arrêta sur le pas de la porte.

— Un crime, certes, mais moins grave que celui que vous évoquez. Et sans mon concours, cher ami, vous ne pourrez inculper personne.

Ågestam hésita, regarda le commissaire allemand sans rien dire.

Le sourire d'Ewert Grens était maintenant plus large. Il était impressionné. Peu de gens parvenaient à forcer son admiration, mais là, chapeau ! Le commissaire allemand avait déjà gagné la partie.

Ågestam ne disait toujours rien. Il se demandait manifestement comment céder sans perdre la face. Mariana Hermansson l'avait compris. Dans des situations analogues, il lui était déjà arrivé d'aider le procureur à s'en sortir.

— Lars ?

— Oui ?

— Vous devriez peut-être sortir un moment tous les deux. Et régler vos problèmes seul à seul.

Ewert Grens fouilla parmi les cassettes alignées sur l'étagère derrière son bureau. Lorsque la voix de Siw s'éleva, il se mit à se dandiner au rythme de la musique. Assis sur le canapé, Sven Sundkvist avait fermé les yeux. Il pensait à Jonas ; ce matin, il lui avait promis de venir le chercher après son entraînement de foot. Et l'entraînement devait être fini depuis un bon moment… Mariana Hermansson marchait de long en large. Elle avait le trac ; c'était la plus grosse affaire qu'on lui avait confiée, et elle ne voulait pas rater son coup.

Dix minutes plus tard, Ågestam ouvrit la porte sans frapper. Il entra, suivi du commissaire allemand.

– Ce que le commissaire Bauer va vous dire relève du secret défense. Cela ne doit en aucun cas sortir de cette pièce.

Ewert Grens sourit de nouveau. *Face à un procureur novice, un commissaire expérimenté gagne toujours.* Il arrêta la musique et s'assit dans son fauteuil. Il fit un signe de tête à Hermansson et à Bauer, puis il se renversa en arrière, prêt à écouter les tenants et aboutissants d'une histoire bien étrange. Une histoire dans laquelle il s'était trouvé plongé quand son téléphone avait sonné, trente-six heures plus tôt.

– Il y a quinze jours, un gardien de parking de l'aéroport de Francfort a découvert un car garé sur un emplacement interdit.

Debout au milieu de la pièce, Horst Bauer les regardait à tour de rôle en parlant. Il tenait à leur faire sentir qu'il s'adressait à tous.

– Quatorze heures plus tôt, trente-neuf enfants âgés de cinq à seize ans et parlant le roumain avaient été retrouvés dans une salle d'attente de la gare centrale, livrés à eux-mêmes.

Grens était toujours aussi impressionné. Il avait vu tant de collègues faire exactement le contraire, choisir un seul interlocuteur et négliger les autres.

– Grâce aux témoignages des enfants et aux images des caméras de surveillance, nous avons pu identifier une des trois personnes. Un homme de nationalité roumaine, âgé de quarante-deux ans. Nous avons ensuite travaillé en étroite collaboration avec la police roumaine. Mais c'est en apprenant que des événements similaires s'étaient déroulés à Rome et à Oslo que nous avons compris l'ampleur du problème. Nous nous sommes retrouvés avec quatre-vingt-quatre enfants supplémentaires. Et une semaine plus tard, on nous a signalé la découverte de vingt-huit enfants abandonnés à Copenhague.

Puis il y a eu les quarante-trois enfants découverts ici, il y a à peine deux jours.

Mariana Hermansson hocha la tête, l'air absente.

Elle revoyait le spectacle qui l'avait accueillie quand elle avait pris son service : des enfants affalés par terre dans le couloir. Nadja, qui avait remonté la manche de sa combinaison pour lui montrer ses cicatrices. Et le gamin qui se roulait par terre, pris de convulsions, un torchon entre les dents.

– A Bucarest, il y a des centaines d'enfants qui vivent dans la rue. Ils sont bien plus nombreux qu'à Stockholm ou chez moi, à Francfort. Cela, nous le savons. Nous en parlons dans les forums internationaux depuis des années. Et tous les ans, environ un millier d'enfants roumains sont placés dans des institutions dans divers pays. Des enfants qui ont été vendus par leurs parents pour devenir mendiants, voleurs, prostitués. Des enfants qui, lorsqu'ils sont découverts, sont renvoyés dans leur pays. Mais jamais nous n'avions rencontré un cas comme celui-ci, cinq cars pleins d'enfants que l'on abandonne à leur sort. Des enfants qu'on jette, en quelque sorte.

Bauer ouvrit sa serviette. Puis il étala par terre les neuf photos qu'il avait montrées à Hermansson.

Huit clichés flous, en noir et blanc, formant un cercle. Et le neuvième au centre du cercle.

– Depuis quelques années, l'Etat roumain a initié plusieurs projets pour venir en aide aux enfants des rues. Des enfants dont il contestait encore l'existence il n'y a pas si longtemps. Le problème est que les autorités roumaines agissent exactement comme les autorités allemandes ou suédoises, exactement comme la plupart de nos voisins européens. Elles se déchargent de leurs responsabilités sur des acteurs privés.

Sans craindre de salir son élégant costume, il s'agenouilla.

– Dorinel Chirolu.

La photo du milieu. Celle d'un homme.

– Le citoyen roumain âgé de quarante-deux ans dont je vous ai déjà parlé.

Bauer fouilla de nouveau dans sa serviette, en sortit une brochure en quadrichromie sur papier glacé.

– Dorinel Chirolu. Mais ici, il n'est pas en noir et blanc et il ne se dirige pas vers un avion.

Costume et cravate. Dents blanches et teint hâlé. Sourire s'adressant à un photographe professionnel.

– Il s'agit de la brochure de présentation d'un organisme privé appelé Child Global Foundation. Organisme auquel l'Etat roumain a confié la réinsertion de deux cents enfants vivant dans les rues de Bucarest.

Un visage qui devait inspirer confiance. Alors qu'il s'agissait de réaliser des profits sur le dos d'enfants sans domicile.

– L'Etat roumain achète les services de plusieurs organismes privés. La plupart sont sans doute irréprochables et parviennent réellement à améliorer le sort de ces enfants. Mais avec la Child Global Foundation il s'est lourdement trompé.

Il posa la brochure à côté de la photo en noir et blanc.

Le mensonge à côté de la vérité.

– La Child Global Foundation a reçu une dotation de dix mille euros par enfant. Un million neuf cent quarante mille euros pour cent quatre-vingt-quatorze enfants. Le prix que l'Etat roumain était prêt à payer pour se débarrasser du problème.

Bauer faisait des efforts pour maîtriser sa voix. Grens, Sundkvist et Hermansson l'écoutaient en silence. Quand il fouilla dans sa serviette pour la troisième fois, on n'entendait souffler que le vent.

– Dorinel Chirolu et ses huit collaborateurs ont investi vingt-cinq mille euros dans l'achat de cinq vieux cars. Mille euros dans l'achat de deux cents combinaisons de différentes tailles. Onze mille euros en billets d'avion, repas, essence.

Il fit un pas vers le mur et posa un dernier document sur le sol.

Une feuille Excel de la comptabilité de la Child Global Foundation, découverte dans un de ses ordinateurs.

Une feuille avec deux colonnes, une pour les recettes et une autre pour les dépenses. Une feuille comme celles que l'on établit dans n'importe quelle entreprise vendant du dentifrice, des chaises ou des pommes de terre.

Sauf qu'ici il s'agissait d'un produit entièrement différent.

Des enfants.

Des enfants que personne ne chercherait.

– Se débarrasser de cent quatre-vingt-quatorze enfants dans cinq villes différentes leur a coûté trente-sept mille euros. Quelques mois de travail leur ont permis d'engranger un bénéfice d'un million neuf cent trois mille euros. Ce qui représente un revenu d'un peu plus de deux cent mille euros pour chacun des membres de l'équipe. Plus que le salaire de toute une vie pour la majorité des Roumains.

Horst Bauer épousseta son pantalon. Il s'était efforcé de parler d'une voix calme, sans laisser percer son indignation. De ne pas se départir de son professionnalisme.

Mais là, ce fut plus fort que lui.

– C'est extraordinaire ? Non ?

Il écarta les bras. Son accent allemand se fit plus prononcé.

– Ces enfants-là, tout le monde s'en fout. Et c'est là où les problèmes sont les plus graves qu'on a le mieux su faire des profits sur leur dos.

Hermansson voyait de nouveau le père de famille glisser un torchon entre les dents du garçon roumain. Elle l'entendait parler des enfants dont il s'occupait, des enfants victimes d'agressions sexuelles, des enfants qui se prostituaient, qui se droguaient, qui vivaient dans des tunnels et des jardins publics.

– Des déchets.

– Pardon ?

– Des enfants que l'on traite comme des déchets. Une expression que j'ai entendue hier.

Bauer se pencha pour ramasser ses documents.

– J'ai travaillé dans la police toute ma vie. Ça fera bientôt quarante ans. On se souvient de quoi ?

Sa voix était lasse.

– De pas grand-chose. Quelques enquêtes résolues ? A peine.

Il avait rangé tous ses papiers. De nouveau visible, le lino du sol était toujours aussi moche et décoloré.

– Mais ça… Des enfants comptabilisés dans un programme Excel. Des enfants figurant dans la colonne des dépenses. Comme des frais qu'il faut surveiller et réduire. Bien sûr, ça se passe en Roumanie, un pays que nous avons pris l'habitude de mépriser. Mais il y a le même phénomène chez nous, en Allemagne. Et chez vous, en Suède. Des enfants dont nous ne voulons pas, que nous ne cherchons pas, qui se cachent. Parce que nous refusons leur existence.

Jannike tenait toujours la main de Leo. Elle le regarda. Il ne s'était pas trompé. Personne n'habitait ici ; il n'y avait pas de fumée, pas de feu. On respirait sans problèmes, on marchait facilement ; elle pouvait le pousser pour le faire avancer quand la fatigue menaçait de le vaincre.

Elle savait que c'était plus long par ici, mais le chemin était sans danger. Et à partir de Thorildsplan c'était le seul moyen de gagner la petite pièce qui n'était qu'à eux et qui se trouvait sous Arbetargatan. Elle avait encore peur, mais ses douleurs au ventre étaient en train de se calmer. Bientôt, ça irait mieux ; elle n'aimait pas se promener dans le réseau, on risquait toujours d'y rencontrer quelqu'un. Et elle était là pour échapper aux autres.

Leo transpirait. Il traînait les pieds, comme si ses chaussures adhéraient au sol ; il ne cessait de murmurer qu'il voulait dormir, s'allonger et dormir un peu.

Ils avaient fait la moitié du chemin lorsqu'ils aperçurent les premiers feux éteints. Des fumées éparses s'élevaient encore des tas de cendres grises, et ça sentait le brûlé. Une faible lumière zénithale indiquait qu'une plaque d'égout avait été mal replacée. Ils entendaient même les voix des policiers ; Jannike retint son souffle et éteignit sa lampe frontale.

Ils n'étaient pas loin de la pièce où vivaient les onze femmes. Ils virent soudain apparaître trois d'entre elles.

Ni Jannike ni Leo ne les avaient vues s'approcher ; elles n'avaient pas de lampes frontales et elles avaient surgi d'un trou dans le mur à l'endroit où se croisaient deux couloirs.

Trois femmes qui avaient peur et qui s'étaient cachées. Elles avaient reconnu leurs pas et avaient enfin osé sortir de leur refuge.

Ils se dévisagèrent tous. Leur seul point commun était d'habiter là. Jannike les reconnut toutes les trois ; elle les avait vues plusieurs fois dans les tunnels et elle avait remarqué la fille aux nombreux piercings. Celle-ci devait avoir à peu près son âge et elle était là depuis un mois environ.

Quelques minutes plus tard, ils arrivèrent devant le repaire de Miller. Jannike tira Leo par le bras et lui dit de l'attendre. Elle se glissa par la fente du mur pour s'assurer que Miller était sain et sauf. Mais Miller était absent. Elle toucha délicatement quelques-unes de ses affaires ; des livres qu'elle n'avait jamais lus, des photos d'une femme posées sur un cageot de fruits. Il aurait dû être là ; elle espérait qu'il n'allait pas tarder.

Ils étaient presque arrivés. Leo marchait penché en avant et elle était obligée de le soutenir pour l'empêcher de tomber.

Bientôt il pourrait s'allonger et dormir ton son soûl dans la pièce vide. Toutes leurs affaires, la table, les matelas, les couvertures, n'étaient plus qu'un tas de cendres.

Assis dans son fauteuil, Grens vit Bauer se fondre dans l'obscurité du couloir. La journée se terminait bien. Anni respirait sans assistance, ils avaient rendu une première visite aux cinglés des tunnels et ce commissaire allemand avait réduit Ågestam au silence. Il jeta un œil sur le réveil posé à côté du téléphone. Il était 9 heures et quart. Une longue nuit l'attendait. Ce soir, il allait rentrer à la maison ; sa nuque était plus raide que jamais et son dos réclamait un vrai lit.

– Vous avez terminé ?

Sven Sundkvist avait patiemment attendu. Les perpétuels affrontements entre Grens et Ågestam étaient pénibles ; ni l'un ni l'autre n'étaient prêts à lâcher un pouce de leur pouvoir.

– Comme ça on pourrait se montrer un peu constructifs. Au lieu de chercher à démolir nos châteaux de sable respectifs.

Il brandit une enveloppe qu'il tenait à la main depuis une demi-heure.

Jan Pedersen (JP) : Qu'est-ce que vous racontez ? Elle a... disparu ?
Commissaire Erik Thomsson (ET) : Vous n'étiez pas au courant ?

Sven avait ouvert l'enveloppe et en avait sorti une copie de la retranscription de l'interrogatoire 0201-K84976-04.

JP : Vous m'avez posé tout un tas de questions sans jamais me dire de quoi il retourne. Et maintenant, au bout d'une demi-heure, vous m'annoncez que ma fille a disparu.

Huit feuillets à simples interlignes. *Jan Pedersen, interrogé à la suite d'une plainte pour abus sexuels.*

ET : C'est moi qui pose les questions. Et je vous demande d'y répondre.
JP : Qu'est-ce que vous ne comprenez pas, au juste ?

Plusieurs passages étaient signalés par un trait de stylo rouge dans la marge.

ET : Peu importe ce que je ne comprends pas, monsieur Pedersen. En revanche, j'aimerais que vous fassiez l'effort de me répondre.

Sven Sundkvist regarda Grens et Ågestam.
– Nous savons que Liz Pedersen est morte. Nous savons que sa fille Jannike a disparu il y a deux ans et demi. Et que Liz Pedersen accusait son mari d'avoir abusé sexuellement de Jannike.
Grens et Ågestam l'écoutaient attentivement.
– C'est lui qui m'intéresse. Le père de la jeune fille.

JP : Je vous ai expliqué au moins cinq fois que ces accusations d'agressions sexuelles... vous m'écoutez ?... que ces accusations, c'est de l'invention pure et simple.

Il s'attendait à des questions.

– Il s'agit du premier des deux interrogatoires menés à la suite de la disparition de Jannike.

Il n'y en eut aucune.

Il continua de lire à voix haute.

ET : Je voudrais que vous me l'expliquiez de nouveau.

JP : Des inventions de mon ex-femme !

Sven Sundkvist sauta quelques pages de l'interrogatoire. Jan Pedersen n'avait cessé de protester de son innocence, utilisant les mêmes arguments qu'un an plus tôt, lorsqu'on l'avait accusé une première fois.

JP : Apparemment, vous n'avez pas l'intention de me mettre en garde à vue. Du coup, je considère que cet interrogatoire est terminé.

ET : Je vous demande...

JP : Ecoutez ; vous venez de m'apprendre que ma fille a disparu il y a plus d'un mois. Je m'en vais.

Ewert Grens et Lars Ågestam comprirent que Sven avait raison. Il fallait de toute urgence retrouver l'ex-mari de Liz Pedersen.

JP : Et je compte faire ce que vous auriez dû faire depuis longtemps.

ET : Je vous demande...

JP : Partir à sa recherche.

Il était tard.

Ils étaient fatigués ; un bâillement rompit le silence qui s'était installé. Ågestam se leva, proposa d'aller chercher trois gobelets de café.

Ils avaient encore du pain sur la planche.

Au deuxième jour de l'enquête, une nouvelle tâche les attendait : retrouver l'ex-mari d'une femme morte, le père d'une jeune fille disparue. Malgré leurs désaccords, ils devaient décider d'une méthode pour redescendre dans les tunnels.

Ils savaient que le meurtrier de Liz Pedersen s'y cachait.

Les ombres balayaient la route, le vent faisait voler des paquets de neige par-dessus la chaussée. Elle fut déportée vers les arbres trop proches. Elle freina. Pendant un instant, elle perdit le contrôle de sa voiture ; elle sentit les pneus déraper sur le verglas et vit s'approcher la paroi rocheuse.

Mariana Hermansson était épuisée.

Elle n'avait pas dormi de la nuit. Elle dut mobiliser ses dernières forces ; si elle avait eu à verbaliser un conducteur dans cet état-là, elle l'aurait certainement empêché de reprendre le volant.

Elle débraya. S'agrippant au volant, elle se réengagea sur la chaussée. Elle essaya de cacher ses tremblements ; elle n'avait aucune envie d'expliquer à Bauer qu'elle avait failli les tuer. Ils étaient en route vers Arlanda, où Bauer devait attraper le dernier vol de la soirée ; regardant droit devant elle, essayant d'apercevoir les feux arrière de la voiture qui les précédait de quelques centaines de mètres, elle étouffa un bâillement et s'arrêta dans une station-service près de la sortie de Sollentuna.

– Du café ?

– Merci ; pas à cette heure-ci. Ça m'empêchera de dormir.

Elle prit un grand gobelet de café noir au distributeur. Le breuvage ressemblait à celui que Grens ne cessait d'ingurgiter quand il passait la nuit dans son bureau. Elle comprit soudain pourquoi il faisait ça ; son cœur se mit à battre la chamade et elle fut prise d'une soudaine euphorie. Elle tiendrait encore le coup pendant une heure ou deux.

— J'ai vu les enfants que nous avons découverts à Francfort.

Depuis leur départ, Horst Bauer n'avait rien dit. Etait-il inquiet à cause de sa façon de conduire, ou pensait-il simplement à l'enquête qui se terminait ? Il se tournait maintenant vers elle. Pour l'écouter tout en gardant la maîtrise de sa voiture, elle dut ralentir.

— Trente-neuf enfants paniqués, parlant une langue que je ne comprenais pas. Ceux d'Oslo, je ne les ai pas vus, pas plus que ceux de Rome. Mais ceux de Copenhague, oui. Ils étaient vingt-huit ; j'y suis allé pour les interroger.

Une longue file de voitures les dépassa. Enervés, les conducteurs klaxonnaient avec insistance ; certains lui firent même une queue de poisson pour bien marquer qu'elle les gênait. A un autre moment, elle n'aurait pas hésité à les rattraper pour leur coller une contravention, mais là, elle était trop fatiguée. Et trop curieuse de ce que le commissaire allemand allait lui dire.

— Tant qu'on ne les a pas vus, on ne peut pas comprendre. Bien sûr, j'ai eu affaire à des enfants des rues en Allemagne. Mais on est toujours très fort pour sentir la merde des autres et ne pas être gêné par la sienne.

Elle quitta l'autoroute et se gara devant le terminal international, sur un des emplacements réservés à la police. Elle avait conduit lentement, mais il leur restait encore quarante-cinq minutes avant le début de l'enregistrement. Ils ne quittèrent pas la voiture.

— Pendant plus de quarante ans, mon job a été de trouver un coupable et faire en sorte qu'on puisse l'arrêter. Jusqu'à aujourd'hui. C'est la première fois que je constate un crime et en identifie le coupable sans pouvoir le mettre sous les verrous.

Sa frustration se muait en colère.

— Parce que là, je ne suis plus policier.

Assis côte à côte, ils suivaient des yeux les voyageurs encombrés de bagages. Certains se pressaient pour embarquer sur les derniers vols de la journée ; d'autres venaient d'atterrir et cherchaient du regard la personne qui devait les accueillir.

– Je me suis transformé en bureaucrate, en diplomate, en coordinateur.

Drôle d'endroit, avec tous ces gens qui allaient quelque part, qui avaient besoin de partir pour se sentir exister.

– Je suis devenu une sorte d'agent de nettoyage. Et, pour des raisons politiques, je fais le tour de l'Europe pour supplier mes collègues de se taire.

Dans le bureau d'Ewert, Bauer avait paru si résolu. Il affichait maintenant la mine découragée d'un homme essayant de comprendre une époque qui n'était plus la sienne. Il n'avait pas encore défait sa ceinture de sécurité ; il s'apprêtait à continuer quand le portable de Hermansson sonna. Elle le pria de l'excuser, puis elle répondit.

Elle conduisait trop vite. Le verglas et l'obscurité se conjuguant à sa fatigue, elle n'était pas à l'aise au volant, mais elle dépassait largement la vitesse autorisée. Elle quitta la E4 à la hauteur de Rotebro, continua pendant une dizaine de kilomètres sur la 267 en direction de Stäket et prit la E18. C'était le chemin le plus court pour Viksjö et la famille d'accueil qu'elle avait visitée plus tôt dans la journée. Elle se sentait oppressée. La même sensation qu'elle avait connue adolescente, quand elle avait peur de quelque chose : une douleur sourde dans la région du cœur.

Mariana Hermansson se gara devant la clôture du jardin.

Elle la vit tout de suite.

Quelques mètres plus loin, éclairée par les phares de la voiture, Nadja était assise sur une balançoire suspendue à un portique en métal. Tassée sur elle-même, elle se balançait doucement au-dessus des amas de neige. Un coup de talon pour se lancer en avant ; un coup de talon pour se lancer en arrière.

Elle chantait.

Mariana reconnut l'air. Une berceuse roumaine que son père lui chantait quand elle était petite, dans le grand immeuble de Malmö.

– Elle est là depuis plus d'une heure.

Il faisait froid, plus froid qu'en centre-ville ; quand elle avait quitté Kungsholmen, le thermomètre indiquait – 18 °C et ici il devait faire deux ou trois degrés de moins. Le père d'Emil avait apporté une couverture ; il s'approcha doucement de Nadja et lui en enveloppa les jambes. A voix basse, il expliqua à Mariana que cela faisait une heure qu'il essayait de la persuader de rentrer. Il avait pu lui passer une veste par-dessus son tee-shirt ; elle l'avait regardé sans le reconnaître. Un psychiatre était en route, mais il était bien content que Hermansson ait pu venir ; elle parlait roumain et elle semblait avoir réussi à établir un bon contact avec la jeune fille.

– Il fait froid.

Elle s'avança prudemment, lui caressa doucement la joue. Nadja ne parut rien remarquer. Un coup de talon pour se lancer en avant ; un coup de talon pour se lancer en arrière.

– Il fait froid, Nadja. Je veux que tu viennes avec moi à l'intérieur.

Son regard. On ne parvenait pas à le capter. Elle était ailleurs.

– Il faut qu'on rentre. Dans la maison. Rejoindre les autres.

– Il faut que je finisse de me balancer.

Elle semblait regarder quelque chose à l'intérieur d'elle-même. Elle n'avait plus rien à voir avec la jeune fille que Mariana Hermansson avait quittée vingt-quatre heures plus tôt.

Elle prit le poignet de Nadja, chercha son pouls, mais la jeune fille retira vivement son bras. Hermansson retourna à la voiture, revint avec une lampe de poche, l'alluma et la dirigea vers les yeux de la fille. Elle constata que sa sensibilité à la lumière était normale. Ses pupilles se contractaient ; elle ne devait pas être droguée. Pour en être absolument certaine, Hermansson prit une sorte de grande carte de visite, la tint devant le visage de Nadja et compara ses pupilles avec celles dessinées sur le carton oblong. Elles n'étaient ni plus petites, ni plus grandes. La jeune fille n'était pas sous l'effet d'un stimulant ou d'un tranquillisant.

– Nadja ?

Toujours ce regard tourné vers l'intérieur.

– Nadja, je veux qu'on rentre.

Les doigts serrés autour de la chaîne de la balançoire, elle prit son élan. En avant, en arrière.

– Il faut que je finisse de me balancer.

Hermansson se tourna vers le père d'Emil, qui se tenait un peu à l'écart.

– Tout cela ne me dit rien. Rien du tout. Elle est…

La balançoire s'immobilisa soudain ; on n'entendait plus son grincement agaçant. Nadja avait quitté son siège. Chantonnant de nouveau, elle sautait à cloche-pied comme une petite fille. Puis elle s'accroupit dans le bac à sable. Une boule de neige, puis une autre. Elle les porta à sa bouche, les lécha.

– Elle est en train de sombrer dans la psychose.

Le père d'Emil baissa les yeux.

– Si nous la forçons, elle va craquer.

Ici, à une demi-heure en voiture de Stockholm, le ciel était différent. Il y avait une multitude d'étoiles, on distinguait toutes celles que la lumière artificielle de la grande ville rendait invisibles.

– On est venu la voir cet après-midi. Un travailleur social et un interprète. Je n'étais pas au courant. S'ils m'avaient prévenu… j'aurais peut-être pu la préparer psychologiquement.

Nadja avait les joues rouges. Elle était en train de rassembler la neige pour en faire de petits tas.

– Ils étaient assis à la table de la cuisine. Elle n'a pas dû comprendre tout de suite. Je l'ai vu à son visage. Elle n'entendait pas ce qu'ils lui disaient. Ils étaient pourtant clairs ; on allait lui prendre son bébé.

Il leva les yeux vers Nadja.

– Elle est toxicomane. Elle est encore mineure. Elle n'est pas en état de s'occuper d'un enfant. Le travailleur social lui a expliqué que, dans un cas pareil, les lois suédoises obligeaient les autorités à intervenir pour protéger son fils.

Il respira profondément. Son haleine forma de petits nuages.

– Elle n'a rien dit. Pas même quand ils sont allés chercher son bébé. Elle est restée enfermée dans sa chambre pendant trois heures. Puis elle est sortie, et elle s'est installée sur la balançoire.

Debout sur la pelouse enneigée, Mariana Hermansson leva le regard vers le ciel. Comme si elle y cherchait un secours.

Elle se dirigea vers Nadja, lui prit la main, essaya de capter son regard. Elle lui expliqua qu'il faisait froid, qu'il fallait rentrer. Et elle entendit la jeune fille lui répondre qu'elle ne voulait pas, qu'elle devait d'abord finir son jeu.

Il était 10 heures du soir.

JP : Des inventions de mon ex !

Allongé sur son vieux canapé, Ewert Grens feuilletait la transcription de l'interrogatoire dont Sven leur avait lu des extraits.

JP : Ecoutez ; vous venez de m'apprendre que ma fille a disparu il y a plus d'un mois. Je m'en vais.

Sven avait pris soin de marquer les passages les plus importants d'un trait rouge dans la marge.

JP : Et je compte faire ce que vous auriez dû faire depuis longtemps. Partir à sa recherche.

L'ex-mari de Liz Pedersen. Le père de Jannike Pedersen. Grens tendit la main pour attraper le gobelet de café posé par terre. Ce soir, il allait rentrer. Retrouver son appartement désert, s'installer dans sa grande cuisine et contempler Sveavägen jusqu'à tomber de sommeil. Puis il irait s'écrouler sur le lit qui avait été le leur. Certaines nuits, il avait l'impression que quelqu'un était couché à ses côtés, il sentait le bras d'Anni sur son épaule, entendait son souffle régulier.

En tournant la tête, il se coinça la nuque et renversa le contenu de son gobelet sur sa poitrine. Le liquide était brûlant ; il poussa un juron. Heureusement, il gardait toujours quelques vêtements de rechange dans son casier au vestiaire ; il s'y dirigea, prit une douche, glissa sa chemise tachée dans un sac en plastique et enfila un haut de survêtement rouge qu'il n'avait pas mis depuis des années. Le haut de survêtement sentait le gymnase, mais au moins il était sec. Et à cette heure-ci, les quelques personnes qui hantaient encore les couloirs de l'hôtel de police ne feraient pas attention à sa tenue. Bien sûr, ce machin en tissu brillant n'allait pas vraiment avec son pantalon gris et ses chaussures noires, mais peu importait.

Pedersen.

Le dossier était tombé par terre. Il le ramassa, chercha le numéro d'identification et alluma son ordinateur. Des tas d'icônes auxquelles il ne comprenait rien envahirent l'écran. Il cliqua sur *Recherche de personnes*, un des rares fichiers qu'il consultait régulièrement ; tous les résidents en Suède y figuraient.

Jan.

Au bout de quelques secondes, le nom s'afficha au milieu de l'écran. Il cliqua dessus, attendit le résultat.

Ewert Grens écarquilla les yeux.

Un seul mot.

Décédé.

Sven Sundkvist grimpa l'escalier reliant Klara Västra Kyrkogata au cimetière de Sankta Clara. De ce côté de l'église, il faisait sombre, mais l'éclairage était suffisant pour lui permettre d'apercevoir les trois jeunes qui dormaient sur les marches. Bouche ouverte, ils ronflaient bruyamment. Il aurait pu leur marcher dessus sans qu'ils s'en rendent compte.

— Hé ho !

Il toucha du bout de sa chaussure le type le plus proche.

— Vous ne pouvez pas rester là. Vous allez mourir de froid.

Jeune, toxicomane, sans domicile. Le type se réveilla, grommela quelque chose sans regarder Sven, puis se retourna.

— Vous n'avez pas l'air de comprendre. Il faut vous réveiller !

Sven Sundkvist prit une poignée de neige, la laissa tomber sur le visage du dormeur, qui sursauta.

– Allez vous faire foutre !

Faisant une grimace, il s'apprêtait à se retourner de nouveau quand Sven sortit sa carte de police.

– Je suggère que vous réveilliez vos camarades et que vous alliez tous au centre d'accueil de la Mission intérieure, à Högbergsgatan.

– On n'a pas le droit de dormir où on veut dans ce pays de merde ?

– Allez, dépêchez-vous. A moins que vous ne préfériez passer la nuit au poste. Je n'ai pas l'intention de vous laisser mourir de froid.

Sven Sundkvist attendit qu'ils aient tous disparu. Puis il continua de monter vers le cimetière. George, le bedeau, avait terminé sa journée, mais il lui avait promis de l'attendre.

– On va là-bas ?

Sven se dirigeait déjà vers l'annexe, où travaillait Sylvi, la diaconesse qui lui avait parlé des jeunes dont personne ne se souciait.

– Elle est partie.

Le bedeau grelottait malgré son gros manteau et le bonnet de fourrure dont les rabats lui protégeaient les oreilles. Il ne cessait de battre des bras et de piétiner la neige pour se réchauffer.

– Si vous venez avec moi, je vous montrerai où elle travaille à cette heure-ci.

George traversa le cimetière, suivi de Sven. Ils prirent l'allée conduisant à Klara Östra Kyrkogata, continuèrent par Klarabergsgatan jusqu'à Sergels Torg et montèrent l'escalier aboutissant à Malmskillnadsgatan. Devant l'entrée d'un immeuble de bureaux, ils virent trois femmes. Sven reconnut la petite femme maigre au regard brûlant.

– Je vous laisse.

George le salua d'un mouvement de tête avant de disparaître dans la nuit de janvier. Sven resta un moment immobile ; il ne voulait par interrompre la discussion entre la diaconesse et les deux jeunes femmes qui grelottaient dans leurs bas de nylon et leurs jupes trop courtes. Ces dernières échangèrent un bref regard avant de se taire ; elles savaient à quoi ressemblait un flic en civil. Elles le dévisagèrent avec haine : il allait faire fuir les clients et les empêcher de gagner de quoi se faire un dernier shoot d'héroïne.

La diaconesse venait de serrer les deux jeunes femmes dans ses bras. Alors qu'elles se dirigeaient vers une Volvo arrêtée un peu plus loin, vitre baissée, elle cria quelques mots à leur intention. Puis elle se tourna vers Sven.

– Vous me dérangez dans mon travail.

– Je comprends que ça vous contrarie.

– Vous êtes venu me voir hier. Pour me demander de l'aide. Et je vous ai aidé.

Les rougeurs dans son cou n'étaient pas dues au froid. Elle était en colère.

– A ce moment-là, il y avait des choses que je ne pouvais pas vous dire.

– C'est quoi, une institution qui agit avec autant de cruauté ?

– Une enquête passe par différentes phases. Il y a des moments où il nous faut garder certaines informations pour nous.

– Là, il s'agit de personnes. De personnes qui se cachent. Qui sont rejetées de partout. Qui ont peur. Et vous les harcelez. Vous les traquez en mobilisant la moitié des effectifs de la police de Stockholm !

Sven Sundkvist avait honte ; il avait désapprouvé l'opération et il lui fallait maintenant la défendre.

– Vous avez raison.

– Vous les menacez ! Vous leur tirez dessus !

– Je sais que ça ne change rien, mais... moi, je n'aurais pas pris une telle décision.

– Elles cherchent simplement un peu de chaleur. Une protection contre l'hiver et le froid. Et vous les chassez ! Toujours plus loin !

– J'ai besoin de votre aide.

– Ces gens-là... c'est en leur montrant du respect, en les écoutant, que vous gagnez leur confiance. Pas en les harcelant.

Une femme d'une vingtaine d'années s'approcha. Longs cheveux remontés en une sorte de houppette, jupe courte, bottes en cuir aux talons usés, sac noir en bandoulière, elle marchait sur le trottoir d'en face en s'efforçant de sourire. Une Mercedes s'arrêta à sa hauteur. A bord, il y avait quatre jeunes hommes. La fille lança un bref regard vers Sylvi, puis elle chuchota quelques mots. *Le numéro d'immatriculation.* Et elle monta dans la voiture.

– Elle fait toujours ça. Quand ils sont plusieurs. Un jour, elle a failli y passer ; ils étaient cinq et ils aimaient frapper.

Sven nota le numéro sur le dos de son calepin.

– J'ai tapiné ici. Elles le savent. Du coup, elles ont confiance. Celle-là... elle n'a que dix-sept ans.

– Mineure.

– Et ce n'est qu'une parmi d'autres. J'ai parlé avec une vingtaine cette semaine. Des gamines. Les plus jeunes, c'est ce qu'il y a de pire. Elles n'écoutent personne. Elles ont besoin de leur dope et elles sont prêtes à tout.

La Mercedes s'était éloignée. Il se demanda vers où.

– J'ai besoin de votre aide.

– Après ce qui s'est passé cet après-midi ? Vous vous foutez de moi.

Sven Sundkvist la comprenait. Il aurait réagi de la même façon. Encore une fois, il lui demanda pardon. Puis il lui expliqua qu'ils cherchaient le meurtrier d'une femme, et que ce meurtrier se trouvait certainement là-bas, sous terre.

– Non.

– Si je...

– C'est une affaire de confiance. Je n'ai pas confiance en vous.

Elle s'en alla. Dans un premier temps, Sven ne bougea pas. Puis il la suivit ; il n'avait pas le choix. Devant elle, deux grosses femmes en haillons surgirent de nulle part ; la diaconesse les serra dans ses bras, leur caressa la joue. Les deux femmes parlaient fort, et les façades en béton renvoyaient leurs voix braillardes ; elles avaient besoin de réconfort et Sylvi ne se déroba pas ; elle leur dit de revenir le lendemain ; ensemble, elles iraient voir les services sociaux. Elles s'étreignirent de nouveau ; le corps chétif de Sylvi disparut presque entre leurs chairs trop abondantes.

– Vous avez raison. On a fait une grosse erreur. Mais maintenant le problème n'est plus là.

Sven avait profité du départ des deux clochardes pour s'approcher de Sylvi.

– Il y a une femme qui s'est fait tuer.

S'il pouvait faire de la victime un être en chair et en os...

– Une femme qui a reçu quarante-sept coups de couteau.

S'il pouvait amener Sylvi à s'en faire une image...

– Et dont le visage a été mangé par les rats. Son meurtrier se promène en liberté sous Fridhemsplan.

Sylvi avait déjà commencé à s'éloigner ; il voyait le dos de son manteau trop ample. Soudain elle se retourna.

– Par des rats ?

– Des rats d'égout. Ils ont dévoré une partie de son visage.

Sylvi s'arrêta net. Il avait réussi ; elle voyait un être humain.

– Une femme ?

– Oui.

– Qui ?

Un être en chair et en os.

– Une femme de quarante et un ans. Divorcée, avec un enfant à charge. Elle travaillait à la Caisse d'assurance-maladie de Tyresö.

Sylvi l'écoutait. Il allait donner un nom à la femme. Comme ça, elle serait encore plus difficile à ignorer.

– Elle s'appelait Liz Pedersen.

Sven observa le visage de la diaconesse. Elle avait réagi. Elle essaya de s'en cacher, de paraître indifférente, mais Sven en était persuadé : elle connaissait ce nom.

– Dans les tunnels, vous dites ?

– Oui.

Elle se tut. On n'entendait que le souffle du vent. Il faisait froid. Deux voitures passèrent lentement, à la recherche de chair à vendre. Elle poussa un soupir. Comme si elle renonçait.

– J'y ai vécu. Il y a treize ans. Depuis, je n'ai pas touché à une seringue. Je suis mariée maintenant, mais je suis incapable d'aimer mon mari comme je l'aurais voulu. C'est impossible. Treize ans ! Vous comprenez… le corps s'en souvient. Il se souvient de tout. N'avoir nulle part où habiter. Vendre son sexe. Se shooter pour tenir le coup.

Sylvi serra son manteau autour d'elle, ajusta le bonnet de laine qui cachait ses cheveux gris.

– Je vais faire ce que vous semblez souhaiter. Je vais descendre sous Fridhemsplan, essayer de trouver la personne que vous cherchez.

Sven Sundkvist eut envie de la prendre dans ses bras.

– Vous ne pouvez pas y descendre seule.

– Si. Il faut que je sois seule.

– Il y a un meurtrier qui se promène là-bas.

– Seule. Il n'y a pas d'autre moyen. Vous, vous leur faites peur. Ils se méfient de vous. Et moi aussi. Si là-bas on apprend que je viens avec un policier… alors je ne pourrai rien faire.

Elle lui arrivait à la poitrine. Il aurait pu la soulever avec un seul bras.

– Je ne peux pas vous autoriser à faire ça.

– Là-bas, je suis bien plus en sécurité.

Son regard était d'une force incroyable.

– C'est trop dangereux.

– Bien plus en sécurité que vous ici.

Ça sentait la poussière. Toujours la même odeur. Une odeur de poussière et de souvenirs.

Ewert Grens était debout au milieu des archives de l'hôtel de police, un dossier à la main. Il allait bientôt rentrer chez lui, affronter son appartement, vaincre la solitude. Il lui avait suffi d'une demi-heure pour se rendre compte que la mort de Jan Pedersen avait fait l'objet de toutes les investigations possibles et imaginables. Il avait péri dans l'incendie de son appartement, six mois plus tôt. Un incendie causé par une cigarette allumée tombée sur la literie. Il ouvrit le registre des sorties et le signa ; il allait emporter le dossier, l'étudier chez lui. Il y avait toujours des choses qui vous échappaient, des choses qui finissaient par vous sauter aux yeux à la troisième ou la quatrième relecture.

Il regarda autour de lui. Il n'avait jamais aimé cet endroit. Tous ces malheurs enfermés dans des dossiers alignés sur des étagères et rangés par années. Des enquêtes sur des gens morts, ou à la vie bousillée. En partant, il faisait toujours un détour ; il y avait une étagère qu'il voulait à tout prix éviter. Une étagère près de la porte donnant sur le couloir ; un épais dossier classé vingt-sept ans plus tôt, concernant une policière du nom d'Anni Grens. Une voiture de patrouille lui avait écrasé la tête. On ne parlait pas de fauteuil roulant, ni de maison de soins ; on ne racontait pas comment une vie avait basculé en quelques secondes. C'était cela qui ne lui plaisait pas ; dans les dossiers, on n'expliquait jamais comment faire pour continuer à vivre.

Grens sortit par la porte de derrière, comme d'habitude. Puis il traversa le couloir silencieux jusqu'à sa voiture garée au sous-sol. Il s'installa au volant, mit la clé de contact et ferma les yeux deux secondes. C'est alors que son portable sonna.

Hermansson était en route depuis Viksjö. Il se rendit compte qu'elle faisait des efforts pour cacher sa fatigue. Elle lui parla d'un des enfants roumains, une fille qu'elle avait découverte dans le jardin, assise sur une balançoire. Petit à petit sa fatigue céda la place à l'indignation ; Grens finit par l'interrompre, lui ordonna de rentrer chez elle. Tant qu'elle n'aurait pas dormi quelques heures, il ne voulait plus la voir.

Il quitta le garage, s'engagea dans Sankt Eriksgatan, se dirigea vers Kungsbron. En passant par Fleminggatan, il jeta un œil sur la fenêtre du bureau d'Ågestam, au septième étage. La fenêtre était éclairée ; ce petit con travaillait encore à cette heure-ci. C'était bien fait pour lui. En s'approchant de Vasagatan, il crut reconnaître une voiture garée sur sa droite. Un 4 × 4. Il le dépassa, s'arrêta soudain, fit marche arrière.

On n'avait pas connu des températures aussi basses depuis des années, mais il ne sentait pas le froid.

Fredonnant un air, il s'approcha de la voiture et dégagea le pare-brise.

Il ne s'était pas trompé.

Fredonnant toujours, il se mit devant le capot de la voiture, tira un trait dans la neige avec le bout de sa chaussure et marcha jusqu'au croisement des rues. Puis il fit demi-tour et recommença sa manœuvre en comptant les pas. Il avait cessé de fredonner.

Regardant la voiture, il eut un bref rire. Il se dirigea vers la supérette 7-Eleven sur le trottoir d'en face. Elle était encore ouverte ; à la caisse, un jeune homme boutonneux s'affairait avec son téléphone portable. Après avoir attendu un moment, Grens perdit patience et lui expliqua qu'il cherchait un mètre ruban. Le jeune homme montra d'un large geste le bac à surgelés et le rayon confiserie.

– On ne vend pas ça ici.

– Alors j'aimerais en emprunter un.

– J'en ai peut-être un dans un tiroir quelque part. Mais ce n'est pas le genre de truc que je prête.

Ewert Grens était en train de perdre sa bonne humeur. Il posa son insigne sur le comptoir.

– Police.

Il retourna près de la voiture et s'agenouilla dans la neige fraîche, qui formait comme un tapis de sucre sur le sol. Du trait qu'il avait tiré, il déroula le mètre ruban sur toute sa longueur. Puis il fit un nouveau trait.

Au bout de cinq traits, il se redressa. Le bas de son pantalon était trempé.

Entre la voiture et le croisement, il y avait très exactement neuf mètres et quatre-vingt-douze centimètres.

– Huit centimètres.

Il parlait tout seul. Ou alors il s'adressait peut-être à l'homme qui l'observait, intrigué par ce cinglé qui marchait à quatre pattes dans la neige.

– Qu'est-ce que tu en dis ? Il manque huit centimètres. En tant que procureur, il devrait quand même faire attention, non ?

L'homme secoua la tête en s'éloignant. Grens retourna à sa propre voiture, ouvrit la portière et fouilla parmi le bazar qui encombrait sa boîte à gants.

Le carnet était tout au fond. Il ne s'en était jamais servi. Il souffla dessus pour en ôter la poussière.

Le carnet contenait cinquante feuilles. Il en arracha la première et mit ses lunettes. Avec un large sourire, il remplit la feuille, case par case. Puis il remit le carnet dans la boîte à gants, se dirigea vers le 4 × 4, débarrassa le pare-brise des dernières traces de neige et glissa le P-V sous l'essuie-glace.

En regagnant sa voiture, il fredonnait de nouveau. Encore quelques kilomètres et il serait à la maison.

Un sentiment étrange.

Ewert Grens s'était réveillé frais et dispos. Il avait bien dormi. Chez lui, dans son grand appartement vide. Sans passer des heures à écouter les pas lourds du voisin du dessus, sans gueuler à la fenêtre contre les voitures qui klaxonnaient dans Sveavägen, sans fouiller parmi les briques de lait périmées du réfrigérateur à la recherche de quelque chose à manger. Sans se promener sur son balcon verglacé avec le ciel noir pour seul toit, sans allumer la radio pour se laisser bercer par les voix aseptisées des présentatrices et les mélancoliques notes de jazz. Il avait dormi sans se réveiller une seule fois. Il s'habilla, ferma la porte à clé et descendit l'escalier, essayant de chasser ce sentiment qui s'apparentait à un soulagement, mais qui le perturbait et lui donnait envie de pleurer.

Ils devaient se retrouver dans la cour de l'école de Fridhem. Grens regarda l'horloge de la façade : 8 h 05. Sven était en retard ; cela ne lui ressemblait pas.

Il s'assit sur un banc. La grande ville dormait encore, le bruit de la circulation n'était qu'un simple murmure. Quelques bus passèrent, presque vides ; on était dans l'espèce de no man's land entre la fermeture des boîtes de nuit et l'ouverture des magasins. Grens souriait. Avec Anni, ils avaient souvent fait l'exact contraire de la plupart des gens ; le week-end, elle avait pris l'habitude de mettre le réveil, de l'obliger à se lever pour se promener avec elle dans le Stockholm désert du petit jour. Ils avaient eu la capitale pour eux seuls.

Il sortit son portable, voulut appeler Sophiahemmet. Mais il y renonça ; Anni avait besoin de repos. Ils auraient le temps de se parler plus tard.

– Désolé, je suis en retard. Il a fallu expliquer à Jonas pourquoi je ne suis pas venu le chercher hier soir, après l'entraînement. Et pourquoi je devais encore m'en aller ce matin.

– Tu n'as qu'à lui dire que c'est de ma faute.

– C'est ce que je lui dis toujours.

Après avoir balayé la neige, Sven Sundkvist s'assit sur le banc d'en face.

– 8 h 10. Il nous reste vingt minutes.

Ewert Grens ouvrit sa serviette et en sortit le dossier qu'il avait pris aux archives. Allongé sur son lit, près de la fenêtre donnant sur Sveavägen, il avait lu et relu l'enquête sur l'incendie qui avait coûté la vie à Jan Pedersen.

– Il est mort.

Grens feuilleta le rapport technique annexé au dossier. Il contenait des photos en noir et blanc de l'appartement de Södermalm où Jan Pedersen avait vécu après son divorce.

Photo n° 10. Sur le sol de l'appartement se trouvent les restes d'un corps humain.

Le cliché était presque entièrement noir. De la suie, des cendres. On distinguait à peine l'endroit où le sol rencontrait le bas du mur. Sven suivit du doigt le trait ovale tracé au crayon blanc au milieu de la photo. Il entourait une forme qui n'avait plus qu'un vague rapport avec un être humain.

Photo n° 17. Sous le corps, des ressorts métalliques provenant vraisemblablement d'un lit.

Un corps identifié grâce aux fiches dentaires. Car il n'en restait pas grand-chose ; l'incendie s'était rapidement propagé du lit à la moquette.

– Tu es sûr que c'est lui ?

— J'ai tout lu, plusieurs fois. Pour le meurtre de Liz Pedersen, il est hors de cause.

Sven remit le rapport technique dans sa chemise plastifiée et rendit le dossier à Grens.

— Il y a deux ans et demi, la fille disparaît. Il y a six mois, le père meurt. Et il y a deux jours, on retrouve la mère morte.

Il secoua la tête.

— Tu te rends compte, Ewert ? Toute une famille rayée de la carte.

Elle était ponctuelle.

A 8 heures et demie précises, ils virent la diaconesse apparaître à l'autre bout de la cour. Son corps semblait flotter au-dessus de l'asphalte ; elle était frêle, mais son pas était énergique. Elle était accompagnée d'un homme à la démarche lourde, un type assez massif qui s'arrêta soudain au milieu de la cour. Faisant des moulinets avec les bras, il semblait tomber en avant. Elle continua d'avancer.

— Je vous rappelle notre conversation.

— Oui ?

— Vous deviez venir seul.

Sven Sundkvist fit un geste vers le banc d'en face.

— Mon supérieur. Ewert Grens.

Elle l'ignora ostensiblement.

— C'est lui qui a ordonné l'opération dans les tunnels ?

— Oui.

— Alors je veux qu'il s'en aille.

Sous son manteau, on apercevait le col blanc de son uniforme. Une manière de se faire respecter. Sven se dit que tout cela devait être mûrement réfléchi ; là-bas, dans les tunnels, elle avait sans doute arboré son col comme une sorte de bouclier.

L'homme restait planté au milieu de la cour. Portant une barbe grise, coiffé d'un bonnet de laine, il était grand et corpulent. Il les regardait sans rien dire. La diaconesse hocha la tête dans sa direction.

— Sinon, cette entrevue n'aura pas lieu.

Grens se leva, ramassa sa serviette. Il se tourna vers Sven.

— Je m'en vais.

Le barbu ne cessait de les fixer des yeux, menton en avant, sans bouger. Il laissa à Grens le temps de disparaître au coin du bâtiment. Sur un signe de tête de la diaconesse, il s'avança enfin de son pas lourd.

– Sven Sundkvist. Miller.

Sylvi prit l'homme par la main. Ils s'assirent sur le banc que Grens venait de quitter. Un sans-abri. Sven le vit à ses doigts ; ils étaient pleins de crasse et portaient des marques de morsures de rats. Et son visage était couvert de suie.

– Vous avez quinze minutes. C'est pour elle que je fais ça.

Sa voix était nette ; il n'était pas soûl. Ni drogué. Un accent de la côte ouest. Sven Sundkvist se pencha en avant, les coudes sur les genoux ; il voulait s'approcher le plus possible, abolir la distance.

– Vous vivez là-bas ?

Miller poussa un soupir d'énervement, lui adressa un regard hostile. Sylvi lui posa une main sur l'épaule.

– S'il répond oui, il risque de se faire arrêter pour occupation illégale du domaine public. C'est ça que vous voulez ?

Sven Sundkvist se tourna vers Miller.

– N'ayez crainte. On a autre chose à faire.

Le bruit de la circulation était plus fort maintenant. Les bus étaient plus nombreux, on entendait des voitures freiner brutalement. La journée serait froide, mais belle ; le soleil perçait déjà à travers la brume matinale.

– Hier, vous m'avez parlé de Liz Pedersen.

Sylvi s'était tournée vers Sven.

– Vous m'avez dit qu'elle était morte. Et alors j'ai compris que je n'avais pas le choix. Je devais faire quelque chose, prendre contact avec Miller. D'ailleurs, vous avez vu ma réaction ; j'en suis sûre.

Elle se tourna vers Miller, lui effleura la joue de sa main.

– Mon problème, c'était le secret professionnel. Maintenant, j'en suis déliée. Je pense pouvoir répondre à certaines de vos questions. Mais ce n'est pas à moi de commencer.

Elle caressa encore la joue de Miller. Celui-ci hésita, secoua la tête.

– Que vous occupiez illégalement le domaine public, je n'en ai rien à faire. Que vous ayez allumé des feux, hier, je n'en ai rien à faire. Et si vous avez commis d'autres délits, vous ne m'en parlerez pas, c'est tout. Dans treize minutes et demie, je m'en irai. Et vous ne me reverrez pas.

Sven jeta ostensiblement un regard sur l'horloge pour lui montrer qu'il respecterait leur accord. Miller se frotta la tête, l'air inquiet. Il respirait fort.

– Les enfants... Les enfants ne devraient pas vivre là-bas.

Les plis de son cou, ses joues creuses rougissaient. Il était indigné.

– Car c'est une enfant.

Sven aurait voulu s'approcher davantage. Il s'efforçait de cacher son excitation.

– La voir là-bas... On discute de temps à autre, tous les deux ; j'ai l'impression qu'elle me... fait confiance.

Sven n'était pas sûr de comprendre ce que l'homme voulait lui dire, mais il craignait de l'effrayer.

– Là-bas, c'est rare qu'on ait confiance en quelqu'un. Alors je n'aurais peut-être pas dû... Mais ça fait plus de deux ans, nom de Dieu.

Miller se tut. Il respirait toujours aussi fort. Puis il continua :

– Il fallait bien que j'en parle à quelqu'un.

Grens tendit la main vers la cafetière et se versa une deuxième tasse. Il avait quitté la cour de l'école de Fridhem pour attendre dans le vieux café aux banquettes de velours rouge de Sankt Eriksgatan. Il y allait de temps en temps ; un journal, un café noir, des gens à observer. *Cela n'arrive pas souvent qu'un marginal vous marginalise.* Il sourit intérieurement en pensant à ce SDF qui posait ses conditions pour parler. *Mais dans une enquête pour meurtre il faut écouter tout le monde, même les barjots.* Il but une gorgée de café et mordit dans sa pâtisserie, un escargot à la cannelle assez gros pour remplacer tout un repas. *Et le barjot en question vit là où se cache l'assassin.* Il repoussa sa tasse vide. L'idée l'avait effleuré quand Sven l'avait appelé pour lui donner rendez-vous : ils allaient se retrouver en face d'un meurtrier. Le barbu de la cour d'école aurait très bien pu être l'homme qu'ils cherchaient. Mais Ewert Grens en était certain : ce type n'était pas un assassin. Trente-quatre ans dans la police lui avaient appris à quoi ils ressemblaient, comment ils se comportaient. Il mordit encore dans sa pâtisserie en regardant les trois adolescentes qui gloussaient hystériquement à la table voisine. A une autre table il y en avait deux autres, un peu plus âgées, qui parlaient trop fort ; aujourd'hui, les cafés, c'était ça, des endroits fréquentés par des jeunes qui buvaient des trucs italiens avec plein de mousse de lait dessus. Son portable se mit à sonner, mais il ne l'entendit pas ; le bruit se noyait dans les sonneries de tous ces gens qui passaient plus de temps à taper sur les touches de leurs téléphones qu'à se fréquenter dans la vraie vie. Encore un bip et il comprit qu'il s'agissait du sien. Cherchant où appuyer parmi les touches trop petites, il finit par s'énerver et envisagea de demander de l'aide à une des adolescentes. Puis il trouva enfin le menu des messages reçus.

Il lut et relut le message. Puis il se leva d'un bond, emporta le reste de sa pâtisserie et courut jusqu'à l'hôtel de police.

Sven Sundkvist regarda de nouveau l'horloge de l'école de Fridhem. Il leur restait neuf minutes.

– Il le fallait. Il fallait que quelqu'un soit au courant.

Miller voulut se lever, mais la diaconesse lui posa une main sur l'épaule.

– Tu as bien fait.

Sylvi regarda longuement Miller. Puis elle se tourna vers Sven.

– C'était il y a trois semaines. La veille de Noël, sur Fridhemsplan. Nous y allons une fois par semaine distribuer des sandwichs et du café. Et plus souvent quand il fait froid. Les sans-abri savent où nous trouver. Certains prennent juste un café et s'en vont sans rien dire ; d'autres semblent surtout chercher un peu de compagnie.

Sa main était toujours posée sur l'épaule de Miller.

– Ça doit faire sept ans que tu viens. Mais ce jour-là tu t'es attardé, tu voulais me parler.

– Elle est là-bas depuis plus de deux ans.

— Tu n'as dénoncé personne.

— Je n'aime pas ça. Les enfants qui vivent sous terre.

Sylvi rajusta son col blanc. Son bouclier. Elle s'apprêtait à dire des choses qu'elle n'avait pas envie de dire.

— Miller m'a parlé d'une fille que personne ne cherchait. Une fille très jeune. Je vous ai montré mon classeur, j'ai été obligée de réagir, de faire un signalement aux services sociaux. Au bout de quatre jours, quand j'ai vu que rien ne se passait, j'ai décidé de mener ma propre enquête.

— *Je m'appelle Sylvi. Je suis diaconesse à l'église Sankta Clara.*

— *Oui ?*

— *J'ai une question à vous poser. A propos de votre fille.*

— Je connaissais le prénom de la fille. Ce n'était pas un prénom ordinaire ; j'ai demandé à un des pasteurs de jeter un œil dans le recensement. Dans la région de Stockholm, quatorze filles de ce créneau d'âge portaient ce prénom.

— *Vous avez une fille qui s'appelle Jannike. N'est-ce pas ?*

— *Pourquoi cette question ?*

— J'ai réussi à trouver le numéro de téléphone de onze d'entre elles.

— *Vous savez où elle est en ce moment ?*

— *Mais de quoi vous vous mêlez ?*

— Mon huitième coup de fil, c'était pour Liz Pedersen.

— *Parce que, si vous ne le savez pas, moi je le sais peut-être.*

Ewert Grens transpirait malgré le froid.

Dès qu'il avait reçu le message, il avait quitté le café, son portable à la main. Il avait traversé le parc de Kronoberg bien plus vite que d'habitude ; son cœur battait fort quand il ouvrit la porte de Bergsgatan, se hâta à travers les couloirs et grimpa les escaliers.

Le panier du fax contenait un seul document.

Il y avait un problème d'encrage ; les lignes du haut étaient difficilement lisibles. Il lut le message en suivant le texte avec son doigt.

L'ADN de la lime, de la brosse et du sous-vêtement est très proche de celui de 660513 Liz Pedersen.

Ce résultat, il l'avait attendu avec impatience.

La veille, il avait perquisitionné l'appartement de Liz Pedersen. Il avait mis sous scellés une petite culotte, une lime à ongles et une brosse à cheveux qu'il avait fait envoyer au laboratoire de Linköping.

Le chef du laboratoire confirmait maintenant que les affaires devaient vraisemblablement appartenir à la fille de la défunte.

Ils disposaient donc de l'ADN de Jannike Pedersen.

Ewert Grens parcourut le long couloir, le papier à la main. Comme la lumière brutale des néons lui rendait la lecture difficile, il s'arrêta dans la cuisine, alluma la lumière au-dessus de la table de cuisson et posa le document entre les deux plaques électriques. Il fit glisser son doigt vers le bas, jusqu'au résumé de l'analyse suivante.

L'ADN de la salive découverte sur le corps de la défunte est identique à celui de la lime, de la brosse et du sous-vêtement.

Il ne s'était pas trompé.

Elles s'étaient rencontrées.

Elle avait embrassé sa mère.

Sven Sundkvist regarda autour de lui. La cour de l'école était déserte. A force de ne pas bouger, il avait les pieds gelés. Le SDF et la diaconesse étaient assis en face de lui.

Grâce à eux, l'enquête avait fait un grand bond en avant.

— Elle y est toujours ?

Sven regarda Miller dans les yeux.

— Elle y est toujours ?

Miller se gratta le front de sa main crasseuse. Il regarda l'horloge.

– Les quinze minutes sont terminées.

Le bruit de la circulation couvrait maintenant le souffle du vent. Sinon, tout était silencieux.

– Mais vous avez l'air OK. Vous ne direz rien. Vous n'êtes pas du genre à vous mêler de ce qui ne vous regarde pas.

Miller eut l'air d'esquisser un sourire.

– On peut rester encore un peu.

Sven Sundkvist attendit la suite.

Il savait qu'ils parleraient. Ils s'étaient décidés. Ils avaient confiance.

– Le lendemain de notre conversation, Liz Pedersen est venue me voir à l'église Sankta Clara.

La diaconesse s'était levée. Elle rajusta son manteau avant de s'asseoir de nouveau.

– Ensemble, nous avons préparé cent vingt sandwichs au jambon et au fromage. On ne s'est pas beaucoup parlé, elle m'évitait du regard. Vous comprenez, la honte...

Il comprenait. Il interrogeait des gens depuis dix ans. Il savait que la honte détruisait toute confiance.

– Elle est venue avec nous. C'était le 31 décembre, il faisait un froid de canard. Comme aujourd'hui. Mais quand nous sommes arrivées à Fridhemsplan, Miller n'était pas là.

Sylvi prit la main de Miller.

– Je l'avais prévenue ; on ne peut jamais savoir. Mais au moment où nous nous apprêtions à partir, alors que nous étions déjà en train de remballer nos affaires, il est arrivé.

– *Bonjour.*

– *Bonjour.*

– *Je m'appelle Liz Pedersen. Je suis la maman de Jannike.*

– Ils se sont parlé. Pendant ce temps, nous avons continué à ranger.

– *Je voudrais venir avec vous.*

– *Non.*

— *Je voudrais la voir.*

— Miller a pris son café et son sandwich et il est parti. Elle l'a suivi. Elle pleurait, je crois même qu'elle l'a frappé.

— *C'est impossible.*
— *Je suis sa maman !*
— *C'est trop dangereux.*

Miller serrait la main de Sylvi. Il était inquiet ; Sven s'en rendait compte. Il pourrait s'interrompre à tout instant.

— Elle a écrit quelque chose.

Miller s'agitait sur son banc. Il semblait pressé de s'en aller.

— Elle avait les mains qui tremblaient. Et elle pleurait ; je n'aime pas quand les gens pleurent.

Il se leva.

— Ça lui a pris quelques minutes. Puis elle a plié la feuille avant de me la donner.

Il secoua la tête.

— Je n'aurais jamais dû t'en parler, Sylvi. Je n'aurais jamais dû parler à la mère de Jannike. Je n'aurais jamais dû prendre cette foutue lettre.

Il s'en alla. Penché en avant, le pas hésitant, il traversa la cour. Sven ne bougea pas ; il savait que cela ne servirait à rien de lui courir après.

Mais Miller s'arrêta soudain.

Il resta un moment immobile. Le vent s'empara de ses vêtements.

Puis il revint sur ses pas.

— Il y en a d'autres là-bas.

Il continua de parler sans les regarder.

— Une pièce… il y a onze femmes qui y vivent.

La honte. Le sentiment de faire quelque chose de mal, de jouer les balances.

— Certaines ne sont que des enfants. Du même âge que Jannike.

Maintenant

Mercredi 9 janvier,
18 h 05,
église Sankta Clara

Il est debout à sa place habituelle, derrière le dernier banc. Depuis un moment, tout est silencieux. La vaste église se repose ; les derniers visiteurs viennent de rejoindre l'obscurité du dehors.

Pendant toute sa vie d'adulte, il a travaillé là. Mais jamais une journée ne lui a paru aussi longue.

George pousse un soupir, promène son regard dans la nef, cherche la doudoune rouge, les cheveux emmêlés, les épaules maigres.

Elle est là depuis ce matin.

Dans moins de deux heures, il doit fermer. Tourner la clé dans les portes du nord et du sud.

Elle ne peut pas rester là.

Depuis un moment, elle paraît moins absente. Elle s'est étirée, elle a jeté quelques regards timides autour d'elle. En remontant vers l'autel pour arranger la nappe, il a essayé de capter ses yeux. Ils lui ont semblé vivants.

Sylvi a réussi à percer sa bulle.

Petit à petit, elle s'est approchée. Sans se cacher, elle a bu dans le gobelet de la fille.

Elle a brisé sa solitude. La proximité physique a fini par avoir raison de ses défenses.

Il entend des pas derrière lui ; c'est l'organiste qui revient. Une jeune femme ; elle est nouvelle. Elle s'est absentée quelques heures, mais elle revient toujours en fin de journée pour répéter les cantiques du lendemain.

Il le remarque de nouveau.
Quelques signes de changement.

George se souvient de la matinée. Au début de l'office, elle s'est penchée en avant, se bouchant les oreilles.

Maintenant, elle se tient droite, elle tourne légèrement la tête, elle semble écouter.

Dans l'église vide, elle se laisse emporter par les sons de l'orgue.

Neuf heures plus tôt

Il manquait une phalange aux index et majeur droits de Miller. Lui-même n'y pensait guère ; il avait perdu deux bouts de doigt, c'était tout, il ne se rappelait plus très bien dans quelles circonstances.

Le classeur posé sur ses genoux, il parcourut de ses deux doigts estropiés le bord de chaque photo. Il essaya d'imaginer à quoi ressemblaient maintenant ces jeunes filles souriant gentiment à l'objectif ; le temps et la vie avaient forcément laissé des traces sur leur visage.

– Elles ont… disparu ? Toutes ?

– Oui. C'est le fichier national des personnes disparues. Parfois, leur disparition remonte à quelques jours seulement, parfois à bien plus longtemps. Le fichier contient aussi des photos de jeunes de Copenhague, Oslo et Helsinki ; quand les gens disparaissent au cœur d'une grande ville, il leur arrive souvent de refaire surface dans une autre.

– Je n'aime pas ça. Voir des enfants là-bas.

Ils étaient toujours assis sur les bancs de la cour de l'école de Fridhem. Miller avait d'abord accordé quinze minutes à Sven. Quand il était revenu sur ses pas pour parler des onze femmes vivant sous terre, Sylvi avait réussi à le persuader de lui donner quinze minutes de plus. Sven avait appelé Hermansson, qui avait interrompu son enquête sur les enfants roumains pour aller consulter le fichier des personnes disparues. Après avoir sélectionné toutes les personnes de sexe féminin âgées de treize à vingt ans, elle avait quitté l'hôtel de police, deux classeurs sous le bras. Elle avait compris qu'il ne fallait pas poser de questions. Elle avait évité de regarder Miller avec insistance. Sans rien dire, elle avait tendu les classeurs à Sven. Puis elle était repartie.

Miller venait encore une fois de lui accorder quinze minutes supplémentaires.

– Elles ne doivent plus ressembler aux photos. Plus maintenant. Quand on vit dehors, on change vite. Là… ce sont des petites filles. Propres. Bien coiffées. Et puis il y a leur regard. Leur regard ne sera plus jamais comme ça.

Il prit son temps pour feuilleter le classeur de ses doigts estropiés. Des pages et des pages de clichés ; des portraits réalisés en studio, de photos d'identité, des instantanés pris avec un téléphone portable, sans doute par une copine.

– Il y en a beaucoup là-bas qu'on ne voit pas dans ces classeurs.

Le soleil avait beau être apparu, Sven grelottait toujours. La lumière embellissait la journée d'hiver, mais elle ne parvenait pas à chasser le froid.

– Là, ce n'est que la partie émergée de l'iceberg. On en est conscients. Parfois, il se passe des semaines, ou même des mois, avant qu'une disparition ne soit signalée.

Miller s'était longuement attardé sur la photo d'une jeune fille blonde au sourire figé. Un cliché provenant vraisemblablement d'un album familial, pris sur une plage par temps gris. Le même visage apparaissait sur une autre photo, prise à une terrasse de café ; ici, la jeune fille riait ; on voyait sa dentition irrégulière.

– Vous la connaissez ?

Sven fit un mouvement de tête vers les photos. Il n'y eut pas de réponse.

– Vous la reconnaissez ?

Miller referma brutalement le classeur. Le visage cramoisi, il se leva et fit signe à Sylvi de le suivre. De nouveau, il gesticulait, l'air énervé. Puis ils revinrent.

– J'étais d'accord pour parler des enfants.

– Oui ?

– J'étais d'accord pour parler des enfants parce que je n'aime pas les voir là-bas. Mais celle-là… elle a vingt-trois ans et elle vit là, sous vos pieds. Et elle a le droit de le faire. Elle fait ce qu'elle veut. Je ne vais pas la dénoncer. Elle est adulte.

Sven hocha la tête. Il ne tenterait pas de le faire changer d'avis. Il savait qu'il avait plus à perdre qu'à gagner. Faire pression sur quelqu'un d'aussi farouche que Miller risquerait de le réduire au silence ; il s'en irait, et Sven ne le reverrait jamais. Il cocha cependant discrètement la photo de la jeune fille. Il en parlerait à Sylvi quand ils seraient seuls ; elle s'occupait justement de femmes sans domicile.

— Il y en a combien ?

Sven voulait le pousser à rouvrir le classeur.

— Qu'est-ce que vous voulez dire ?

— Je suis curieux, c'est tout. Ici, dans le secteur de Fridhemsplan, vous êtes combien ?

Miller ne répondit pas.

— En tout. Hommes, femmes, enfants.

— Les gens vont et viennent. Chacun fait comme il veut.

— Si vous deviez faire une estimation ?

Miller regarda les visages souriants des photos. Il n'était pas sûr d'avoir envie de parler de gens qui, pour certains, étaient des amis.

— Trente ou quarante ou cinquante, peut-être. Qui savent où se cacher.

— Comme vous ?

— Ceux qui sont là-bas depuis longtemps, qui connaissent tout le réseau, comme moi… il n'y en a pas beaucoup.

Il prit le second classeur et l'ouvrit. De nouveau, il regarda consciencieusement chaque photo, parcourant le bord avec ses doigts. Il se raclait parfois la gorge, grommelait quelques mots. Il s'arrêta à la troisième page.

— Celle-là.

Une enfant, ou une très jeune femme. Fragile, pâle. Elle ne souriait sur aucun des quatre clichés. Un visage que l'on n'aurait pas remarqué s'il n'y avait pas eu ses piercings à l'oreille. Elle en avait une dizaine ; des anneaux d'argent très fins.

— Elle ne ressemble plus à la photo. Mais y a les anneaux… Elle fait partie des onze femmes.

– Vous en êtes sûr ?

– Depuis un moment, je la croise souvent dans les tunnels. Je lui ai même parlé. Elles me parlent souvent, les femmes.

– Il y en a onze ?

– Je suis allé chez elles. Certaines ne sont que des gamines. Quinze ans, pas plus. Une pièce assez grande, près de là où je vis. Elles l'ont bien arrangée, avec des vases de fleurs et des cartons qui leur servent de tables. Avec des nappes dessus. Elles y vivent. Il y en a peut-être plus. Mais moi je n'en connais que onze.

Sven Sundkvist parcourut le signalement de la disparition de la jeune fille. Son numéro d'identification y figurait, et on indiquait d'où elle venait.

– Elle parle comment ?

– Que voulez-vous dire ?

– Elle parle un dialecte ?

– Elle n'est pas de Stockholm. Elle vient du Sud. Lund, Ystad, peut-être Malmö.

Sven dut s'efforcer de ne pas sourire. D'après le signalement, elle avait quatorze ans. Elle avait disparu six semaines plus tôt. Elle était de Helsingborg ; Miller s'était trompé de quelques dizaines de kilomètres seulement.

Il n'avait rien inventé.

La jeune fille existait.

Les dix autres femmes devaient certainement exister aussi.

Ewert Grens était assis sur une des chaises en bois de la cuisine. Le fax était toujours posé entre les deux plaques électriques.

Jannike Pedersen avait embrassé sa mère.

Il retourna dans son bureau, prit le dossier et relut le rapport d'autopsie. Quarante-sept coups de couteau dont douze mortels ; les derniers avaient été portés avec une telle violence que l'arme était ressortie par le dos de la victime après avoir perforé son intestin.

Ils étaient pressés.

Tout en sachant qu'il risquait de mal tomber, il décrocha son téléphone.

— Pas maintenant.
— J'ai besoin de savoir.
— Un instant.
Il entendit Sven s'excuser, puis deux voix qui lui répondaient. Le vent rendit leurs paroles incompréhensibles.
— Les choses se précisent, Ewert.
— Qu'est-ce que tu as appris ?
— Tu le sauras d'ici une heure.
— Je veux le savoir tout de suite.
Pendant un instant, Sven avait dû écarter le téléphone de son oreille ; il entendit comme un grésillement. Le vent, sans doute.
— Il y a plusieurs jeunes filles mineures là-bas.
— Tu en es certain ?
— Je pense qu'il dit vrai. Il en a identifié une. Et il parle d'une pièce où vivent onze femmes. Au moins quatre d'entre elles sont mineures.
Ewert n'avait pas mis de musique, mais il esquissa quand même quelques pas de danse.
Ils savaient donc qu'une cinquantaine de personnes vivaient dans les tunnels sous Fridhemsplan. Ils savaient que plusieurs d'entre elles étaient mineures. Ils savaient que la salive découverte sur le corps de Liz Pedersen appartenait à sa fille. Laquelle avait disparu plus de deux ans auparavant.
L'opération n'avait pas été un échec.
Il allait retourner sous terre.

Miller avait désigné une jeune fille de Helsingborg dont la disparition avait été signalée six semaines plus tôt. Sa description s'était révélée exacte. Il disait la vérité.
Sven était énervé à cause du coup de fil inopportun d'Ewert. Il sortit une chemise plastifiée. Encore une fiche de personne disparue. Plus ancienne que les autres.
Il espérait que Miller allait continuer à dire la vérité.
— Et celle-ci ?
Miller regarda les deux photos que Sven posait devant lui.
— Vous l'avez vue également ?

Un portrait réalisé à l'occasion d'une photo de classe. Un visage que le temps avait altéré. Encore une fois, Miller parcourut des doigts le bord du cliché. Il aurait voulu toucher la joue de la fille, lui parler, lui dire de retourner chez elle. Il ne l'avait pas fait. Puis les jours avaient passé, elle avait pris l'habitude de venir chez lui pour bavarder ou pour partager une cigarette. Et alors c'était trop tard.

– C'est elle.

Il avait parlé à Sylvi. Trois semaines plus tard, la mère lui avait confié une lettre. Et maintenant il était là, assis sur un banc, à se dire qu'il aurait mieux fait de se taire.

– Jannike.

Il souleva la photo.

– Elle… Elle avait cette tête-là, la première fois que je l'ai vue. Elle était propre, elle avait le teint frais, ses vêtements étaient impeccables. Une semaine a suffi. Quand je l'ai revue, elle était couverte de crasse, elle avait les cheveux emmêlés et elle avait cet air hébété que donnent les médicaments.

Sven Sundkvist en était persuadé. Cet homme disait la vérité.

– Tout à l'heure, je vous ai posé une question. Je vais vous la reposer.

Il regarda Miller dans les yeux.

– Elle est toujours là ?

Le soleil avait disparu. Les bancs étaient plongés dans l'ombre, le froid devenait plus intense. Se balançant légèrement, Miller hocha la tête.

– Oui.

– Elle est là-bas ?

– Je l'ai vue il y a quelques heures. Elle paraissait inquiète. Et elle n'a pas voulu me parler.

Il avait reconnu Jannike Pedersen. Il avait identifié une jeune fille de Helsingborg. Il affirmait qu'il y avait encore neuf femmes, dont trois mineures, vivant dans une pièce qu'elles avaient tenté d'arranger avec des nappes et des vases de fleurs. Sven Sundkvist le vit s'éloigner, légèrement penché en avant. Il suivit du regard l'homme massif et la femme si frêle qu'elle semblait flotter en marchant. Ils disparurent au coin de

Sankt Göransgatan. Sven savait maintenant que sous ses pieds vivaient des enfants suédois.

Ewert Grens noua soigneusement son écharpe et enfila une paire de gants en cuir par-dessus ses gants en laine. Il avait rarement froid, mais un vent glacial balayait le vaste espace dégagé devant Kungsbron. En marchant lentement, il lui fallut vingt minutes pour se rendre de Kronoberg à l'immeuble abritant le parquet. Il sourit en voyant les voitures garées devant l'entrée, pensant au carnet de contraventions dont il s'était servi la veille pour la première fois de sa vie.

Ils étaient déjà là ; Ågestam derrière son bureau, Sven et Hermansson assis à la table de réunion. C'était une pièce agréable, meublée d'ancien, avec vue sur une grande partie du centre de Stockholm. Grens y avait rarement mis les pieds ; il ne s'y rendait que s'il ne pouvait pas faire autrement.

– Vous êtes venu en voiture, Ågestam ?

Tous les trois buvaient du thé ; un grand thermos était posé sur la table de réunion. Grens s'en versa une tasse tout en guettant la réaction du procureur.

– Moi, j'ai préféré venir à pied ; on ne trouve jamais à se garer ici.

Ågestam choisit de ne pas répondre. Sven Sundkvist et Mariana Hermansson n'avaient pas compris à quoi leur chef faisait allusion, mais ils remarquèrent son air enjoué et constatèrent qu'il devait faire un effort pour ne pas sourire.

– L'enquête pour trafic d'êtres humains.

Ågestam s'était levé.

– Je viens de la classer sans suite.

Il marchait de long en large, un mince dossier à la main. Quarante-trois enfants traités comme des déchets.

– Je n'avais pas le choix. Nous n'avions pas le choix. Vous étiez là, hier. Vous avez entendu Horst Bauer.

Il avait pris sa décision à ce moment-là, seul à seul avec le commissaire allemand dans le couloir. Encore un crime devant lequel ils étaient impuissants.

Il s'apprêtait à poser le dossier à côté du thermos quand Hermansson intervint :

– J'étais à Viksjö hier soir. Assise sur un banc de jardin devant un pavillon mitoyen. Il faisait un froid de canard et il y avait cinquante centimètres de neige sur la pelouse. J'étais là pour parler à une jeune fille qui nous a aidés à identifier trois criminels. Je l'ai suppliée de venir avec moi à l'intérieur. Elle n'a pas voulu. Elle grelottait, mais elle devait d'abord finir de se balancer. C'est ce qu'elle a dit. *Il faut que je finisse de me balancer.*

Hermansson leur décrivit une jeune fille en pleine régression, un gamin de dix ans pris de spasmes, des enfants paniqués qui, deux jours plus tôt, avaient surgi devant l'hôtel de police de Kronoberg en se croyant en Ecosse.

– Je n'avais pas le choix. Vous le savez, Hermansson. Vous avez longuement parlé avec Bauer.

Ågestam montra le dossier du doigt.

– J'aurais pu requalifier les faits en maltraitance d'enfants. Mais, même sous cette qualification, nous ne pourrions pas poursuivre les suspects. Si un jour ils sont condamnés, ce sera en Roumanie.

Hermansson déglutit, se tourna vers Ewert, vers Sven, puis de nouveau vers Ågestam.

– Cela vous paraît une bonne solution ?

– Non.

Le procureur écarta les bras.

– Cela me paraît une très mauvaise solution. Là-dessus, nous sommes tous d'accord.

Il se tourna vers Grens.

– Qu'en pensez-vous, Ewert ?

– Je pense que sept cent cinquante couronnes pour huit centimètres, c'est trop. Ça fait presque cent couronnes le centimètre.

Hermansson déglutit de nouveau.

– Qu'est-ce que tu veux dire ?

– Je pense que nous n'avions pas le choix. Cela arrive parfois, Hermansson.

Lars Ågestam se dirigea vers son bureau. Il prit un autre dossier, le posa sur celui qui n'avait plus lieu d'être.

— Le meurtre de Liz Pedersen. Vous voulez nous en parler, Ewert ? Au fait, la contravention, je l'ai fait sauter.

Il s'assit, se versa une autre tasse de thé, parut esquisser un sourire qui laissa Hermansson perplexe.

— Mais qu'est-ce qui se passe ici ?

Elle regarda Grens. Celui-ci s'empara du dossier, le feuilleta sans lever les yeux.

— Le meurtrier se trouve sous terre. Sous Fridhemsplan. J'en suis absolument certain.

Quarante-sept coups de couteau.

— Cela veut dire que nous avons trente à cinquante suspects. Des malades mentaux, des toxicomanes, mais aussi des gens qui cherchent simplement à fuir la société. Ou tout cela à la fois.

Dont douze mortels.

— Pour l'instant, nous en avons identifié trois. La fille de la victime. Une autre jeune fille, de Helsingborg. Et un SDF qui vit là-bas par intermittence depuis sept ans. Leurs empreintes digitales ne correspondent pas à celles de la personne qui a traîné le corps jusqu'au sous-sol de l'hôpital.

Les trois derniers coups avaient été portés avec une telle violence que l'arme était ressortie par le dos de la victime après avoir perforé son intestin.

— Je veux savoir qui c'est. J'ai l'intention d'y redescendre.

Il s'était réveillé, mais le sommeil l'enveloppait encore comme une lourde bâche, anesthésiant son corps, l'empêchant de bouger. Il était couché sur le sol en béton et il avait mal partout. Il leva la tête et regarda autour de lui. La pièce où ils vivaient était vide. Plus de matelas, plus de couvertures, plus de fauteuil en cuir. Il avait un vague souvenir de feux, de flammes qui devaient les protéger.

Leo se redressa. En s'appuyant sur ses mains, il réussit à se mettre à genoux. Il n'aurait pas dû se réveiller si tôt ; sa somnolence était provoquée par les médicaments, Jannike avait dû lui faire avaler quelques comprimés de Mogadon ou de Stesolid supplémentaires. C'était le seul moyen pour venir à bout de son état maniaque.

Ses jambes se dérobèrent sous lui ; il s'écroula à la première tentative pour se mettre debout. En prenant appui sur le mur, il y parvint enfin. Son corps était engourdi, mais son cœur battait la chamade.

Elle n'était pas là.

Il s'était habitué à la présence de Jannike. Elle avait renoncé à retrouver le monde d'en haut et il appréciait sa compagnie ; quand elle n'était pas là, la solitude l'étranglait.

Il était inquiet. Ce n'était pas son genre de s'en aller sans le prévenir ; elle ne faisait jamais ça.

Avant même de sortir son trousseau, il avait compris qu'il y manquait des clés. Deux avaient disparu. Une clé électronique et une clé de sécurité ordinaire.

Elle avait dû remonter.

Je n'aurais jamais dû déplacer le corps.

Il essaya de faire quelques pas, mais ses jambes se dérobèrent de nouveau. Il eut le sentiment de se noyer dans son propre cerveau. Il se recoucha, compta jusqu'à cent, essaya de nouveau, compta jusqu'à mille, essaya encore, compta jusqu'à deux mille.

Il parvint à marcher, mais ses jambes tremblaient encore. Il ouvrit la porte, sortit dans le tunnel, se tourna vers le feu éteint. Du tas de cendres montait toujours un peu de fumée. Il décocha un coup de pied à un rat qui s'était trop approché.

Jannike avait changé depuis l'arrivée de la femme.

Elle avait peur. Et sa peur déteignait sur lui.

Le tremblement avait cessé. Il tenait mieux sur ses jambes, marchait plus vite. A une centaine de mètres, il vit soudain un cône lumineux. Puis la lumière disparut au tournant d'un couloir pour réapparaître plus près. Une lumière isolée. Un de ceux qui vivaient dans les tunnels. Le cône s'élargissait et il entendait maintenant des pas, des semelles qui raclaient le sol. Quelqu'un arrivait du puits d'accès situé au croisement d'Arbetargatan et de Sankt Göransgatan. Quelqu'un qui revenait du monde d'en haut.

Pourvu que ce soit elle.

– C'est toi ?

C'était Miller. Il était déçu.

– Leo ? Je croyais que tu dormais.

Miller ne tenait pas en place.

– Tu as été là-haut ?

– Oui.

– En plein milieu de la journée ?

– J'avais des choses à faire.

Miller s'éloignait déjà. Leo cria dans son dos :

– Tu l'as vue ?

– Qui ?

– Jannike. Elle n'est pas là.

Miller continua son chemin. Il n'avait pas envie de parler, pas envie de répondre à des questions. Il était crevé ; tout ce temps sur les bancs de la cour de récréation de l'école de Fridhem à regarder des photos. Il avait désigné deux jeunes filles mineures. Il avait enfreint leurs règles non écrites ; il avait joué les balances. De honte, il baissa la tête.

– Non. Je ne l'ai pas vue.

Mais il ne regrettait rien. Ici, ce n'était pas un endroit pour les enfants.

– Pas du tout ?

– Ce matin, si. Ce matin, je l'ai vue. Pendant que tu dormais. Elle avait l'air inquiète. Elle allait je ne sais où.

– Elle montait là-haut ?

– Je ne sais pas. Peut-être. On ne s'est pas parlé. Elle n'en avait pas envie.

Leo vit Miller disparaître au tournant du couloir. Il était ensommeillé, mais ses jambes le portaient. La sortie de Mariebergsgatan était encore loin.

Deux jours plus tôt, il avait traîné le corps par ici. Il en avait parlé à Jannike, il lui avait expliqué que la femme ne pouvait pas rester là. Il l'avait mise sur un lit, la bordant avec des couvertures ; elle devait reposer confortablement.

Il n'aurait pas dû.

On était encore en plein milieu de la journée, mais le soleil déclinait déjà au-dessus de l'aéroport d'Arlanda.

Un minibus attendait sur le tarmac. Ses vitres étaient couvertes de buée ; à l'intérieur, Nadja et les deux garçons se recroquevillaient sur leurs sièges. Ils gardaient les yeux fermés, mais ne dormaient pas ; ils étaient coupés du monde, absents. Au début du trajet, le père d'Emil avait eu quelques inquiétudes ; poussés au désespoir, les enfants pouvaient se montrer violents. Mais il avait compris que c'était le contraire qui se passait : ils se renfermaient sur eux-mêmes.

Ils portaient de nouveaux vêtements. Ils étaient propres. Mais ils étaient toujours aussi perdus.

Quarante minutes plus tôt, quatorze voitures avaient quitté divers centres et familles d'accueil dans les comtés de Södermanland et d'Uppland. Des voitures de police et des minibus qui arrivaient maintenant les uns après les autres, les vitres embuées. A l'intérieur, d'autres enfants qui n'allaient pas tarder à retrouver les tunnels et les rues où ils avaient appris à se droguer.

La seule vie qu'ils connaissaient. Les seuls lieux où ils se sentaient en sécurité.

Le vent soufflait fort. Mariana Hermansson grelottait. Debout sur le tarmac, elle regardait les manutentionnaires amener deux passerelles vers la carlingue blanc et bleu de l'appareil de la compagnie roumaine Tarom. Les passagers réguliers avaient déjà pris place dans la partie avant de l'avion. On attendait maintenant quarante-trois enfants, quatre policiers et quatre travailleurs sociaux que l'on ferait monter à l'arrière.

Laissant Grens et Sundkvist, elle se dirigea vers le minibus. Elle frappa contre la vitre embuée. Le père d'Emil lui ouvrit la portière. A l'intérieur, elle fut accueillie par la chaleur et par un lourd silence. Se tournant vers le siège arrière, elle aperçut une paire d'yeux qui se dérobaient. La veille, Hermansson avait vu une jeune fille en pleine régression, mais qui n'était pas droguée. Maintenant, le regard de Nadja ne laissait aucun doute : elle était sous l'emprise de médicaments.

– Le psy lui a donné de l'halopéridol et du Nozinan. Assez pour la calmer jusqu'à son arrivée à Bucarest.

Le père d'Emil déglutit pour cacher sa rage et son impuissance.

– On fait exactement pareil. On les abandonne. On les occulte. Les enfants, les problèmes, les coûts. On s'en débarrasse. N'importe où, mais pas ici.

A l'arrière de l'avion, la porte s'était ouverte. Des quatorze voitures sortirent des enfants aux allures de somnambules. Portant des sacs à dos tout neufs aux couleurs gaies, ils marchaient en traînant les pieds. Hermansson s'avança, essaya de capter le regard de Nadja. Quand la jeune fille s'arrêta au pied de la passerelle, elle la prit dans ses bras et lui caressa la joue.

Elle eut l'impression d'étreindre un bout de bois.

Son corps était raide, ses bas pendaient sans force.

– Ils m'ont pris Cristian.

Elle ne la regardait pas, mais elle parlait enfin. Sa voix n'était qu'un souffle. Hermansson la serra fort dans ses bras.

– Mais ça ne fait rien. J'en aurai bientôt un autre.

La jeune fille se toucha le ventre, fit le geste de l'arrondir.

Hermansson ne répondit pas.

Elle en fut incapable.

Dans sa poitrine, il y eut ce déchirement qu'elle sentait parfois le soir, quand elle se demandait ce qu'elle faisait dans une sous-location à Stockholm, à six cents kilomètres de sa famille et de ses amis. Sans trouver les mots qu'il fallait, elle regarda Nadja monter dans l'avion, la main sur le ventre.

Ewert Grens avait attendu que tout le monde soit à bord.

– Je veux que tu les accompagnes.

– Quoi ?

– Je veux que tu sois là jusqu'à ce qu'ils atterrissent. Après, tu pourras clore ton enquête.

– Mais je n'ai même pas pris d'affaires de toilette, Ewert !

– Tu reviendras par le premier avion. En l'attendant, tu t'achèteras un livre.

Quelques minutes plus tard, Grens et Sundkvist virent l'avion s'éloigner sur la piste. Ils ne purent que constater leur échec.

– Eux, on les renvoie à Bucarest.

Grens se tourna vers son collègue.

– Mais les autres sont toujours là.

– Les autres ?

– Jannike Pedersen. La fille de Helsingborg. Et trois autres, que ce clochard a vus dans la pièce située sous Alströmergatan. Et tous ceux qui figurent dans le classeur de la diaconesse.

D'un geste, il embrassa un Stockholm fictif.

– Ici aussi, il y en a. Des enfants des rues.

Il donna un coup de poing dans le garde-fou de la passerelle que l'on ramenait.

– Je retournerai là-bas. Je ferai remonter les enfants. Je ferai remonter le meurtrier de Liz Pedersen. Je ferai remonter tous ceux qui y vivent.

Sven Sundkvist était resté silencieux. Soudain, il interrompit son chef. Sa voix partit dans les aigus ; sous le coup de l'indignation, cela lui arrivait parfois.

– On ne t'en donnera pas l'autorisation, Ewert.

– Je m'en fous.

Sven Sundkvist reconnut l'expression de son visage. Il savait que Grens était sérieux.

– J'espère que tu ne me donneras pas l'ordre de te suivre.

– Tu sais très bien que j'en ai le droit.

– Je te conseille de ne pas le faire, Ewert.

Jamais Sven Sundkvist n'avait refusé d'obéir à un ordre. Mais là, si Ewert Grens insistait, il refuserait.

Le vent soufflait plus fort, le froid était plus intense.

Un dernier regard vers l'avion s'élevant dans un ciel qui n'allait pas tarder à devenir noir.

Ils traversèrent le couloir menant au terminal principal d'Arlanda, au milieu des gens traînant des valises dont les roulettes grinçaient sur le sol.

Ils s'apprêtaient à quitter le hall de départ quand le téléphone de Grens se mit à sonner. Ils étaient déjà arrivés au parking lorsqu'il se décida à répondre.

Il poussa un cri, *Je l'ai tuée,* puis il se mit à courir, *Je l'ai tuée.* Il continua encore à crier dans sa voiture ; Sven l'entendait alors qu'il s'éloignait déjà. Cela résonnait entre les murs ; jamais il n'avait entendu un cri pareil.

Quelque chose n'allait pas, il le savait.

Il n'arrivait pas à se débarrasser de ce sentiment. Cela l'avait pris au moment où Ewert s'était mis à crier.

Ce son atroce. Il n'avait jamais rien entendu de pareil ; il ignorait qu'un son puisse faire aussi mal.

Sven Sundkvist frappa à la porte du bureau d'Ewert Grens. Depuis le début de l'après-midi il était venu frapper tous les quarts d'heure. Il l'avait cherché partout, à la cantine, dans les salles de réunion, dans le gymnase, jusque dans les toilettes. Il avait appelé son portable à intervalles réguliers, mais il était systématiquement tombé sur sa boîte vocale. Il avait aussi appelé chez lui, à Sveavägen.

Le cri d'Ewert avait résonné entre les murs du parking souterrain d'Arlanda. Puis il avait pris la voiture et il était parti.

Sven avait dû prendre un taxi. Il avait essayé de fixer son attention sur les voitures venant en sens inverse, sur ce qu'il voyait dans le rétroviseur, sur le journal qui traînait à côté de lui. Il connaissait les sautes d'humeur d'Ewert ; il avait appris à les supporter. Mais là, il ne s'agissait pas de leur enquête. Ni du Boeing 737-300 qui venait de décoller avec quarante-trois enfants dont personne ne voulait.

Il s'était passé quelque chose de grave.

Sven se mit de nouveau à parcourir les couloirs de Kronoberg, demandant aux collègues s'ils avaient vu son chef, vérifiant pour la énième fois que la voiture était bien dans le garage. Il appela le standard, le fit chercher partout, étage après étage. Son malaise ne cessait de grandir.

Epuisé, vidé, il s'écroula sur un banc dans la salle d'attente du service des passeports. Ne sachant plus quoi faire, il était prêt à tout abandonner, lorsqu'un auxiliaire civil lui tapota l'épaule et lui annonça qu'il avait vu le commissaire Grens quelques heures plus tôt dans les couloirs du sous-sol, pas loin des archives.

La porte des archives était ouverte.

Sven Sundkvist pénétra dans l'étroit couloir bordé d'armoires métalliques. Il ouvrit la porte de la pièce suivante. Nouvelles rangées d'armoires. Au fond se trouvait la porte donnant sur la pièce la plus grande, où étaient classés les dossiers les plus anciens. Sur la tranche de chaque étagère, on voyait de vieilles étiquettes tapées à la machine, indiquant l'année, le mois et le jour.

Il y avait quelqu'un.

On avait bougé. Sven entendit une respiration, vit de la lumière au-dessus de la petite table tout au bout.

Il était assis sur une chaise en bois.

— Ewert ?

Son large dos était tourné vers Sven.

— Ewert ?

Sven s'avança jusqu'à lui.

— Ewert ? C'est moi. Sven.

Sur la table était posé un dossier.

Un dossier vieux de vingt-sept ans. Une enquête pour coups et blessures contre un dépositaire de l'autorité publique. Il s'agissait d'une jeune policière grièvement blessée qui allait passer le reste de sa vie dans une maison de soins.

Sven Sundkvist jeta un œil sur la première page. Un nom le frappa.

Anni Grens.

Ils étaient donc mariés ?

Sven connaissait son chef depuis des années.

C'était un homme qui pouvait se montrer agressif, coléreux, pugnace, excessif, cafardeux. Ou tout cela à la fois.

Mais à aucun moment il ne l'avait vu dans cet état.

Une femme que Sven n'avait jamais rencontrée.

Sven lui posa une main sur l'épaule. Pas de réaction.

Ewert n'était pourtant pas le genre de personne que l'on touchait. Il détestait le contact physique et n'hésitait pas à le faire comprendre.

La seule femme dans la vie d'Ewert. Une femme à laquelle il s'accrochait, qui faisait partie de sa solitude.

Sven Sundkvist se pencha en avant pour le regarder.

Il avait les yeux à moitié fermés. Son corps était tendu, des plaques rouges lui envahissaient le cou et ses mains tremblaient.

– Elle est morte. Je l'ai tuée.

Mariana Hermansson n'aimait pas prendre l'avion.

Ils traversaient une zone de turbulences ; on leur dit de remettre leurs ceintures de sécurité. Elle prit une décision : plus jamais elle ne laisserait quiconque décider de ses chances de survie. Elle jeta un œil autour d'elle. Personne ne semblait avoir peur. Les enfants somnolaient, les travailleurs sociaux et les policiers bavardaient ou feuilletaient des magazines, les hôtesses avaient tiré le rideau de la classe affaires et on ne les voyait plus. C'était déjà l'après-midi ; derrière le hublot, le ciel bleu surplombait un tapis de nuages. On ne voyait rien, mais elle savait qu'ils avaient déjà survolé la Baltique et qu'ils devaient se trouver au-dessus de l'Allemagne. Elle regarda Nadja, qui dormait à côté d'elle. Hermansson pensa aux deux jours qu'elle venait de vivre, au sentiment qu'elle avait éprouvé en interrogeant une jeune fille aux avant-bras couverts de cicatrices. Une jeune fille qui aurait pu être sa petite sœur. Etrange, comme les conditions de vie pouvaient façonner un destin. L'avion fut de nouveau secoué ; elle se pencha pour boucler la ceinture de la jeune fille. Au contact du tee-shirt de Nadja, elle se rappela ses paroles. Et elle remarqua que son ventre commençait effectivement à s'arrondir. Avant l'été, ce corps de quinze ans allait donner naissance à un deuxième enfant.

Ce n'était pas encore le deuil. Ce n'était pas encore la solitude. Tant qu'il avait le courage d'avancer, il parviendrait à les tenir à distance.

Sa tête ensanglantée sur mes genoux.

Il l'avait tuée. Il y avait longtemps qu'il l'avait tuée. C'était lui qui avait tenu le volant, c'était lui qui l'avait condamnée à cette vie sans pensées, à cette existence dans un fauteuil roulant devant une fenêtre donnant sur le fjord.

Elle n'est plus.

Depuis qu'il avait reçu le message, six heures plus tôt, Ewert Grens n'avait cessé de trembler.

Il était debout au milieu du tunnel.

Une lampe frontale et un masque à gaz à la main.

Il allait continuer de travailler. Il ne savait rien faire d'autre ; il continuerait jusqu'à ce que la douleur et le manque l'obligent à s'arrêter.

Il venait de franchir la porte métallique du garage de Kronoberg. Des unités composées de quatre policiers étaient maintenant en train de soulever des plaques d'égout ; par dix-neuf puits d'accès, elles allaient converger vers le secteur de Fridhemsplan. Il se tenait à une centaine de mètres de l'endroit où quatre tunnels se joignaient dans une sorte de grande salle. Il fit un bref signe de tête aux secouristes qui s'apprêtaient à mettre en route les dix énormes ventilateurs placés à des endroits stratégiques. Cette fois-ci, ils ne seraient pas gênés par les feux. Le bruit des ventilateurs couvrait son talkie-walkie ; il dut augmenter le volume pour permettre à ses collègues d'entendre ses ordres.

Ewert Grens se retourna, scruta le fond du tunnel.

Il n'allait pas tarder à se trouver en face du meurtrier.

– Qu'est-ce que vous faites là ?

La voix venait de l'obscurité, là-bas où le couloir se rétrécissait. Une voix qu'il reconnut immédiatement.

– J'ai une autorisation.

Lars Ågestam s'apprêtait à rentrer chez lui lorsqu'il avait eu vent d'une nouvelle opération dans les souterrains de Stockholm. Dans ses fines chaussures de ville, il avait couru jusqu'à un des points de ralliement.

– Ça ? C'est l'autorisation que je vous ai transmise hier, Grens !

Incrédule, il regarda le papier que le commissaire lui tendait.

– Vous voyez.

– L'autorisation que je vous ai transmise pour l'opération précédente !

– Je n'ai pas l'impression qu'elle comporte une date limite de validité. Le procureur qui l'a rédigée a dû l'oublier.

Le talkie-walkie de Grens crépita. Deux collègues venaient au rapport, quelques centaines de mètres plus loin. Ågestam attendit que le seul bruit fût celui des ventilateurs.

– Je fais interrompre cette opération.

– Vous faites ce que vous voulez. Si vous tenez absolument à mettre mes hommes en danger de mort, libre à vous. Vous savez aussi bien que moi que nous avons tout sécurisé. On ne peut pas interrompre l'opération sans nous mettre à découvert. Et nous avons affaire à un homme qui a déjà tué au moins une fois.

– Je sais ce qui s'est passé, Ewert.

– J'ai l'intention de nettoyer ces tunnels.

– Je sais que vous n'êtes pas en état de prendre des décisions.

– Poussez-vous.

Cela avait pris une heure et demie.

Il était de retour au point de ralliement, à une centaine de mètres de la porte donnant sur le garage de Kronoberg.

« Nous avons sécurisé le tunnel sous Alströmergatan. Nous allons y pénétrer. »

Il était prêt. Il respirait calmement ; tout se passait bien.

« Nous avons éteint le feu. Nous sommes en train d'évacuer la fumée. »

Cela avait été rapide. Les sans-abri avaient réagi comme la première fois. Mais, grâce aux masques à gaz et aux ventilateurs renvoyant la fumée, les hommes de Grens avaient retourné la situation. Les allumeurs de feux avaient été pris à leur propre piège.

« Nous sommes sous le carrefour de Fleminggatan et Fridhemsgatan. Nous n'avons pas la clé de la porte donnant sur le couloir de communication. Nous allons la forcer. »

Quand les habitants des tunnels avaient compris qu'ils ne pouvaient plus s'échapper, certains étaient passés à l'attaque, avec des planches de bois, des couteaux et des pierres.

« Un collègue blessé. Demande d'assistance. Traumatisme crânien dû à une chute. »

Quelques minutes plus tard, Grens avait soudain quitté son poste au point de ralliement.

« Nous avons découvert une pièce qui semble habitée... »

Des hommes évoluant dans le tunnel situé sur Alströmergatan avaient appelé en renfort les travailleurs sociaux. Grens s'était joint à eux.

Une grande pièce, probablement un entrepôt de l'armée, occupée par onze personnes.

Onze femmes, dont quatre mineures.

Debout sur le pas de la porte, il avait découvert un lieu qui se voulait agréable. Des cartons retournés servant de tables, des nappes rouges et des vases de fleurs, plusieurs chaises, un canapé, des lampes branchées sur une prise multiple en haut du mur. Elles avaient quitté la pièce en silence, l'une après l'autre. Ewert revoyait leurs visages fatigués, pleins de crasse. Notamment celui d'une fille avec une dizaine de piercings à l'oreille ; sa photo figurait dans le fichier des personnes disparues.

« Nous entendons du bruit un peu plus loin. Il y en a qui ont dû nous échapper. »

Ils avaient continué à vider les tunnels. Ils avaient encore découvert douze SDF, des hommes de tous âges. Avec les femmes, on les avait conduits jusqu'à un camping-car garé sur Fridhemsplan. On les avait interrogés ; ils grelottaient dans la froide nuit de janvier. En les voyant, Grens avait pris une décision. *Pas question de laisser des êtres humains vivre comme ça, dans le noir, parmi les rats.* Il avait mis des vigiles à chaque puits d'accès du secteur de Fridhemsplan. Des hommes appartenant à une société privée de gardiennage. *Si nous les forçons à sortir dans la rue, les autorités devront s'occuper d'eux.* Ceux qui avaient réussi à s'échapper, ceux que la police n'avait pas réussi à coincer, ceux-là ne pourraient plus jamais y retourner.

Ewert Grens était seul dans l'obscurité du tunnel.

Il rangea son masque à gaz, sa lampe frontale, son talkie-walkie muet. L'opération était un succès. C'était ce qu'il pensait ; plus tard, dans les réunions internes et devant les médias, il n'en démordrait pas.

Douze hommes, sept femmes et quatre jeunes filles mineures avaient été placés. Certes, Miller et un autre sans-abri avaient été retrouvés morts de froid dans un tunnel de chemin de fer où ils avaient cherché à se mettre à l'abri. Mais ceux qui prétendaient que leur décès était lié à l'opération disaient n'importe quoi. Tous les hivers, des SDF mouraient de froid.

Grens marchait lentement. Un pas lourd, un pas plus léger ; sa jambe raide lui faisait mal et la douleur accentuait sa boiterie. Il s'approchait de la porte donnant sur le garage de l'hôtel de police. Il était épuisé ; il avait hâte de retrouver le distributeur de sandwichs et la machine à café. Ensuite, il repartirait traquer l'homme qu'il cherchait.

On venait d'interroger vingt-trois personnes.

Aucune d'elles n'était le meurtrier ; il en était persuadé.

Aujourd'hui

Mercredi 9 janvier,
19 h 45,
église Sankta Clara

Ewert Grens traverse le garage de l'hôtel de police. A chaque pas, il se sent plus vide. Pendant l'opération sous terre, il n'a pas pensé à elle. Tant qu'il travaille, tant qu'il parvient à la voir assise devant la fenêtre, elle est vivante.

Ce soir, il ne rentrera pas chez lui.

Il se dirige vers l'ascenseur ; bien que trop petit et trop lent, c'est le moyen le plus pratique de rejoindre son bureau. Deux collègues le précèdent, un homme et une femme qu'il ne connaît pas ; des jeunes qui sont là pour longtemps. Il se demande s'ils comprennent ce que ça veut dire, quarante ans à porter l'uniforme.

Les bras coincés entre la paroi de l'ascenseur et le dos de ses collègues, il a du mal à extirper son téléphone portable de sa poche. Il pousse un juron ; l'espace est prévu pour des enfants, ou quoi ?

– Ewert, c'est moi.

Sven parle vite et fort ; ce n'est pas dans ses habitudes.

– J'ai eu un coup de fil. De Sylvi, la diaconesse.

Sven l'appelle de sa voiture, il vient juste de quitter son pavillon de Gustavsberg ; pressé de rejoindre Stockholm, il conduit trop vite. La diaconesse lui a parlé d'une fille assise sur un banc de l'église Sankta Clara. Elle est là depuis l'aurore et elle ne répond pas quand on lui adresse la parole. Elle paraît en pleine confusion mentale, elle sent mauvais. Elle a l'air d'une SDF. Tout cela n'a rien d'inhabituel ; des gens poussent souvent la porte à la recherche d'un abri et d'un peu de réconfort. Située en plein centre-ville, entre la gare centrale et Sergels Torg, l'église est un havre de paix au milieu de l'agitation de la capitale.

La diaconesse a également évoqué la photo du dossier de Sven. Celle qui accompagne le signalement d'une disparition remontant à deux ans et demi. Elle a parlé des photos que Liz Pedersen gardait dans son portefeuille. Et elle lui a rappelé la description que faisait Miller de la jeune fille.

Taille, poids, couleur des yeux ; tout concorde.

La fille portant une doudoune rouge crasseuse et deux pantalons sous sa jupe pourrait bien être Jannike Pedersen.

Grens appuie sur le bouton arrêt. Les deux collègues le regardent d'un air furieux, mais il s'en fout. Il appuie ensuite sur le bouton −1. Arrivé au sous-sol, il quitte l'ascenseur sans un mot ni un regard.

L'excitation lui redonne de la force.

Dans un quart d'heure, tout sera fini.

Elle regarde toujours droit devant elle, mais elle sait que l'église est vide. Cela fait un moment qu'il n'y a plus personne. L'homme et la femme qui travaillent là, qui lui ont proposé de quoi manger, qui ont essayé de lui parler, elle ne les voit plus, ne les entend plus ; tout est silencieux. Elle est là depuis plusieurs heures, ce doit être le soir maintenant, le vitrail paraît tout noir. Elle tend la main vers le sandwich, boit une gorgée de jus.

Elle sait maintenant qu'elle a bien fait.

Elle se lève, elle va retourner là-bas.

Ewert Grens l'attend dans Klara Västra Kyrkogata. Sven Sundkvist descend de voiture. Sans un mot ils traversent le cimetière plongé dans le noir ; ils n'ont pas besoin de parler, tout sera bientôt terminé. Il fait froid ; grelottant malgré leurs manteaux et leurs gants, quelques dealers traînent encore entre les tombes. Ils voient les flics, mais ne font même pas semblant de se cacher. Par le temps qu'il fait, on ne va pas les inquiéter ; ils le savent. La porte de l'annexe est ouverte. Les deux policiers saluent le bedeau, assis près de la fenêtre.

Ils regardent Sylvi ; emmitouflée dans un manteau, une grosse écharpe autour du cou, elle est debout derrière son bureau.

— Les radiateurs. Ils ne marchent pas.

Grens compte les bougies ; il y en a dix-huit. C'est la seule source de chaleur.

— Vous avez appelé.

La diaconesse s'approche d'un plateau où sont posées trois grosses bougies. Elle se frotte les mains au-dessus de la flamme.

— Je n'en suis pas absolument certaine. Mais ça pourrait être elle.

Elle se tourne vers le bedeau. Puis elle regarde par la fenêtre, vers la vaste église plongée dans l'obscurité.

— George l'a découverte ce matin. J'y suis allée sept fois dans la journée. J'ai essayé de lui parler, mais elle ne répond pas.

Elle approche encore ses mains de la flamme. Ses maigres doigts sont rouges.

— Elle a le visage marqué. Elle sent mauvais. Elle est dans la rue depuis longtemps. Mais je ne l'ai jamais vue. Elle n'est jamais venue ici. D'après les photos et la description de Miller, ça pourrait bien être cette fille.

Jannike se lève. A force de rester assise sur le banc en bois, elle a mal partout, dans le dos, dans les fesses. Elle n'a pas bougé depuis le matin. Elle fait les quelques pas qui la séparent de l'allée centrale, puis elle se dirige vers le portail nord. Elle sent de nouveau les mains, les mains qui la touchent. Elle s'arrête. Elle ne parvient pas à leur échapper ; prise de peur, elle a envie de se coucher sur les dalles en pierre. Puis elle comprend que ce n'est pas la peine.

Les mains ne pourront plus l'atteindre. Plus maintenant.

Elle ouvre la porte. Dehors, il fait froid ; elle frissonne.

Grens et Sundkvist suivent la diaconesse et le bedeau jusqu'au portail principal. La vaste nef les attend, avec son silence et ses cierges. Cierges que les visiteurs peuvent acheter pour cinq couronnes et qu'ils placent ensuite dans des bougeoirs en métal ; le vent fait légèrement vaciller leur flamme incertaine.

Tout est désert. Tous les bancs sont vides.

– Elle était là tout à l'heure.

Sylvi fait un geste vers le haut de la nef.

– Au deuxième banc, à peu près au milieu.

Ewert Grens cherche le banc des yeux.

– Quand l'avez-vous vue ?

– La dernière fois que je suis venue. Il doit y avoir une demi-heure. Juste avant de vous appeler.

Ils parcourent tous les bancs de l'immense nef.

Ils sortent chacun par un portail différent, font le tour de l'église, ne rencontrent que le vent.

Ils se mettent à quatre pattes pour fouiller les abords de l'autel, ouvrent l'accès à la chaire, regardent sous les sièges de la tribune.

Elle est introuvable.

Jannike traverse la pelouse. Elle a froid ; elle a de nouveau cette sensation qu'elle éprouvait quand elle était petite et qu'elle allait sur la tombe de grand-mère avec maman et papa. Dans le cimetière, il faisait toujours froid. Elle aperçoit les dealers un peu plus loin, elle les entend la héler, mais elle ne répond pas, ne se retourne pas. Elle descend les marches conduisant à Klara Västra Kyrkogata et les mains reviennent, elles lui touchent les seins, les fesses, se glissent entre ses cuisses. Elles sont fortes, ne se laissent pas chasser. Les mains de maman. Elle a un frisson, elle a peur, mais pas comme autrefois, elle sait que maintenant elle peut aller de l'avant.

La plaque d'égout est au milieu de la chaussée, près de l'entrée du parking souterrain.

Il y a une grande poche sur le devant de sa doudoune rouge. Juste assez grande pour contenir la longue tige en métal qu'elle a prise dans le sac à dos de Leo. Elle enfonce la tige dans l'interstice entre la plaque et l'asphalte et elle soulève la lourde plaque en fonte comme il lui a appris à le faire, d'un coup sec.

Maman lui avait écrit. Maman avait appris qu'elle était là-bas.

A ce moment-là, Jannike savait sans doute déjà.

Elle était allée à l'endroit où maman lui avait donné rendez-vous. L'affronter n'avait pas été facile ; Jannike avait préféré regarder les étoiles de Noël dans les fenêtres des appartements ; leur lumière était si jolie dans le noir. Elles étaient descendues par le puits situé au croisement d'Arbetargatan et Mariebergsgatan. Deux ans et demi avaient passé, mais la voix de maman n'avait pas changé. Ni ses mains, quand elle les lui avait tendues.

C'était sans doute pour cela que Jannike s'était affolée.

C'était sans doute pour cela qu'elle l'avait frappée avec le couteau jusqu'à n'avoir plus de forces.

Elle n'avait pas pleuré. Elle était soulagée ; elle s'était contentée de la regarder. Et quand Leo l'avait traînée à travers les couloirs, elle avait accouru pour lui cracher dessus. Plusieurs fois.

Elle sourit ; tout cela est vieux. Elle descend lentement l'échelle du puits ; les barres de métal sont glissantes et étroites et elle s'y agrippe. Une fois en bas, elle saura retrouver le chemin jusqu'à Fridhemsplan. Elle doit rentrer auprès de Leo. Et plus tard, elle essaiera peut-être de savoir où habite papa. Pour aller lui dire bonjour.

Postface des auteurs

Dans ce roman, tout ce qui est invraisemblable est vrai.
Et tout ce qui est vraisemblable est fictif.

Il est vrai qu'une jeune fille de quatorze ans a longtemps vécu en compagnie d'un homme adulte dans les tunnels du secteur de Fridhemsplan.

Il est vrai que onze femmes d'âges divers ont vécu dans les tunnels du secteur de Fridhemsplan.

Il est vrai que quarante-trois enfants roumains vêtus de combinaisons bleu et jaune ont été abandonnés en plein Stockholm, croyant qu'ils se trouvaient en Ecosse.

Il est également vrai que le nombre de jeunes femmes fuyant la société est en augmentation. Il est vrai que l'Etat préfère se décharger de ce genre de problèmes sur des organismes privés qui en tirent des bénéfices substantiels. Il est vrai que les jeunes filles et femmes suédoises qui vendent leur corps pour survivre sont plus nombreuses que jamais.

Mais les autorités refusent d'en parler.

Officiellement, en Suède, aucun enfant ne vit dans la rue. Officiellement, la prostitution est en recul depuis l'entrée en vigueur de la loi criminalisant l'achat de services sexuels. Officiellement…

Le père d'Emil était resté un moment devant la porte de la chambre de Nadja, évoquant les enfants des rues dont les autorités niaient l'existence, « vous savez », son visage était rouge d'énervement, « ces gosses sont terrifiés, ils se cachent ». Sans s'en apercevoir il avait élevé la voix : « Vous ne les imaginez tout de même pas appeler les services sociaux ? »

Officiellement, on ne sait rien et on ne veut rien savoir. En effet, à partir du moment où l'on reconnaît qu'il y a un problème, il faut des ressources pour le résoudre. Aujourd'hui, ce sont les églises et les organisations bénévoles qui assurent l'essentiel du travail sur le terrain, dans les rues, les jardins publics, les cages d'escalier. Or les bénévoles se contentent d'agir. Mais ils ne sont pas obligés de se taire.

Néanmoins, ce livre est un roman. Basé sur des faits réels, certes. Mais nous avons fait appel à notre imagination, puisque le genre le permet. Et dans la mesure où nous parlons de personnes particulièrement vulnérables, nous n'avons pas hésité à modifier leur biographie. La fille que nous évoquons est donc une synthèse de plusieurs filles que nous avons rencontrées – des filles dont le seul point commun est de fuir la société. Et cela vaut aussi pour la fille aux piercings. Les circonstances dans lesquelles quarante-trois enfants roumains se sont retrouvés à Stockholm sont également fictives, mais ces enfants ont été victimes d'agissements tout aussi horribles que ceux que nous avons imaginés. Les informations obtenues par un auteur sous le sceau de la confession doivent être utilisées avec discernement ; nous avons donc modifié le visage de nos sources.

Nous avons également modifié d'autres détails. La topographie des tunnels a été adaptée aux exigences du récit. En ce qui concerne la partie militaire du réseau, nous considérons qu'il était de notre devoir de prendre quelques libertés avec la réalité : notre but est de décrire des hommes et non pas de mettre en danger la sécurité du pays.

Dans ce roman, les rues de Stockholm jouent un rôle important. L'orthographe de leur nom peut varier. Pour une rue comme Sankt Eriksgatan, on voit ainsi les orthographes S:t Eriksgatan et St Eriksgatan. Dans tous les cas, nous avons choisi d'écrire le nom tel qu'il apparaît sur les plaques des rues.

Et, pour terminer : PRINCIPAUTE DE MONACO ne comporte pas d'accent aigu. C'est ainsi que le nom figure sur les plaques d'immatriculation monégasques.

Nos remerciements chaleureux à :

– Tomas Hellström, sous-diacre, Hans Hernberg-Bratt, diacre, et Marie Svensson, éducatrice, pour leurs informations sur un monde qui échappe à notre vue, mais qui existe néanmoins ; nous sommes pleins d'admiration devant votre courage ;

– Janne, qui vit sous terre depuis des années et qui nous a ouvert la porte de son monde ;

– cinq jeunes femmes dont nous avons promis de respecter l'anonymat, et qui ont servi de modèle au personnage de Jannike ; nous espérons que vous êtes maintenant rentrées chez vous ;

– Jan Stålhamre et Inga-Lill Fransson, commissaires, pour leurs renseignements sur le travail de la police ;

– Lasse Lagergren, pour ses connaissances médicales ;

– Lasse Rosengren, pour sa connaissance du réseau des tunnels ;

– Fia Roslund, pour son aide pendant le processus d'écriture ;

– Vanja Svensson, Niclas Breimar, Ewa Eiman et Daniel Matisson, pour leurs conseils avisés ;

– Niclas Salomonsson, Emma Tibblin et Nina Eidem, de Salomonsson Agency, pour le courage et la force qu'ils nous ont insufflés ;

– Eric Thunfors, pour sa couverture qui s'accorde si bien avec le contenu du livre ;

– Astrid Sivander et Lise-Lotte Olaisen, pour l'ingrat travail de correction des épreuves ;

– Mattias Boström, Cherie Fusser, Lasse Jexell, Madeleine Lawass, Anna Carin Sigling, Anna Hirvi Sigurdsson, Ann-Marie Skarp, Karin Wahlén et Lottis Wahlöö, de Piratförlaget, pour leur professionnalisme et leur soutien chaleureux ;

et tout particulièrement à :

– Sofia Brattselius Thunfors, notre éditrice.